はじめの一歩

THE FIRST STEP!

相続と遺言のことならこの1冊

弁護士
國部 徹[監修]

自由国民社

はじめに

相続問題は誰もが一生に何度かぶつかる問題です。通常は親がなくなり、相続がおきるというケースですが、一生のうちに度々あるというものではありません。その時は、数少ない財産を得るチャンス（そうでない場合もある）ですから、骨肉の争いに発展することもあります。

相続事件は相続人、相続財産とその性質と評価、分割方法、税金問題、相続人間の交際、葬祭など、たくさんの要素が絡み合うので複雑な事態が生じます。遺産分割についての民法の条文（９０６条）は「遺産の分割は、遺産の属する物又は権利の種類及び性質、各相続人の年齢、職業、心身の状態及び生活の状況その他一切の事情を考慮してこれをする」として、具体的判断はぶん投げている有様で、本人も弁護士も裁判所も困惑を感じる事案です。

また、相続には遺言の問題が大きく絡みますが、遺言は被相続人の遺言作成時の感情が絡み複数の遺言の条項ごとの解釈も生じますから、相続開始後の遺産分割に当たっては大いに影響が残ります。

本書は、そうした問題の悲劇的なてん末を避けるための知識を、できるだけわかりやすく噛み砕いて詰め込んでおきました。本書が、無益な争いを一つでも多く防ぎ、鎮めることに役立ってほしいと願っております。

〈第9版に際して〉

最近は、相続制度についても重要な法改正が相次いでいます。多くの人は、親が死んでから初めて「相続」というイベントを意識すると思いますが、そこできちんと対処しないと、無用の争いを繰り広げて兄弟姉妹の関係が悪化する、という悲劇を招いてしまいます。できるだけ早い段階から正確な知識を得ておくことは、単に自分が損をしないためだけでなく、家族親族の関係を良好に保つためにも有益だと思います。

なお、相続手続に詳しい中野千津香行政書士に、一部手伝ってもらいました。

令和４年10月吉日

監修者　弁護士　國部　徹

本書の解説は、原則として、令和４年８月末現在の法令によるものです。なお、相続税については毎年改正が行われていますので、その動向には十分注意してください。

〈編集部〉

もくじ

CONTENTS

はじめに……Ⅱ

プロローグ　トラブル実例と予防・解決の処方せん――こんなに困った・こんなにモメた…！……1

▼相続に関する手続きのタイムスケジュール……3

◆相続トラブルの現状と問題点……2

ケース1　夫の死後、義父が亡くなるまで介護に尽くしたのに相続はゼロ円!?……4
ケース2　老人ホームにいた78歳の父親がヘルパーの女性と再婚していた！……6
ケース3　先妻側と後妻側で遺産分割をめぐり泥まみれの争いに……8
ケース4　老人性痴呆症の父親の遺言で全財産の相続を長女が主張……10
ケース5　家業を継ぐためだからと長男が他の兄弟に強引に相続放棄を迫る……12
ケース6　家を出たきり音信不通の不良息子が相続分を第三者に譲渡……14
ケース7　遺産となった生活基盤の店舗を売って分けろと主張する亡夫の兄弟……16
ケース8　老親を老人ホームに入所させようと思うが相続がらみの注意点は……18
ケース9　老人ホームへ入居した叔母の財産を管理していたが、叔母には子がいた……20
ケース10　先妻の子と後妻の子がいる場合、相続では後妻の子が得!?……22
ケース11　先祖代々の土地は跡取りの長男に継がせたいが……24
ケース12　長女に全遺産を譲り祭祀財産を承継させたいが……26

PART 1
これだけで相続の要点がすべてわかる
知っておきたい 相続と遺言の基礎知識……27
▼相続問題を上手に解決するには法律を知ることから

図解 相続の開始から遺産分割までの法律手続き……28
1 相続とはどういうことをいうのか……30
2 相続の対象となる財産にはどんなものがあるか……33
3 相続するためにはどんな手続きが必要か……36
4 法定相続は遺言がない場合の相続方法……39
5 法定相続では誰が・どれだけ相続できるのか……42
6 遺言により相続分や相続財産が指定されたら……48
7 内縁の妻でも遺産がもらえる場合があるのか……51
8 様々なケースでの子供の相続問題……54
9 取り分を変える寄与分と特別受益とは……57
10 どんな場合に相続人になれなくなるのか……60
11 実際の遺産の分配は話し合いで決めればよい……63
▼民法相続編の主な改正点――配偶者に居住権・特別寄与分制度など……66

PART 2
思いどおりに自分の財産を相続させる
遺産を残す人が知っておきたい 遺言の書き方と手続き……67
▼遺言の内容は法定相続に優先して適用される

図解 遺言の活用と手続き……68

1 本人の意思なら、法律的にどんな遺言も有効か……70
2 自筆証書遺言を書く場合にはどんな点に注意したらいいか……74
◆遺言書の基本サンプルと作成の要点……78
3 公正証書遺言とはどんなものか……82
4 遺産はどう整理しておけばいいか……86
5 負担付の相続や遺贈はどう遺言しておくのがいいか……90
6 特定の相続人に遺産を渡したいときはどうするか……93
7 法定相続人以外に遺産を渡したいが……97
8 相続人が遺言を無視した場合にはどうしたらいいか……100
9 個人商店を跡取りだけに相続させるにはどうするか……103
10 会社の事業を引き継ぐ人にだけ相続させるにはどうするか……106
11 農業を引き継ぐ人にだけ相続させるにはどうするか……110
▼遺言の書き方Q＆A……113

PART 3 損をしないよう上手に相続財産を受け取ろう
遺産の承継のための 相続手続きとトラブル解決法……115
▼遺産分割協議で各人の相続財産は決まる

図解 相続財産の承継手続きと各種の問題点……116
1 相続財産にはどんなものがありその評価はどうするか……118
2 不動産の相続に関する問題点とトラブル……121
3 生命保険金・死亡退職金・損害賠償請求権の相続と問題点……124

④ 事業や特許権・著作権などその他の財産の相続と問題点……127
⑤ 借金がある場合の相続の問題点……130
⑥ 祭祀財産の承継は誰がどのようにするのか……133

図解 遺産分割のしかたと各種の問題点……136

① 遺産分割に際しての基本的な心構えとは……138
② 遺産分割では相続人をめぐるトラブルもある……141
③ どうやって遺産を探し相続財産を確定するか……144
④ 遺産分割をする方法や基準はどうなっているか……147
⑤ 不動産の遺産分割はこうする……150
⑥ 預金や貸金・生命保険金・借金の遺産分割はこうする……153
⑦ 動産・有価証券・その他の財産の遺産分割はこうする……156
⑧ 寄与分・特別受益はこう評価する……159
⑨ 遺産分割についてのトラブルは多くある……162
⑩ 遺産分割協議の成立と証書の作成はこうする……165
⑪ 遺産分割協議成立後にトラブルとなるケースもある……169

図解 遺言書が出てきたときの上手な取扱い法……172

① 遺言書をめぐるトラブルと解決法……174
② 複数の遺言書が出てきた場合どうすればよいか……177
▼調停などの申立てをする場合の保全処分……180

PART 4
手続きを知って確実に財産を受け取ろう
相続財産の請求・移転の
法律手続きとトラブル解決法……181
▼相続財産を自分のものにするには一定の手続きが必要

図解 各種資産の相続手続きの流れと必要書類……182

1 不動産（土地・家屋）を相続する場合の手続き……184
2 借地権・借家権を相続する場合の手続き……186
3 住宅ローン・各種ローンを相続する場合の手続き……188
4 自動車を相続する場合の手続き……190
5 貸金債権・売掛金債権を相続する場合の手続き……192
6 預貯金・株式を相続する場合の手続き……194
7 著作権や特許権を相続する場合の手続き……196
8 動産を相続する場合の手続き……198
9 裁判上の地位を相続する場合の手続き……200
▼遺産分割後にしなければならない手続き……202

PART 5
相続税のしくみを知り早めの対策
知っておきたい 相続税のしくみと税額の算定法……203
▼一定の遺産以上は高率の相続税がかかる

図解 相続税の出し方・減らし方を知ろう……204

❶相続税のかかる財産とかからない財産……206
❷自分がいくら払うのか算出するまでの流れ……209
❸控除で妻の相続税はこんなに安くなる……211
❹資産の評価には種別に決まったやり方がある……213
❺相続税の延納・物納が認められる場合とは……216
❻相続税を減らすための贈与税の特例などの活用法……219
▼配偶者居住権（の創設）……225
▼相続税・贈与税の主な改正　平成27年〜……226

資料　相続トラブルの解決手続きと各種の相談所……227

◆資料1　調停・審判・訴訟の申立手続きと各種の書式……228
【書式1】相続放棄の申述書……230
【書式2】限定承認の申述書……231
【書式3】遺言検認の申立書……232
【書式4】遺言執行者選任の申立書……233
【書式5】遺産分割の調停の申立書……234
【書式6】特別縁故者の相続財産分与申立書……235
【書式7】寄与分を定める調停（審判）申立書……236
【書式8】法定相続情報証明制度を利用する場合の申立書……237
◆資料2　各種の相談所と費用……238
1相続問題の相談先／法律相談での注意点……238
2裁判所への申立手数料……240
●別編＝葬儀・相続関係の記録ノート……241

プロローグ

ドキュメント・相続——こんなに困った・こんなにモメた…!

トラブル実例と予防・解決の処方せん

◆相続というもの、「争続」と当て字されるほど、しばしば遺族の間に大きな争いを生じさせてしまいます。なにも巨額な遺産をめぐってばかりではありません。わずかに残された土地、一家がつつましく生計の糧としてきた店舗、なけなしの預金…。これらをめぐり、血肉を分けた遺族の間で、泥沼の紛争が起きてしまうことも多いのです。

◆ここでは、そうした「争続」の起きてしまった幾例かのケースを見、それを他山の石とするべく予防・解決のアドバイスを授けます。

■実例に学ぶ相続研究

相続トラブルの現状と問題点

▼相続紛争は身内の骨肉の争いとなたやすいので注意が必要

■高齢化社会の現在、死者（被相続人）および資産の増加に伴い、相続のトラブルも増加の傾向にあります。

令和2年の相続に関する家庭裁判所への申立件数は、相続放棄23万4732件、遺産分割事件1万4617件、遺言書の検認1万8277件などとなっています。

■相続人に関するトラブル

相続人に関するトラブルには、婚外子（非嫡出子）と称する人が現れた、相続人の1人が行方不明、胎児がいるなどの場合があります。

遺産分割に当たっては、相続人の確定が必要ですので、場合によっては法的手続きが必要となります。

■遺産分割に関するトラブル

遺産分割は、各相続人が自分の相続分に合わせて、遺産を分ける手続です。ところが、被相続人の遺産が長男が住んでいる家屋だけという場合などが少なくなく、遺産分割でモメるケースも多いのです。

また、生前に贈与を受けていたり（特別受益）、被相続人の家業を手伝っていた相続人がいると、寄与分をどうするかの問題も生じます。

■相続放棄に関するトラブル

被相続人の遺産が借金だけ、という場合には、相続人は相続放棄をすることにより、借金の相続を免れます。ただし、相続放棄をすると、遺産である借金は他の相続人に行くことになりますので注意が必要です。限定承認という方法もあります。

相続放棄の便法として、「相続分皆無証明書」がありますが、トラブルの元となることもあります。

■遺言に関するトラブル

遺言は死者の意思に従って、相続人が相続するというもので、実は、これが相続の基本なのです。遺言がない場合に、法定相続となり、法定相続分で相続が行われます。

ただし、一定の遺産の部分は遺留分として、各法定相続人が相続する権利があります。

遺言では、死者の遺言状の有効性が問題となる場合があります。

なお、相続では手続きが必要な場合があります。あらましは左表のとおりですが、無用のトラブルを避けるために遵守してください。

◆相続に関する手続きのタイムスケジュール

手続き	期間	根拠
●死亡保険金の請求期間	▼原則3年以内	約款
●遺留分侵害額請求権の時効	▼相続開始・遺留分侵害を知った時から1年間・相続開始から10年間	民法1048条
●相続税の申告と納付	▼10か月以内	相続税法27条・33条
●死亡した人の所得税の申告と納付	▼4か月以内	所得税法124条・125条（準確定申告）・129条
●相続の放棄または限定承認	▼3か月以内	民法915条
●遺言の検認	▼遅滞なく	民法1004条
●死亡届	▼7日以内	戸籍法86条

▼遺産分割

遺産分割は、いつまでにしなければならないという決まりがありません。もちろん、なるべく早く協議を終えるに越したことはないでしょう。放っておくのは紛争の元です。

〔その他〕

- ●初7日・49日の法要
- ●相続人を探すための公告
  ⇒公告期間は6か月以上が必要。

※手続きで期間があるものについても早目に手続きをすることが大切です。

CASE 1 夫の死後、義父が亡くなるまで介護に尽くしたのに相続はゼロ円!?

長男の嫁の献身は報われないのか?

A家の当主・武男氏は、交通事故でアッという間にあの世へ行ってしまいました。

後に残された妻の光子さんは途方にくれます。まだ若い武男氏にめぼしい財産は無く、従って遺産はありません。

家族としては一人息子の健太、小学校の六年生がいましたが、健太クンは光子さんの連れ子で、今回亡くなった夫、武男氏の子ではないのでした。

それまで住んでいた家や財産は亡夫武男の父親、武造、七五歳の所有でした。これがボケてはいないが足腰が立たない。したがって面倒見が大変です。よく病院へ入り、そのときの家族の病院通いも苦労でした。

「光子さん、武男は死んだ。ワシも不運な親だ。娘のユリ子はあのとおり亭主の会社が九州で、こっちへ来ることもできんし、アンタしか頼れるお人はない。どうじゃろう。いずれ再婚もあるかも知れんが、当座この家にいて、ワシの面倒を見てくれんじゃろうか。そのかわりワシの財産はみんなアンタに残すで」

…と、亡夫の父、武造はしみじみと光子さんに言いました。光子さんもセンチな気分になって答えたのでした。

「再婚だなんてトンでもない。あたしには健太という子もいますし、お父さんの面倒は見ますとも。財産なんてユリ子さんと半分、武男さんの貰い分だけで十分ですよ」

※

それから五年あまり、光子さんは本気で亡夫の父・武造の世話、看病に心をつくしました。そして武造老人も決して光子さんを裏切ったわけではありません。感謝の言葉を残して、老衰で大往生をとげました。

が、四十九日の法要の後、老人の娘・ユリ子さんが光子に言った言葉はこうでした。

「お義姉さん。長らくこの家に住んで頂きましたけれど、今度、私が相続しましたので相続税もかかります。この家を売ることにいたしますから、近々お立ち退きを願いたいんですが…」

老人は古風な人物でしたから、遺

言状など残さなかったのです。

そうなると老人の唯一の相続人は娘・ユリ子です。息子・武男はすでに死んでいるから相続人にならず、その妻（息子の配偶者）である光子や連れ子の健太には相続権はありません。妻には夫についての代襲相続権はないのです。まして連れ子の健太は他人です。

光子さんは財産目当てで舅の介護をしたわけではありません。また、相続人でない自分には老人の遺産をもらう権利がないこともわかっています。ただ、父親の世話を光子さんに押し付けておきながら、いきなり立退きを要求してきたユリ子さんの態度に怒りを覚えたのは事実です。

長男の嫁としての献身が報われるような対価を遺産からもらえる方法は本当にないのでしょうか。

※

結論から言えば、いくつか方法はあります。その一つが、民法の特別寄与制度（1050条）を利用する方法です。これは、平成30年7月の相続法改正でできた制度で、相続人以外対象外だった従来の寄与分制度（904条の2）と異なり、相続人でない親族が無償で被相続人の療養看護に貢献した場合には、その貢献分相当の金額を被相続人の相続人に請求できるというものです。

光子さんはこの制度の「特別寄与者」として、老人を介護するための献身に要した労力の対価を相続人であるユリ子に請求ができます。

この制度は令和元年7月1日以降に開始する相続に利用できますが、特別寄与者は、相続開始および相続人を知った時から6か月以内、相続開始から1年以内に請求をしなければなりません。

この他にも、老人の光子さんへの「財産はみんなアンタに上げる」という発言を取り上げ、彼女と老人間に死因贈与契約（民法554条）があったと主張する方法もあります。令和元年6月末までに開始する相続は、この方法です。ただし、老人の発言を証明してくれる証人を見つけ、確認の供述書を作る必要があります。

ポイント

予防・解決の処方せん

▼いかに介護に尽くしたとしても、亡くなった老人とは法律上の他人である嫁に相続権はない。老人の生前に、しかるべき遺言を書いてもらうことが一番。遺言がなければ、有力な証人を探して財産の死因贈与契約があったことを立証する方法もあるが、特別寄与制度で被相続人の相続人に請求する方が簡便である。

CASE 2

老人ホームにいた78歳の父親がヘルパーの女性と再婚していた!

▼相続分をめぐり子や孫が大騒ぎ…

B家では、このところ一問題が起き、騒ぎとなりました。ボケてはいないが、手が不自由なおジイちゃん、当家の主・太郎氏の父親の再婚問題でした。

このおジイちゃん・太吉氏は、老人ホームへ入っていた、いや、入れられていたのです。

老人ホームへ入れられたソモソモは、太吉老人が朝トイレへ入ると出るまでが長く、孫の花子や太一が文句を言い出したのが発端でした。太吉老人は大した文句も言わずホームへ入ったのでしたが、この老人にはお金がありました。女性に大もてとなり、ヘルパーの珍子さんの世話が気に入って、再婚することになったのです。

さあ大変、当主が太郎氏とはいえ、家屋敷は太吉老人の所有です。

太吉老人に配偶者ができると相続分はガラリと変わります。太郎夫婦は狼狽し、孫の2人も事情を理解して心配を始めました。

「そんなことしたら、モウおジイちゃんの面倒見ないモン」と宣言したのは孫の花子でしたが、考えてみれば初めから面倒なんか見ていないし、今後も見る予定などないのでした。

※

「おじいちゃんは幸せな老後を送って。私たちは相続財産が減ってもいいから」と、なぜ言えないのでしょうか。

珍子さんはまだ50の盛り、このほうが頼りになる存在でした。

近年、老人の再婚が増加しています。老人といっても長寿が普通となり、元気ですから再婚も不自然なことではありません。

不自然はむしろ息子・娘たちの心のほうかもしれません。昔より相続財産を狙う心理が強くなったのです。老人が再婚すれば相続人が増え、自分達の取り分が少なくなる(妻の法定相続分は2分の1)、という卑しい心理から、親の再婚に不服を持つようになるという傾向があります。

親に対する気持ちは、昔流の親孝行とは言わないまでも打算抜きであるべきはずなのに、相続財産をくれないのなら面倒を見ないよ、という浅ましい事案も数多くなっています。

しかし反面、再婚相手に問題がある事例も少なくありません。老人ホームだけというわけではなく、世には財産狙いの再婚事件も多いのです。老人の弱った心理につけこんだ再婚の申し出をして、息子や娘が反対するのも無理はないというケースもあります。場合によると、強引に同棲したうえで、理解できないのに署名をさせ、勝手に婚姻届を出す事件さえも多いのです。

しかしまた、その反面、財産ねらいでもいい、1年でもいいから相手が欲しい、という老人もいるでしょうし、それが悪いとは判断できないでしょう。

※

老人の再婚、是か否か。これは難しい問題です。

家族法の基本に立ち帰って考えましょう。子の親権や養子縁組などの是非は子の立場で考えるべきだとされています。してみると、老人問題も老人の幸福の立場で考えるべきでしょう。平成一二年にスタートした『成年後見』の制度もこの見地からのものでしょう。

しかも、結婚については、後見は馴染まないものとされます。愛情や結婚というものは財産問題ではなく、第三者の判断に適しないからです。

老人に冷たくしたくせに、遺産目当てでやみくもに再婚に反対する家族の方が間違っていないでしょうか。

相続には寄与分や遺留分など相続人を保護する制度もあるのですから、相続分については争うこともできるケースもあります。

※

具体的に問題になるのは、父親の再婚の婚姻届が本物かどうか、父親の真意に基づくものかどうかでしょう。

婚姻が本人の真意に基づいたものであれば、後は配偶者としての権利が生じ、回りでガタガタ言ってもどうにもなりません。

真意に基づかない婚姻であれば、婚姻無効となりますし、相続分の変化も生じません。しかし、婚姻無効の訴えの提起が必要となります。

ポイント

予防・解決の処方せん

▼いかに高齢とはいえ、愛情や結婚は本人の自由な意思に基づくもので、子供といえども強引な引止めはできないのが筋。法律が相続人に認めている権利＝遺留分（妻子などに認められる遺産受取りの最低保障割合）や寄与分（遺産の形成に貢献した者が受け取れる割増分）の主張を頭に置いておくこと。

CASE 3 先妻側と後妻側で遺産分割をめぐり泥まみれの争いに…

▼遺言がないばかりに起きる不幸

C氏は悪性のガンで急に亡くなりました。まだ齢50で、心残りだったでしょう。遺族もショックでした。

相続人としては、先妻の子と、後妻と、後妻の子がいて、複雑でした。まず、相続人が誰かを見ましょう。

先妻はすでに配偶者ではないから相続人ではありません。ただし、先妻の子がC氏の子であれば、これは相続人です。母親の離婚で、子としての身分が変わることはありません。ですから、母親が離婚しても、後妻の子と同じ相続分があります。

もし、C氏の子でなく先妻の連れ子であった場合、C氏と養子縁組がしてあれば、同様に子として相続人です。これは後妻の子が連れ子であった場合も同じです。

先妻側と後妻側、2人の相続人――この組み合わせで相続分はどうなるでしょうか。後妻の相続分が配偶者として2分の1、子の相続分も2分の1で、これを子の数で頭割りをすることになります。子が2人なら、4分の1ずつとなります。

後妻の子がC氏の子である場合、後妻がC氏と結婚する前の、当時としては不倫の子であり非嫡出子であったとしても、母が後にC氏と結婚したのですから、準正という制度により嫡出子となり、相続分は先妻の子と同じです。

ちなみに非嫡出子の相続分も嫡出子と同じです。

※

さて、相続分はこのとおりですから争いは無いはずですが、この事例は泥まみれの争い、というのです。してみると、その先の遺産の分割について争いがあるのでしょう。遺言をめぐる争いも少なくありません。

遺産は個々の具体的な財産です。それが現金や、金額の明らかな預金だけなら、相続分に応じて金額で分けられますが、土地や骨董品などであれば、法律上は相続人全員でそれらを共有することになります。

しかし、いつまでも共有状態でもいられず、どう分けるかが問題になります。全部を売却して金額で分けるのがサッパリするわけですが、現に居住している建物など売却に適しないものもあり、評価や分け方が問題になります。生前の特定の相続人への贈与が特別受益として、その人の相続分から差し引かれるという問題も生じます。

こういったことを決めるのを遺産分割といい、まず相続人全員の協議で決定します。協議が成立すると、これは一種の契約であり、勝手な変更はできなくなります。ただし、契約と異なり、債務不履行による契約解除などはできません。

相続人の協議が成立しない場合は、家庭裁判所による審判を求めることになります。あるいは家事調停で合意する方法もあります。

相続人であるかどうかがまず争われることもあります。婚姻や養子縁組の無効、子の否認、認知の要求などがこれにはいります。

相続分や分割方法は、遺言がある場合はそれによることになりますが、寄与分や遺留分の主張が出て、遺言どおりにならないこともあります。遺言の成立や効力そのものが争われることも少なくありません。

この項は、泥まみれの争いということですが、以上の問題が複雑に絡み合って複雑な相続争いになることはよくあることで、それを泥まみれと言えるまでひどいものにするかどうかは、相続人の問題であるとともに、被相続人（亡くなった人）の生前の処理の問題でもあります。遺言をきちんと作成しておけば、防ぐことのできる紛争は少なくありません。

※

問題点を少し付け加えておきます。

①遺言　遺言には、公正証書による遺言と自筆証書による（つまり本人の手書きの）遺言があり、その他、危急時遺言など特別方式による遺言があります。どれも遺言時の遺言者の意思能力（つまり正気がどうか）が争われる事案やその他の要件で争われる事案があります。

②非嫡出子の相続分　非嫡出子（婚外子）の相続分は、従来、嫡出子の相続分の2分の1で、憲法上の平等の原則に反しないかとの争いがありましたが、最高裁判所は憲法違反との判断を示し、民法の改正も行われ同等となりました（55ページ参照）。

③離婚無効・離縁無効などの争い　離婚や離縁の無効が認められれば相続人です。認知請求でも同じ問題が生じます。また、親子関係不存在の申立てがなされる場合もあります。

ポイント

予防・解決の処方せん

▼遺産分割は、相続人の間に感情的なしこりがあると、うまくまとまらないもの。だからこそ遺産の行き先をはっきり指定した遺言が大切である。紛争が予想される場合は特に、遺産を残す側は是非とも遺言を書いておくべきだし、受け取る側も、上手に機をとらえ、書いてもらう働きかけをするべきである。

CASE 4
老人性痴呆症の父親の遺言で全財産の相続を長女が主張

▼本当に自分の意思で書かれた遺言状なのか?

D老人はまるきりボケて老人ホームへ入っていたのに、当時、面倒を見ていた長女の計らいで公正証書遺言ができており、それには「全財産を長女に相続させる」とあり、長女が全財産の相続を主張した事件がありました。

遺言というものは、実際に事件にあたると実に奇妙なものです。一時の気まぐれで書いた遺言も、本人が死んでしまうと真面目なものになってしまうのです。

遺言の対象である遺産が、土地などをいれると数億円になる場合、たとえ死後であっても遺言の真意をよく確かめる制度があってもよさそうですが、そうした制度はないのです。

鳥のまさに死なんとするやその声悲し…などと、実際に聞いたこともないことを本気にして、本人の最期の言葉だから尊重しなければならぬ、と悲壮がる。しかし、死にかけた老人の心理など、概していい加減です。

もちろん遺留分や寄与分など、遺言を是正する制度はあります。しかし、遺言そのものの内容を吟味し合理化する制度はありません。

それはなぜでしょうか。民法には未成年者を保護する制度はいろいろあり、成年後見制度も同じ趣旨のものです。しかし、それは皆、本人を保護するための制度です。相続人が今後無事に生存していくことができるように保護する――これは実に必要なことです。死後にはもう、本人の保護の必要はなくなります。

※

では、相続人の利益も同じように保護しなければならないか。本人の死後、だれに遺産が行くにせよ、どうせ不労所得の拾い物ではないか。

もちろん相続には資本主義の基盤としての意味や文化の伝承、あるいは遺族の死後扶養など、尊重しなければならない要素もあります。しかし本人の保護ほどの必要性はない、というのが法律の考え方でしょう。

遺言制度も、最後の遺言が本人の真意によるものであるべきだ、というのが法律の制度です。

したがって、遺言作成時には本人の意思能力（自分が何をしているかキチンと判断できるだけの精神能力）を必要とします。それを判定するために医師２人の立会いの制度などがあり、しかも最終的には、遺言作成当時に意思能力があったかどうかは裁判所の判決によることになります。

　また、自筆であるかどうかということや、署名の真正を争うこともありえます。

　これが遺言無効を争う訴訟です。この訴訟では医師の証言や当時のカルテなどあらゆる資料が証拠になります。しかし、これは医師や病院を巻き込む事件なので、思ったより困難な訴訟となります。

　また、たとえ相続人であっても、別に法定の割合の遺産を受けている者については、訴えの利益がないとして、訴訟却下となります。この点も注意が必要であり、無効とされる遺言により真に相続権が害された相続人だけが訴訟遂行権（当事者適格）を有することになります。

　遺言の無効が通らない事案の場合は、寄与分の主張や、生前贈与を特別受益として主張し、遺留分で争う方法があります。

　また、遺言作成に不正があれば、不正に関与した相続人の相続欠格を主張する余地もあります。

※

　この他、以下の問題もあります。

①　遺言者の真意と周囲の影響

　この事件でも「当時、面倒を見ていた長女の計らいで」とありますが、相続人の１人が老人を自宅に住まわせ、他の子の面会は許さないで遺言書を作らせる、という事件は多々あります。逆に面倒を見ている子に対しては親の不満がつのり、たまに来てやさしいことをする子が気に入って誘惑のままに遺言状を書いた、という事例もあります。

　しかし、本人が真意でするかぎり、周囲の影響があったことは考慮されません。ただし、ボケて理解力を欠いていたのなら遺言無効の主張もできるでしょう。

②　自筆であるかどうか

　筆跡鑑定の対象になりますが、意外と比較する書面はないものです。手帳や日記など、豊富な比較材料を日常から用意しておくべきです。

　警察は民事事件の筆跡鑑定はしませんから、自分で専門家を選ぶしかありません。裁判所の鑑定人経験者がよいでしょう。

ポイント

予防・解決の処方せん

▼遺言があまりに一方的で、特定の者だけに有利に書かれていれば、その遺言状の真偽を疑いたくなる。まして、それが痴呆老人の書いたものであれば…。真偽の判定は、最終的には裁判所に判断をあおぐことになる。仮にそれが真正なものでも、妻子などは、遺留分の主張により最低限の取り分を確保できる。

CASE 5 家業を継ぐためだからと長男が他の兄弟に強引に相続放棄を迫る

▼高額な土地資産の丸取りは妥当か?

Eさんが亡くなりました。そこでEさんの遺産相続が開始しました。

Eさんは銭湯を経営していたので、その遺産は浴場施設と備品が主です。ただし浴場は昔の燃料置き場もあるから、土地は広い。都心の銭湯だから、敷地だけでも評価すれば大変な財産なのです…。

銭湯の事業は、これまでも業務に従事していた長男が継ぐことになりました。これには他の兄弟も異存はないのです。しかし長男は、全設備を相続しなければやっていけないから、ほかの者は全員相続を放棄してくれ、というのです。

それはまた、あんまりなことではないか、というのが他の兄弟の言い分でした。

※

現在の制度は共同相続であり、子が複数いれば平等に分割して相続します。しかし、銭湯に限らず、農家や店舗など、遺産が営業財産になっており、分割すると営業が成り立たなくなる場合には困難な分割問題が生じます。

このための方法としては、まず代償分割の方法があります。

長男が銭湯の施設全部を相続分割で取得するかわりに、現在または将来、一定の代償金（定額または売却したと仮定した場合の相続分）を他の兄弟に支払うというやりかたです。

「だけど、いまどき銭湯が儲からないことは皆知っているだろ。代償金なんか出したんじゃ、やってけないよ」というのが長男の主張です。

ですが、長男が将来も必ず銭湯を経営し続けるという保証はありません。分割後、すぐにも銭湯をやめてマンションを建てるかもしれません。

協議は行き悩みましたが、やはり名目だけでも代償請求権は残しておくべきでしょう。将来、様子をみて請求を猶予すればよいのです。

代償金を決めるには、遺産の土地建物の評価をしなければなりませんが、不動産鑑定士の評価は思ったより安いことも多く、将来の見込みなどは入っていませんが、裁判所の審判などでは鑑定を鵜呑みにする傾向があります。

もう1つの方法としては、代償分

割ではなく遺産を共有として各自の持分を決めておき、銭湯を続けるなら長男が全員に賃料を支払い、マンションにするなら各人が区分所有権を得る、というやり方です。

　しかし、長男の言うとおり全員相続を放棄するとすれば、どのような方法があるでしょうか。

　まず、長男を除く全員が法的な相続放棄手続きをすることが考えられますが、相続放棄をするには、相続開始を知ったときから3か月以内に、家庭裁判所への手続きをとらなければなりません。

　四十九日の法事の後、ウダウダ議論を続けたのでは、3か月はすぐに過ぎます。それに相続放棄は放棄者本人の都合で決断するはずのもので、複雑な分割協議には向かず、また一部の相続人が執拗な相続放棄の要求をすべきものでもありません。ただし、この方法をとれば、放棄者は遺産の中の債務の負担も免れます。

※

他の手続きとしては、分割協議書を作成して長男以外が現存の資産の相続分を放棄するか、特定の不動産について「相続分が無いことの証明書」を作成して、長男だけの相続登記の手続きをするかです。

　しかし、このやり方では、もし遺産に債務が含まれていたときは、他の相続人も債務者になるのであり、支払義務を免がれないことになります。長男が「それは必ずオレが払う」と言っても、銀行などの債権者がその分割協議や約束に拘束されるものではないから、アテにはできません。

　また、一部の者の相続放棄や権利放棄は、放棄の相続分は他の相続人全員に行くことになり、長男にだけ行くわけではありません。

　残る方法には長男に対する相続分の譲渡がありますが、譲渡する側（貰う方ではなく贈与する方）に譲渡所得税（土地の評価で思いのほか膨らむから恐ろしい）がかかります。貰った方には、その負担義務はありませんが、これは盲点になりやすく要注意です。譲渡のときには負担方法を必ず書面にして残すべきです。ただし、税務署はそれに拘束されず、ストレートに課税して来ますから専門家に相談してください。

　また、贈与を受けた場合、贈与を受けた側には贈与税がかかります。

ポイント

予防・解決の処方せん

▼家業を行う建物など、相続人の間で分割するわけにいかないものは、それを丸ごと受け取る跡継ぎから他の相続人に然るべき代償金を渡す方法がある。

　他の相続人は、放棄をするにしても、上手な放棄の段取りを考えるべきである。

CASE 6 家を出たきり音信不通の不良息子が相続分を第三者に譲渡

▼赤の他人が遺産分けに絡んでくる事態に

「お前らナニをいうか。権二はバカ者でもワシの実の息子じゃ。ワシが腕一本でこしらえたこの財産を、権二が食いつぶせば、ワシャ本望じゃい…」

とF老人は怒鳴ったものでした。

長男は養子で、次男は実の子、という、時代小説によくあるパターンです。

たしかにF家の次男の権二は高校生のときから放埒で、その後もまともな生活はせず、家出をしてしまった人物です。

権二を残すと家が潰れる。相続人廃除にする方がよい、という親類、養子の親からの進言に対し、F老人はそう言って怒鳴り、廃除はしなかったのです。廃除とは、相続人となる者の甚だしい不行跡（親への虐待や侮辱、その他の非行など）があったとき、家庭裁判所へ申し立てて、その者の相続の権利を奪ってしまうことです。

これを聞いて権二が感激し改心したというのなら安手のテレビドラマの筋書きですが、そうはいかないから現実はキビシい。

F老人が死亡した後も権二は家へ帰らず、相続人ではあるが遺産分割の協議にも応じず、音信不通となりました。

ところが長男や親類にとっては寝耳に水、とんでもない事態となりました。

なんと権二が相続権を第三者、それも市内の同業者へ譲渡したというのです。

権二からはその旨の内容証明郵便が届き、譲受人の同業者からも相続権を取得した旨と遺産分割をしたいという内容の書面がきたのでした。

※

いったい相続分の譲渡などできるのでしょうか。あまり行われないことですが、相続分の譲渡はできるのです。

条文にも規定があります。民法905条に「共同相続人の一人が分割前にその相続分を第三者に譲り渡したときは…」として相続人の相続分の取戻権を規定しています。

相続開始前は、たとえ推定相続人であっても相続財産の譲渡はできません。なぜなら、それは期待権に過ぎず、確定した財産権となっていないのみならず、相続開始前の相続権は各相続人の一身専属権であるからです。つまり譲渡できない権利です。

しかし、被相続人が死亡し相続が開始した以上、遺産はもはや一身専属権ではなく、相続人の共有財産となり、分割がなされてないだけのレッキとした財産権となりますから、他の財産権と同様に譲渡ができるのです。

ただし、債権譲渡などの手続きは必要です。

不動産については相続人全員の実印が揃わないと特定の相続人への単独登記はできませんが、共有権譲渡の登記はできますから、登記をめぐり複雑な問題が生じることがあります。

相続分を譲り受けた者はその相続人の地位を引き継ぎ、遺産分割協議に参加することができます。これを無視した分割協議は無効です。また、譲受人は遺産分割の調停や審判にも参加することになります。

なお、相続人には前述の相続分の取り戻しをする権利があります。これは譲渡の価額と費用等を償還して相続分の譲受けを要求できるというものです。

したがって、F家の長男は相続分を市内の同業者から買い戻して、事業への干渉を避けることができます。

ただし、この権利の行使は1か月内にしなければならない、となっていますから、急がねばなりません。

※

遺産のうちの権利（銀行預金や貸金など）については、債権譲渡の手続が必要です。債権は可分債権であり、相続開始時に（分割協議を要せず）相続分に応じた債権帰属が終わっているからです。

銀行などの実務では、債権の分割帰属が終わっていると主張しても、「分割協議を経てくれ」とか、「他の相続人の実印付きの同意書の添付がなければ払えない」とか言いますが、それは新たな遺言の出現やトラブルを恐れた銀行の保身に過ぎず、支払要求の訴訟を起こせば勝訴となります。銀行も判決による保身ができることになります。

ポイント

予防・解決の処方せん

▼相続の権利を、被相続人の生前に譲渡することはできないが、その死後、相続が開始した後なら、他人に譲渡することも自由である。譲受人をはずした遺産分割は無効だが、もともとの相続人としては、譲渡された相続分を取り戻し、赤の他人の干渉を避けることもできる。

CASE 7 遺産となった生活基盤の店舗を売って分けろと主張する亡夫の兄弟

▼残された妻側は寄与分の主張で対抗

「おれたちだって兄弟なんだから、相続分は要求するよ！」そう叫んだのはG氏の弟でした。G氏が急死して、G家の相続が開始したのでした。

妻の美子さんに子がなかったし、G氏の両親もすでに死亡していたので、血族として兄弟も相続人になります。法定相続人は妻の美子さんとG氏の兄弟姉妹となりました。

その相続分は配偶者4分の3、兄弟姉妹が合わせて4分の1です。兄弟姉妹には遺留分は無いので、G氏の遺言で全財産を妻に相続させると指定してあれば、問題なく全遺産は美子さんのものになったのですが、遺言はなかったのです。

その後も、話し合いは成立しません。G氏の遺産はトンカツ屋の店舗だけ。その開業や経営維持は体の弱かったG氏よりも、むしろ実際の仕事に当たった美子さんと美子さんの実の母親の力でできたのでした。これからも2人はトンカツ屋を経営して生きていかなければなりません。

しかし、これまでなんの協力もしていない被相続人の弟たちに遺産の4分の1を要求されるとなると、他に財産がないため、トンカツ屋を売らなければなりません。美子さんは途方にくれました。幸い同業者で知人の山田さんの助言で、家庭裁判所の調停に持ち出すことができました。弁護士にも相談しました。

※

ところがそれに腹を立てたとみえ、兄弟は相続税の申告にも協力せず、G氏の一周忌にも出席してくれませんでした。これには美子さんもガックリしましたが、反面、そのような兄弟が相続権を主張できるのだろうかとの疑問も抱きました。

しかし、相続はいったん開始すれば決定するものであり、その後の事情は相続の効力には関係がありません。たとえ法事に顔を出さなくても、相続権を失うことはないのです。遺産分割の調停や審判に影響することもありません。

そこで美子さんは、弁護士の助言で寄与分の主張を出しました。

寄与分というのは、「被相続人の事業に関する労務の提供または財産上の給付、被相続人の療養看護その他の方法により」「被相続人の財産の維持または増加につき」「特別の寄与をした」という3つの要件を満たすことをいいます。美子さんの場合は、まさにこれにドンピシャリと当てはまるのでした。

ただし、寄与分には「共同相続人中に」という制限があります。つまり寄与分は、相続人間の分割に関する是正規定であって、美子さんの実母は相続人ではないから、この利益を受けません。

寄与分はかなりの大きさで認められることがあります。美子さんは調停の段階で、「3分の1の寄与分が認められる」、と家庭裁判所の審判官（裁判官）が発言し、審判をするのも同じ審判官であるので、先を見越した兄弟が諦め、若干の和解金の支払い約束で調停が成立しました。

こうして調停調書が作成され、トンカツ屋の敷地建物の相続による所有権移転登記の手続きも済み、若干の備品や売掛金も美子さんのものとなり、無事に決着しました。

※

寄与分の問題点を3つあげます。

①妻としての努力は寄与分になるか

夫婦間の努力は民法752条の夫婦の協力・扶助の範囲内であり、寄与分は「特別の寄与」を言うのですから、妻としての普通の努力は寄与分とは言えません。もっとも夫の事業に加わったとか、特別の療養・看護をしたなどで被相続人の財産の維持または増加について特別な寄与があれば認められます。

②相続人以外の寄与分は認められるか

寄与分が認められるのは前述したように相続人に限ります。もっとも民法の条文に寄与分の規定が加えられた昭和55年以前は、不当利得の返還請求として処理された事例もあります。これであれば相続人に資格が限られることはありません。

③寄与分と遺留分の優先度

被相続人の財産のうち寄与分を大きく認めると遺産に対する相続人の遺留分を侵すのではないかという問題があります。この点、寄与分は遺留分を侵さない範囲でしか認められないとする学説や下級審の判例すらあります。しかし、民法904条の2には「寄与分を控除したものを相続財産とみなし」とあり、寄与分は相続財産ではないとしたことを見過ごした解釈です。

ポイント

予防・解決の処方せん

▼遺産の行き先をはっきり指定した遺言状がないばかりに、会ったこともない亡夫の兄弟など、思いがけない相続人が現れることになり、混乱することがよくある。それができなければ、何をおいても遺言状をしっかり作っておくこと。本例のように裁判所の調停を利用し、生活の基盤を守る手続を尽くすべきである。

CASE 8

老親を老人ホームに入所させようと思うが相続がらみの注意点は

▼介護や老人ホームの費用負担・遺言の問題などがある

H氏は、土建会社の社長で、若い頃は羽振りもよかったのですが、80を過ぎると寄る年波には勝てず、寝たきりの状態となりました。かれこれ2年、自宅で長男夫婦に介護を受けていたのですが、その長男夫婦も介護に疲れ、介護ホームへの入居を進められ、承諾しました。こうしたケースは増加傾向にあり、今後ますます増加することが予想されます。

※

老人ホームへの入居で問題となるのは、心情的に問題なこともありますが、先立つものとして費用です。

老人ホームへの入居の費用は、一時払方式と月払方式、その混合方式の3つがあります。さらに老人ホームといっても色々なタイプがあり、サービスなども千差万別です。

しかし、相続にからむのは、費用の問題です。その費用を老人本人が負担するにせよ（遺産についての生前管理の問題になる）、身内の者が負担（分担金の問題）するにせよ、いずれは全部相続にからんできます。

また、老人ホームへの入所までは、おそらく家族の誰かが介護を行っているはずです。その間の在宅介護あるいはデイホームなどの費用経費は、遺産で清算するにしても、相続人が分担して負担するのが筋なので、必ず記録しておきましょう。

※

さて、老人ホームに入居させるには、過去の相続問題がからむ場合も少なくありません（例えば、老母の夫の遺産相続など）。長男が母親の介護含みで遺産を多く受け取った場合は、法的に言えば、老母の介護をするという負担付で遺産分割が行われていることもあるでしょう。

老人ホームの費用は、高額になることが多いから、それまでの遺産分割や本人の資産管理とからみ合わせて計算することになります。それらの負担をどう処理するかは、後日のことであるとして、記録は残しておく必要があります。証拠があるにこしたことはありませんが、なければ負担した日付と説明付の計算書があれば、証拠の一端となります。

※

老人ホームに入れる入れないの問

題も争いが起きる場合があります。

実際に面倒を見ている者は、老人ホームに入ってもらわなければたまりませんが、遠く離れて無責任な者は「かわいそうだ」という立場をとりがちです。「入れるなら、お前が全部負担しろ」という勝手なことを言いがちだから、まず入所させる、させないを合理的に解決した上で、費用も合理的な分担を決定しなければなりません。

その合意がまとまらないままに、入居を断行するにしても、その事情、各人の発言の要旨、費用の明細、費用の出所は記録し、銀行の通帳などの資料は保存しておくべきです。

※

老人に、自分に有利な遺言をさせようとすることも起きがちです。

老人ホームの費用は自分たちが全部負担し、老人を事実上自分の管理下に置き、公正証書遺言などを作らせる手口です。老人の資産が大きい場合は、介護費用などの公的支援もあるから、意外と費用の面では楽なことが多いのです。のみならず、老人の資産を売却させて、その代金を管理することもできます。

老人は自分が管理し、自分が依頼した施設へ入居させれば、老人ホームも管理した者に迎合するから、ほぼ自分の自由がきくのです。

そこで必ず起きるのが、遺言書作成の問題です。具体的には、公正証書遺言が作成されます。

自分が依頼した公証人に出張してもらい、あらかじめ洗脳したとおりの遺言内容を老人に発言させ、公証人に遺言を作成してもらうのです。

こうして作成された公正証書遺言を争う相談は結構多いのです。

公正証書の作成の段取りは、次のようになります。民法969条の規定では、「遺言者が遺言の趣旨を公証人に口授すること」となっていますが、実際は（実務のほとんどは）依頼者が事前に交渉時に渡した遺言の内容を公証人が読み上げ、老衰した遺言者に「このとおりかね」と聞きます。遺言者は何がなんだか分からないままに「はい」と答えたとします。これで民法969条の要件を満たしたという扱いにされたこともあるのです。

日本の社会も格差が拡大し、老人の資産が多い事例もあるので、このような問題が多発しているのです。

ポイント

予防・解決の処方せん

▼老親などが介護を要したり、老人ホームへの入居することになった場合、相続人間でその費用の負担などについて話合いを持つことが重要である。子どもの中には、遺産を独り占めにするために老親を囲い込む人もいるようだが、ベターな選択と言えない。結局は、不信感がつのり、相続で争いとなることだろう。

CASE 9 老人ホームへ入居した叔母の財産を管理していたが、叔母には子がいた

▼例え、何十年も会ったことのない子でも第一順位の相続人となる

安田花子さんは、東京の世田谷に住居がありました。夫が死亡した後、一人で生活していたのですが、もったいないくらい広い。それに、年を重ねるにつれて、毎日の食事の用意や掃除が負担になってきました。

「有料老人ホームに入ろうかな」

とはいえ、旧居がなくなるのは不安でした。結局、姪のI子さん一家が引越してきて、旧居を管理し、花子さんが帰宅したときには、自由に生活できることにしました。

「でも、おばさんは、二度と帰って来ないわよ」と姪のI子さんは思いました。

その後、花子さんは一度か二度帰宅し、安心してまた老人ホームに戻り、後はI子さんに家のことを指図するだけで実際には家には戻ってきませんでした。

数年後、花子さんは、老人ホームで死亡。遺言状はありませんでした。

ここに姪のI子さんの油断があったのです。I子さんが旧居を事実上管理していたことと、相続の行方とは別のことです。旧居は遺産分割に付されることになったのです。姪のI子さんは、自分が相続人になるものと疑いませんでした。

ところが意外も意外、老婆と思っていた花子さんにも、若い頃があったのです。その頃、花子さんは恋人と同棲し、一子をもうけていたのです（後に別人と結婚したいきさつは分からない）。

とにかく、遺産分割のため古い戸籍簿を取り寄せてみたら、その一子が唯一の相続人であることが判明したのです。たとえ行き来がなかったとしても、子は子で、相続権はまず子にあります。姪のI子さんの旧宅の管理は根拠がなくなったのです。

しかし、幸運なことに花子さんの実子は資産もあり、事業にも成功していました。急に出て行けなどという様子はないようです。しかし、いずれは花子さんの旧居はその一子のものとなり、姪のI子さんには相続権はないので、一家は出て行かなければなりません。

そこで、第2の問題です。老人ホーム入居に関する管理の寄与分の問題です。しかし、これもI子さんに

は不利です。

寄与分は、相続人について認められる権利で、I子さんは相続人ではないからです。したがって、寄与分はI子さんには認められないのです。

では、I子さんは何の救いもないのでしょうか。この事案では、I子さんの寄与は、非相続人ですから法的な寄与分としては認められません。しかし、「その介護管理による行為の結果は、相続人である一子の不当利得になる」と主張をして、その主張が認められて解決したのです。

なお、相続開始が令和元年7月1日以降なら、相続人でない親族が無償の労務提供により被相続人の財産を維持するなど特別の寄与をした場合、その寄与に応じた金銭（特別寄与料）の支払いを被相続人の相続人に請求できるという特別寄与分の制度（民法1050条）が適用できるかどうか検討してみることです。

この事例の場合、I子さんが特別寄与者と認められれば、花子さんの子に、特別寄与料を請求して解決を図ることもできます。

※

老人ホームの入居者には、住居や預貯金、株式など資産を保有したまま入居する人もいます。中にはその管理能力を失っていたり、将来失うことが予見される老人もいますが、この場合は、家族の誰かが資産管理をすることになるのです。ただし、家族は相続人の場合も多く、管理者の選択をめぐって紛争が起こることもあります。また、相続人以外の者が委任を受けることもあります。

ここで生じるのが、前述した在宅資産の管理、老人ホームへの入居後の住宅に、入居者の老人に代わって住んで管理する者（この事案ではIさん）の寄与分の問題です。

※

在宅資産管理は、老人がこれまで住んでいた家（不動産）があれば、その管理利用の問題です。資産管理は管理業者に委ねられることもありますが、このような合理的かつ法律的処理が、実際にはほとんどできていないことには驚きです。

家族が同居していれば、当然その家族の管理になるのが実態で、入居者保有の預金や株式も、その家族が事実上管理するという事態になっています。これが、老人の死後、相続問題につながっていくのです。

ポイント

予防・解決の処方せん

▼老人ホームへの入居では、旧宅の管理は誰に任せるのか法的処理をしておくことが大切である。また、老人ホームへ入居したとしても、最後まで面倒を見た相続人には、入居中の旧宅の管理も含めて寄与分の問題が生じる。面倒を見たのが相続人以外の親族の場合には、特別の寄与を相続人に請求できる可能性がある。

CASE 10 先妻の子と後妻の子がいる場合相続では後妻の子が得!?

▼相続は必ずしも平等とは思えないこともある

「そんなの不平等じゃないか」と相続人であるJ子が叫びました。

「法律でそうなっているんだから、仕方がないだろ」J子の弟は平然と言いました。

実はこの姉弟、父親は同じでも母親が違う、いわゆる半血兄弟でした(正式に婚姻していたのでどちらも非嫡出子ではない)。

この2人に相続問題が発生したのは、父親が1か月前に死亡してからのことです。父親の遺産は約1000万円の貯蓄と自宅の不動産で、この時価6000万円の不動産の相続をめぐって争いとなっていました。J子の母親はJ子が10歳のとき他界し、J子が12歳の時に父は現在の妻(後妻)と結婚し、その後J子の弟が生まれたのです。

J子は後妻である継母と仲が悪く、実の母との楽しい思い出もあり、そのため自宅はどうしても相続したかったのです。ところが相続では、後妻の相続分が2分の1、その子でJ子の弟が4分の1の合計4分の3、J子の相続分は4分の1でしかなく、分が悪かったのです。

こうした事情の下、遺産分割協議もまとまらない中、後妻が父親の後を追うように死亡したのです。残されたのは、J子と半血兄弟のJ子の弟の2人でした。

※

遺産分割協議でJ子は唖然としました。法律どおりにすると、後妻が父から相続した分の相続はまったくなく、後妻の分はそっくり弟が相続することになり、結果として父の遺産の4分の3を相続し、J子は4分の1しか相続できないからです。

同じ子なのに、結果としてこんなに異なる相続の取り分について、直感的にJ子は不公平だと思ったのです。

先妻と後妻がいる場合、妻の相続分は先妻(死んでいても同じ)と後妻の分を折半すれば、結果的には平等なのに、とも考えました。

J子は、法律相談所に行き相談しましたが、結果は同じでした。そのときに言われたのは、「あなたがその後妻の人と養子縁組していれば別ですけれどね」とのことでした。

◆相続関係と相続分図

①第１回目の相続（父の死亡）
・後妻の相続分……………２分の１
・長女Ｊ子の相続分…４分の１
・Ｊ子の弟の相続分…４分の１

②第２回目の相続（後妻の死亡）
・長女Ｊ子の相続分
……………後妻の遺産の相続なし
・Ｊ子の弟の相続分…
……………後妻の遺産を全部相続

〔結果〕父の遺産の相続
・長女Ｊ子……………………４分の１
・Ｊ子の弟……………………４分の３

後妻との間に養子縁組をしていれば、その人の実子扱いとなり、実子と同様の相続分で相続人となれたのです。

結局、相続は法定相続分ということで、家屋を売却して、分配がなされました。しかし、離婚がこんなに多くなり、再婚も多い今日、Ｊ子は釈然としない思いです。

※

相続人や相続分についての規定は、一種のフィクションにようにも思えます。かつて、昭和55年に妻の相続分が３分の１から２分の１に改正され、大騒ぎになったことがあります。

また、民法９００条４号の非嫡出子の相続分は嫡出子の２分の１とする部分は憲法違反との最高裁判所の決定が出され、同規定の削除が行われました（55ページ参照）。

それどころか、戦前は家督相続で戸主が全財産を相続したことを考えると、国民にとって相続規定の重要性とは別に、時代により政策的に改正されていることが分かります。

ただし、政策的な規定であるならば、より現状にあった皆が納得する規定にすることが重要であり、そうでなければ、不公平感を与えるだけです。

とはいえ、相続に関する規定は、遺言があれば遺言が優先しますので、こうしたトラブルが起きそうだったら、遺言をしておくことが重要です。また、再婚のときには後妻と先妻の子との間で養子縁組をするなどの方法も考えられます。

ポイント
予防・解決の処方せん

▼法律の相続分の規定は万能ではない。遺言があれば、それが優先するからである。遺産を譲る側（被相続人）は、紛争が起きることが予想される場合には、生前の対応が必要である。
　また、相続人全員で話し合い、法律の規定とは別の遺産分割をすることも可能である。

CASE 11 先祖代々の土地は跡取りの長男に継がせたいが…

▼生前贈与や遺言を活用できるが、限界がある

K氏は高齢の上に病気で寝たきりの状態です。しかし、頭は聡明です。K氏には、妻と3人の子どもがいます。

K氏は、病床にあり、先祖から受け継いだ山林や家族の行く末について悩んでいます。

K氏には、広大な山林があり、先祖代々、この山林のめぐみで生活をしてきたのです。そこで、何としても、この山林だけは、子々孫々まで本家として残しておきたいのです。そのためには、家業を継いでいる長男の敬一さんに先祖から受け継いだ山林の全部を相続させ分散を避けたいのですが、山林以外にはほとんど財産もなく、さりとて、その他の相続人をむげにすることもできません。なにかいい方法はないかと思案にくれる日々です。

そうこう思いをめぐらしているうちに病状は進み、結局は、「山林の全部と住居については、長男の敬一に相続させる。その他の財産については、その他の者が相続分どおりに相続する」という内容の遺言をしたのです。

そして、こういう遺言があれば、自分（死者）の意思を尊重して、長男の敬一に山林の全部を相続させ、残りの相続人は少ない残りの遺産で我慢してくれるだろうと思ったのです。

※

その遺言から半年後に、K氏は亡くなりました。その後、葬儀が終わり、相続人が一同に会して、遺産分割の話となったのですが、案の定、次男の健夫から「遺留分についてはちゃんともらうからね」、と異議が出たのです。そうすると長女の洋子もこれに同調しました。

遺産分割協議は一気に暗礁に乗り上げ、嫌悪な空気が漂いました。

そこで長男の敬一さんが言いました。「分かった。遺留分に相当する額は現金で払おう。ただし、親父と家業を守ってきた分の寄与分は考慮してもらうよ」

敬一さんは、バブル崩壊後、山林や住居の時価は急落し、以前のようには高い評価額でないことを知っていました。それに、寄与分は遺産の

30％で話をつけたのです。その結果、次男・長女への現金の支払はたいした額にはならなかったのです。

※

現在では、本家や分家といった考えはありません。現在の相続法は、伝来の田畑や山林の分散化をすすめています。こうした傾向の是非は別として、なんとか先祖代々の遺産を守りたいと思う人もいるのです。

家業の相続についても同様のことが言えます。また、死亡年齢が高くなった今日、中小企業（同族会社）の相続では、会社を切り盛りしている孫への株式や財産の贈与や遺贈も考えられます。孫はその父親が生きていれば相続人とはなりませんが、孫を養子にすることにより相続人にする方法もあります。

これは相続税対策としても有効で、相続財産から1人当たり600万円が控除できます。ただし、実子がいる場合1人、いない場合2人までしか控除対象者とはなりません。

※

現在の相続法には、どのように遺産分割をするかの具体的な規定はありません。それは、相続人の事情があまりにも個別であるためのようです。こうした、相続人の事情に積極的に介入するのは適当でないと考えたからかも知れません。

遺産が相続人である子どもたちに分散し、やがては散り散りになることは、富の分配として是かもしれませんが、一方では家族（一族）の拠り所を失うことにもなります。相続制度は日本の家族の在り方とも深くかかわっているのです。

こうした精神論的なことは別として、相続は普通の人にとっては一生に一度あるかないかの大きな財産を手にする出来事です。いたずらに骨肉の争いとならないためにも、時代にふさわしい法改正、調停例や判例の充実、分かりやすくした資料の公開なども望まれるところです。

ともあれ現行法下では、生前贈与や遺言により、被相続人の思い通りに相続させるという方策しかありません。ただし、遺留分の壁はあります。

ポイント

予防・解決の処方せん

▼生前贈与や遺言、代償分割の組合せによって、相続人のうちの一人に大部分の遺産を相続させることができるが、遺留分の壁があり、これも万全とは言えない。一方、ほとんどもらえない相続人の側からすれば、均分相続の時代に、こうした平等でない相続には不満が残り、以後の不和の要素ともなる。

結局、相続は、利害が対立する問題であり、遺言がなければ、十分に話合い、お互いの立場を理解し解決するしかない。さもなければ、法律の規定どおりに分割することである。

CASE 12 長女に全遺産を譲り祭祀財産を承継させたいが…

▼祭祀の承継人は被相続人の指定で決められる

L氏は今年80歳になります。妻はすでに他界し、3人の子どもは長男と次男が都会の会社勤めでその都会で家庭を持ち、結婚しなかった長女がL氏と一緒に生活しています。

生活には不自由はないのですが、心配なのは、自分が死んだ後、誰が先祖代々のお墓を守ってくれるのかということです。長男や次男は、都会暮らしで、地元に帰って来る様子はなく、そこで、L氏はお墓などの祭祀財産を長女に譲り、その分、負担をかけるので全財産を長女に譲ろうと考えているのですが…。

※

現民法においては、お墓や仏具などの祭祀財産は相続財産から切り離されて、祖先の祭祀を主催する者が承継するとされ、この祭祀承継者は被相続人が指定（指定がない場合はその地の慣習によることになり、慣習もない場合には家庭裁判所の審判で決める）することになっています。

本例では、L氏が長女を祭祀承継者に指定することは勿論可能です。

ただし、祭祀を承継することを条件に全遺産を相続させることは、各相続人には遺留分があり、相続できない他の相続人から遺留分の侵害額請求がなされる可能性があります。

また、祭祀承継およびそれに伴う供養等を条件に全財産を相続させることは、一種の負担付き遺贈のようなものですが、祭祀承継と財産相続とは別個の制度であり、祭祀承継者は一度決まったら変更ができないことを考えると条件を付したとしても無意味なように思われます。供養等をしなくても文句は言えないのです。

問題になりそうなら生前に親子が集まり、話し合うのがよいでしょう。また、お墓の管理についてはお寺さんに相談してください。

ポイント

予防・解決の処方せん

▼誰を祭祀承継者に指定するかは、当人の自由ですが、承継者が本当に管理する意思がなければ、墓地は荒れ果てて供養されないものも多いようです。祭祀承継者は決めるが、供養等（費用も含めて）は兄弟全員でする方法もあります。

PART 1

これだけで相続の要点がすべてわかる

知っておきたい 相続と遺言の基礎知識

◆相続するに際して、きちんと法律のルールを知っていないと、親のしていた借金を丸ごと払うことになったり、遺産の分け方で遺族の間で大もめにもめたりすることになってしまいます。

◆何ごとも、まずは基本を知ることが大切！　この章では、イザ相続が始まったときから、遺産分けが終わるまでの基本的知識を、わかりやすく解説していきます。

トラブルを避けるにはまず基本を知ること

相続開始から遺産分割までの法律手続き

◆誰もが、いつか必ず向き合わなければならない相続問題。でも、いざとなって何も知らないことに気づき、あわててしまうのが人の常です。相続（相続の開始から遺産分割まで）には、法律できちんと決まったルールがあります。それに沿って準備や処分をすることが、余計な紛争回避に必須です。

●相続の開始から遺産分割までの流れ

被相続人（遺産を残して亡くなった、相続をされる人）の死亡

- 自然死 — 医師の死亡診断書
- 事故死 — 医師の死体検案書
- 失踪宣告 — 家庭裁判所による失踪宣告
  - ①7年間の生死不明
  - ②大事故や震災などの危難に遭遇し、1年間の生死不明

＊死亡の認定で心臓死を人の死とするか、あるいは脳死をとるかで相続の開始時期が異なることになります。場合によっては遺産のゆくえに大きく影響しますが、現時点で確たる結論は出ていません。

＊同時死亡の推定

※災害などでは、行政機関による認定死亡もあります。

→ 相続の開始

遺言書がある場合の相続手続きの流れ
- 遺言書の作成者
- 遺言書の発見人

遺言書がない場合の相続手続きの流れ
- 遺産の調査

■相続手続きの始め方は

被相続人の死亡によって、相続は開始しますが、いきなり相続財産を分ける話し合いができるものでもありません。一般的には、四十九日の法要時など相続人が集まった場合に、遺産分割についての話合い（遺産分割協議）を始めるケースが多いようです。

被相続人が遺言書を残していれば、遺言書の内容に従った相続をすることになります。遺言執行者が指定されていれば、遺言執行者の指示に従うことになります。遺言執行者の指定はないが、遺言執行者が必要な場合もあります（遺言による相続人廃除など）。この場合は、遺言執行者の選任を家庭裁判所に申し立てます。

遺産分割協議の開始は、相続人であれば誰から声を掛けてもかまいませんし、誰が協議を進行させるかも自由です。

■相続開始から遺産分割までのポイント

被相続人が死亡して相続が開始した後の遺産は、相続人が1人の場合ならともかく、遺産分割協議が終了するまでは、相続人の共有となります。

遺産分割協議は、各相続人の共有財産を分ける手続きでもあるわけです。

■相続法が約40年振りに大改正！

被相続人の所有建物への配偶者居住権や被相続人の介護に努めた相続人以外の親族に特別寄与分を認めるなどの規定が盛り込まれました（詳細は66ページ参照）。

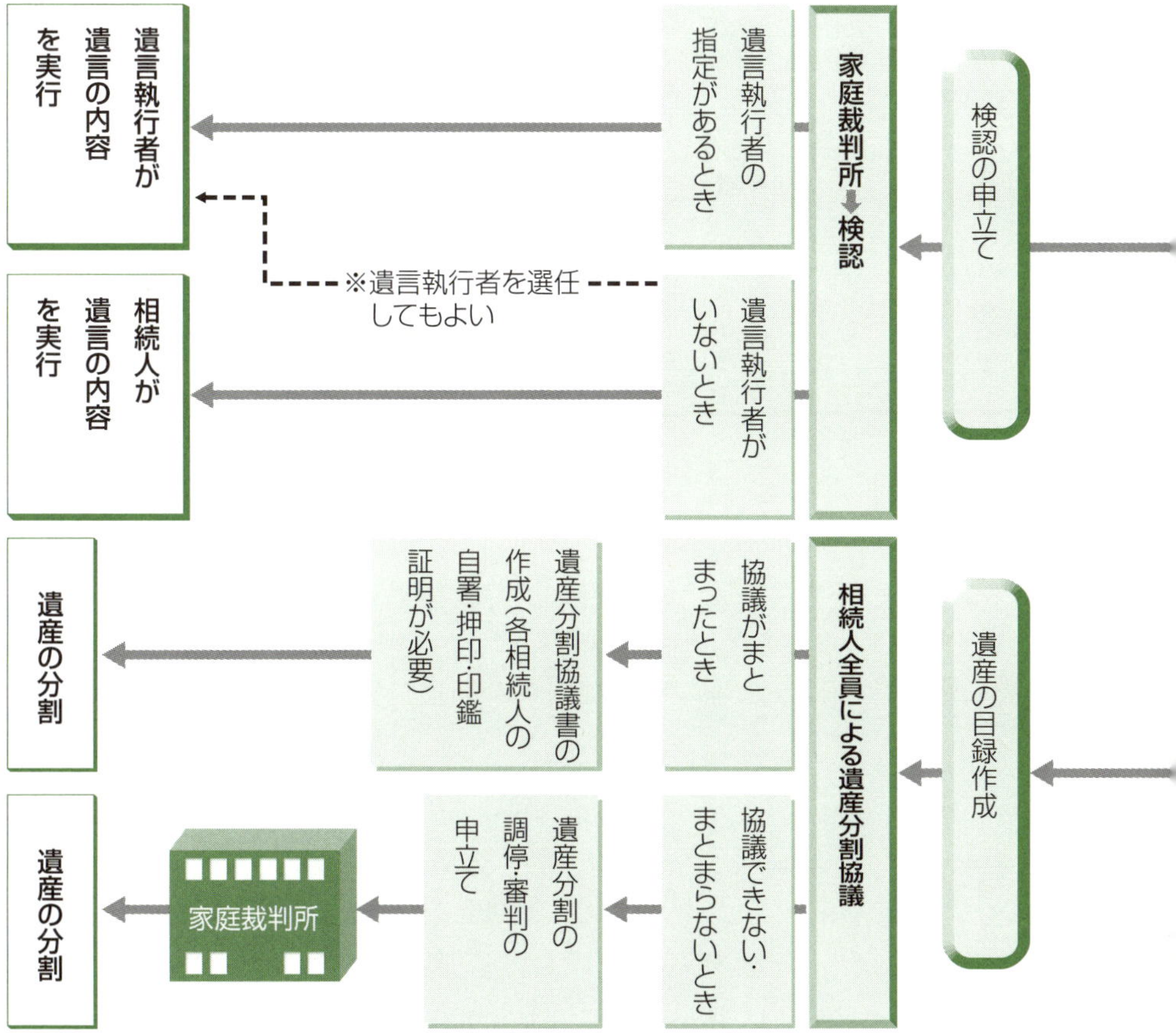

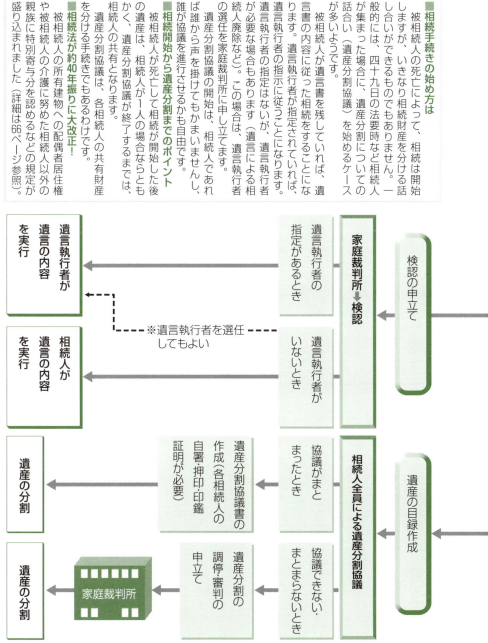

まずは基礎をしっかりと
1

■相続の法的性質

相続とはどういうことをいうのか

▼相続が開始するのは人が死亡したときだけではない

■相続なんて誰でも知っていると思われるかもしれませんが、法律相談に来る人の中でも、正しく理解している人は少ないのです。間違った理解は大きなケガの元です。ジックリ読んで理解してください。

相続とはどういうことか

相続に関する事柄を定めているのは、民法です。民法の第五編が相続で、相続に関する条文が並べられています。

条文によれば、「相続人は、相続開始の時から、被相続人（死亡した人）の財産に属した一切の権利義務を承継する。ただし、被相続人の一身に専属したものは、この限りでない」と規定しています（896条）。

まず、わかることは相続というのは、「財産相続」に限られること。戦前のように、長男が戸主の身分を相続するようなことはないわけです。

つぎに、「一切の権利義務」を相続するとありますから、現金や土地家屋の所有権といった権利ばかりではなく、借金の返済義務や買掛代金の支払義務または保証人としての保証債務を負う義務なども相続することになります。

ですから、相続があっても債務などの負債の方が多い場合もあるわけで、その場合でも相続するか、相続を放棄するかが迫られることになります（36・130ページ参照）。

例外として、被相続人の「一身に専属する権利」は相続の対象外だとしています。この一身専属権とは、扶養請求権、年金請求権のように被相続人だけが享有または行使できる権利のことを言います。

かつては、交通事故で死亡した場合などの慰謝料請求権も、一身専属権であるから相続は認められないとされていましたが、請求の意思を表示した、あるいは表示したものとみなされる時から、一般の請求権となるから、相続の対象となるとの最高裁判所の判例以来、相続が認められるに至っています。

相続はどんな場合に開始するのか

民法の相続編の最初の条文は、「相続は、死亡によって開始する」とあります（882条）。したがって、共同相続人がその持分に応じて死亡と同時に相続します。遺産分割は後のことです。ガンによる病死であろうと交通事故による死亡であろうと、死亡の事実が発生すれば、相続は開始する原則を示したものです。

では、いつの時点をもって「死亡」と認定するかとなると、これがはっきりしません。従来は、心臓の停止をもって人の死としていました。心臓移植や腎臓移植で話題になった臓器移植法では、人の死を「脳死」としています。脳死と心臓死との間に時間差があり、これを悪用して婚姻届の提出などがなされないとも限りません。現在は、脳死が人の死か、心臓死が人の死かという争いは裁判になっていませんが、そのうち出てくるかもしれません。

同時に死亡したときの相続はどうなるか

死亡の時期に関して問題になるのは、親と子、あるいは夫婦が、同一の事故などにより死亡し、死亡時期の先後がわからないという場合、相続はどうなるかということです。

たとえば、親の方が先に死亡ということになれば、死亡した子は親の財産を相続できますので、子の配偶者や孫が親と子の両方の財産を相続することになります。子の方が先に死亡したとなると、子に配偶者や孫がいなければ、子の財産を親が相続することになり、親の死亡によって親の親（祖父母）あるいは親の兄弟が親の配偶者と一緒に相続することになります。

これに判断を下すため、昭和37年に**同時死亡推定**の規定が設けられました。「数人の者が死亡した場合において、そのうちの1人が他の者の死亡後なお生存していたことが明らかでないときは、これらの者は同時に死亡したものと推定する」というのがその内容です（民法32条の2）。

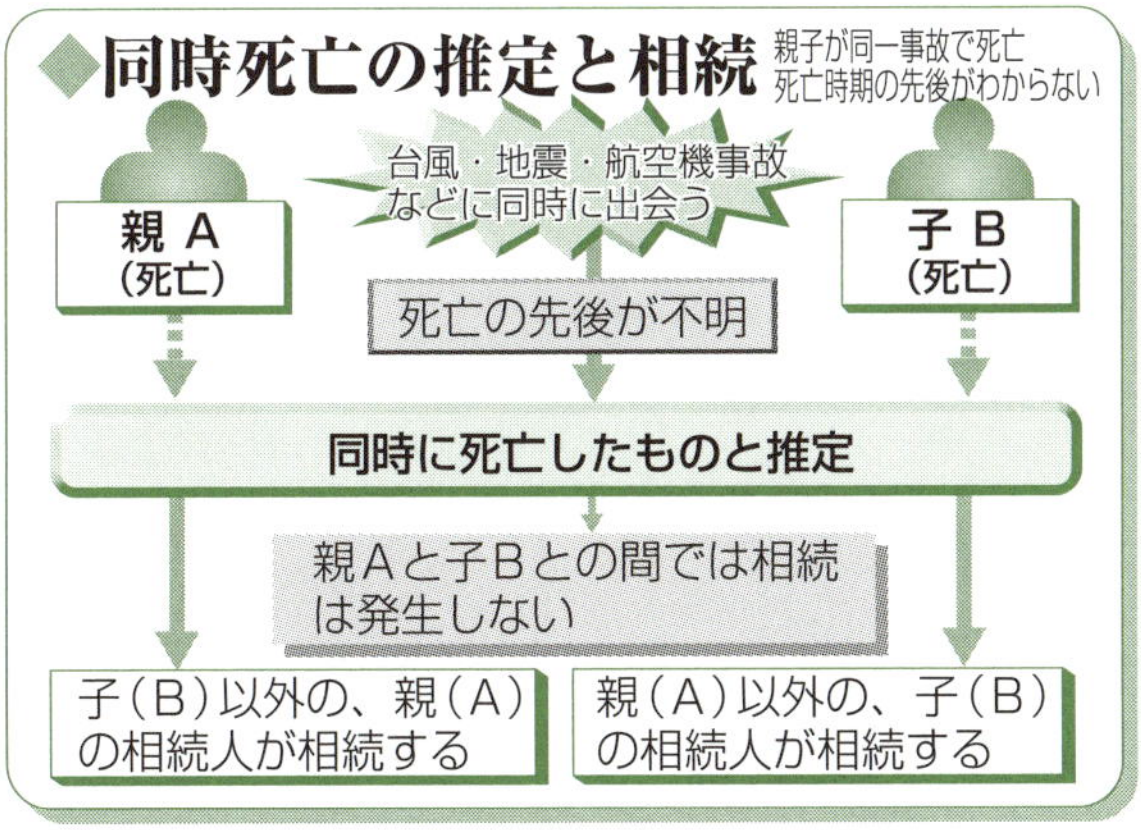
◆同時死亡の推定と相続
親子が同一事故で死亡
死亡時期の先後がわからない
台風・地震・航空機事故
などに同時に出会う
親 A
（死亡）
子 B
（死亡）
死亡の先後が不明
同時に死亡したものと推定
親Aと子Bとの間では相続
は発生しない
子（B）以外の、親（A）
の相続人が相続する
親（A）以外の、子（B）
の相続人が相続する

相続というのは、ある人が死亡したときに生存していた相続人が相続することです（これを「同時存在の原則」と言います）。

同時に死亡したと推定されることになりますと、同時存在の原則により、同一事故で死亡した当事者間では相続は開始しないことになります。

なお、同時死亡の規定は「推定する」とありますから、何らかの証拠が得られて死亡の先後がわかれば、推定は覆されることになり、当事者間の相続は当然開始します。

死亡とみなされる場合もある

人が死亡した場合に相続が開始するというのが原則ですが、死亡ではなく、死亡とみなされる場合にも、相続は開始します。

たとえば、蒸発などの場合のように、不在者の生死が7年間分からない場合には、親、妻、兄弟、債権者などの利害関係人は、家庭裁判所に対して、失踪宣告を申し立てることができます。これを**普通失踪**と言います（民法30条）。また、戦地に臨んだ者、または沈没船に乗っていた者、あるいは地震、洪水、雪崩などの危難に遭遇した者などの場合は、戦争が終わった、船舶が沈没した、あるいは危難が去ったあと1年間その者の生死が不明な場合も同様です。これを**特別失踪**と言います。

失踪宣告を受けると、普通失踪の場合は7年経った時、特別失踪の場合は危難が去った時に、死亡したものとみなされます。

失踪宣告が出された時には、宣告の請求をした者または利害関係人は、失踪宣告の審判書を添付して、審判の出された日から10日以内に失踪宣告届を市区町村役場へ届け出ることが必要です。法律上は、死亡した者と同じ扱いになるわけですから、当然、相続が開始します。

認定死亡は、水難や火災等での死亡で、警察署長などが死亡を認定し報告することで戸籍に死亡の記載がされる制度です。東日本大震災では、震災後3か月を経過した行方不明者について死亡の認定がされました。

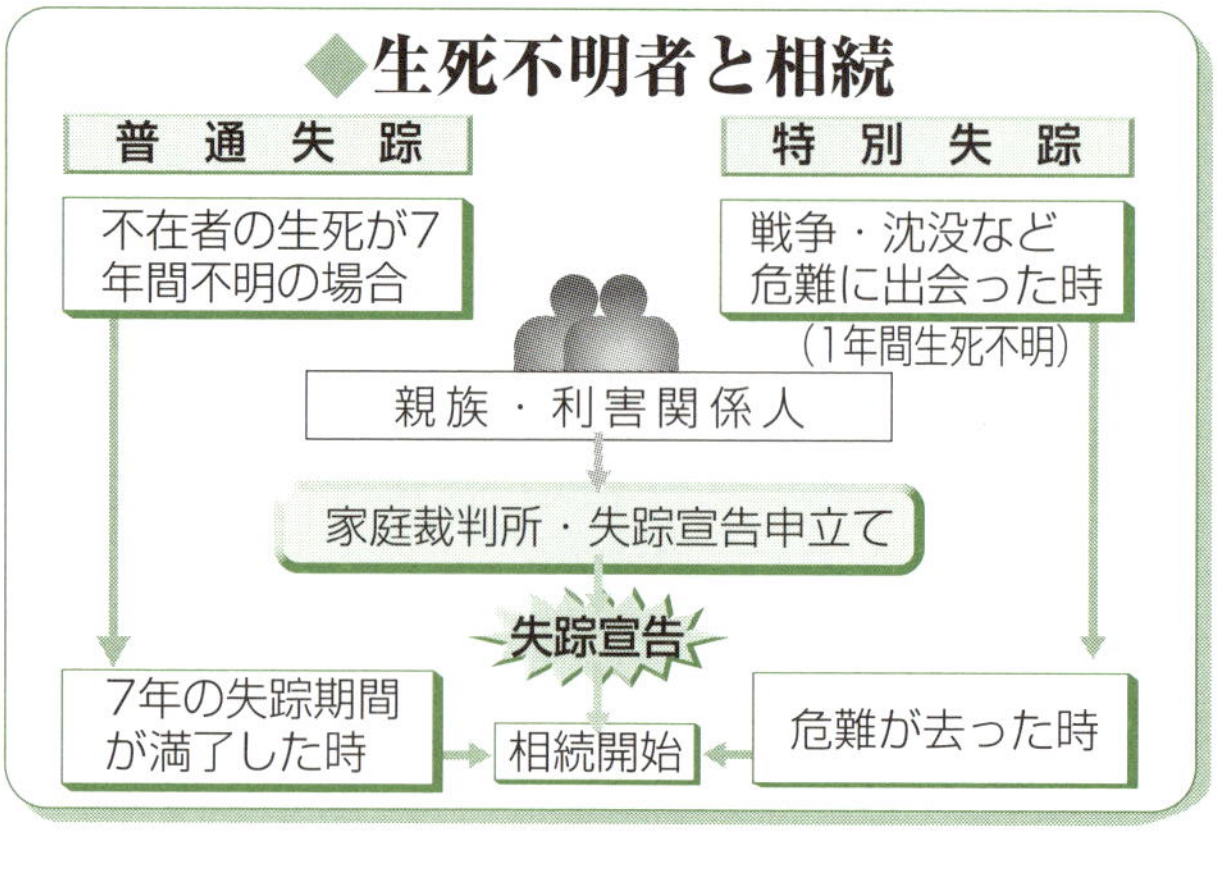

まずは基礎をしっかりと 2

■相続財産

相続の対象となる財産にはどんなものがあるか

▼遺産分けをする前に相続財産の洗い出しが不可欠

■相続の最終的な形は、それぞれの相続人が被相続人のそれぞれの財産を円満に承継することです。そのためには相続の前提である相続財産に何があるのか、その評価はどれくらいか、負債はないかなどの調査が欠かせません。できれば、相続財産の一覧表を作るとよいでしょう。

相続財産の調査が必要な訳は

相続というのは前にも述べた通り、現金、預貯金、株券、不動産といった積極財産（プラス財産）ばかりを相続するわけではなく、借金、買掛金、保証債務などの消極財産（マイナス財産）も相続するのが原則です。

相続人が相続の開始したことを知って、何ら法律的な手続きを取らないまま（一般的には何もしないのが普通でしょうが）3か月が過ぎてしまいますと、全財産をそのまま相続したものとして扱われます（単純承認と言います）。

すなわち、被相続人に所属するプラス財産もマイナス財産も相続することになるわけです。

被相続人がどのような財産を持っていたかは、一緒に生活していてもわからない場合があり得ますし、まして遠く離れて生活していれば、まずわからないでしょう。

わからないままに単純承認となると、被相続人が大きな負債を抱えていた場合には、否応なく相続しなければならないのです。

あらかじめ負債の方がプラス財産より多いことがわかっていれば、相続権を放棄することもできます（次項36ページ以下で説明）。

また、相続財産が種々雑多で、プラス財産もマイナス財産もあるという場合は、プラス財産の限度で相続する方法（限定承認）もあります。

いずれにしろ、相続が開始したら、被相続人にはどんな財産があるのかを調べ、財産の種類が多いようでしたら一覧表を作りましょう。その財産の大まかな評価をすることが必要で、遺産分割の際にも役立ちます。

相続できる財産と相続できない財産

民法では、相続は「被相続人に属した一切の権利義務」が相続人に全て承継される包括承継であると定めています。

その例外が、被相続人の一身に専属する権利義務（民法896条後段）です。この一身専属権というのは、被相続人だけに帰属し、相続人に帰属することのできない性質を持った権利義務のことを言います。

ほとんどが身分上の関係から生ずるものですが、扶養請求権、離婚に伴う財産分与請求権などがこれに当たります（財産分与請求権は分与請求をした後で死亡した場合には請求できるというのが判例）。

その他、生活保護法による保護受給権、後で述べる特別縁故者の相続財産分与請求権も一身専属権だというのが判例です。

また、お墓、墓地、仏壇、位牌などの祭祀財産は相続財産から除外され、祖先の祭祀を主宰する者が承継することになっています（897条）。

しかし、それ以外の権利義務の中にも、果たして相続されるのかどうか問題になるものもあります。それを見てみましょう。

①**著作権など**――特許権、実用新案権、意匠権、商標権といった工業所有権も著作権も相続の対象になります。ただし、著作人格権と言われる公表権、氏名表示権などは相続の対象にはならず、著作者の遺族の固有の権利となります。

②**遺骨の所有権**――以前にブランド品会社の社長の遺骨をめぐっての争いがマスコミを賑わせましたが、判例では遺骨にも所有権があり相続できるとしています。

③**退職金**――死亡退職金の支給に関しては、法律や労働協約・就業規則等で受給権者の要件や範囲が定められていますので、受給権者がその固有の権利として請求できます。しかし、退職金は本来、被相続人の生前に支払われるべき賃金の一部が積み立てられて支払われるという性質を持っていますから、受給権者が共同相続人であれば、その間の公平を保つために**特別受益**（58ページ参照）の対象となると考えられます。

マイナス財産とはどんなものか

相続の対象となるマイナス財産にもいろいろなものがあります。ポピュラーなものは、お金を借りていた金銭債務、商品を買った買掛金債務でしょうが、それに限られるものではありません。地代や家賃の支払債務、手形債務、滞納税金、変わったところでは罰金納付義務も相続の対象だとする判例もあります。

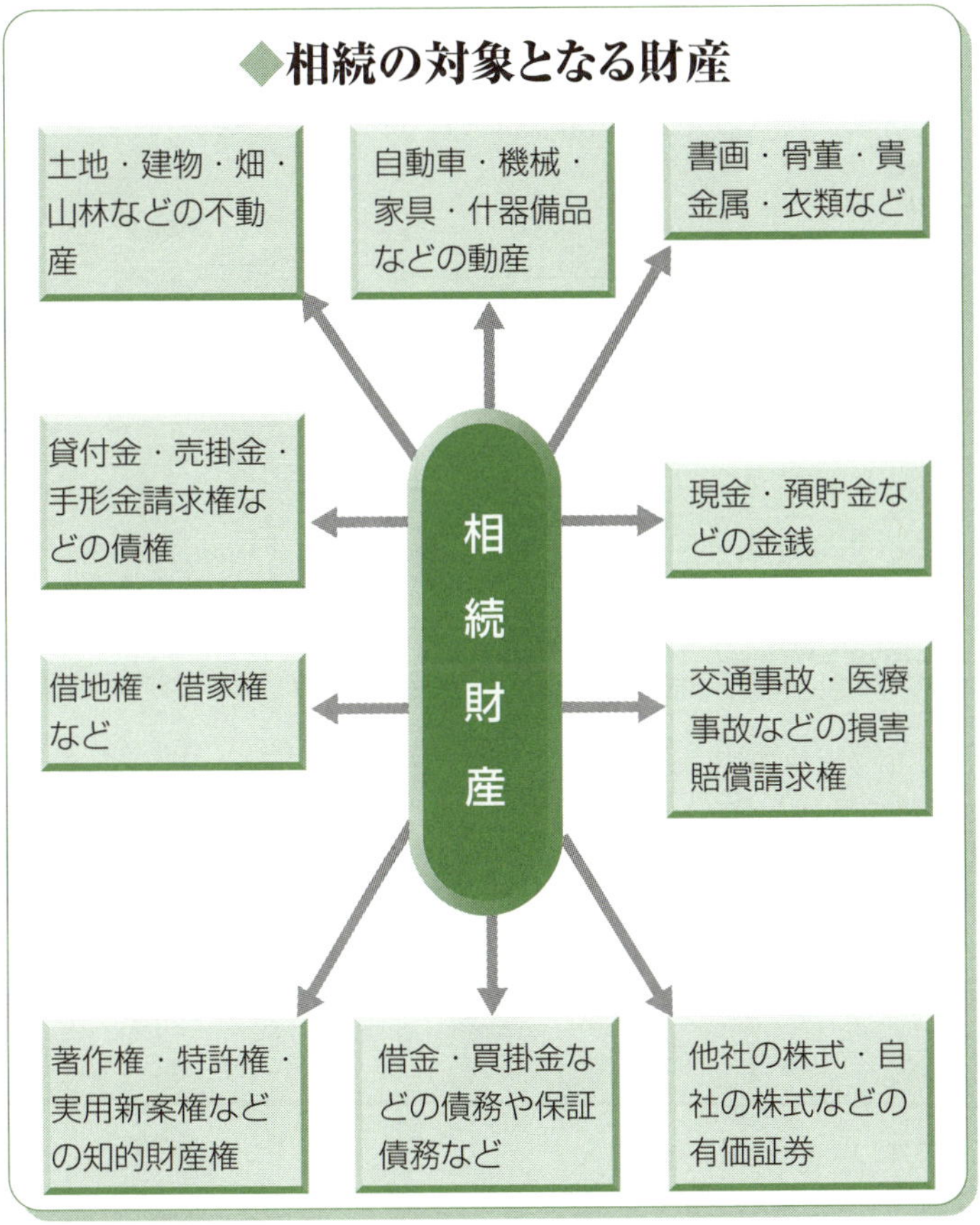

もちろん、一身専属的な債務は相続の対象にはなりません。すなわち、扶養義務や身元保証債務は一身専属権ですから、相続されません。ただし、身元保証債務の場合は、損害が発生して金額の確定したものは、普通の金銭債務に転化していますので、相続の対象になります。

では、連帯債務や連帯保証はどうでしょうか。連帯債務は、２人以上の者が連名で債務を負担し、各債務者が全額について返還義務を負うものを言います。連帯保証は、債務者と同じ責任を負う内容の保証です。

連帯債務に関する判例は、金銭の連帯債務については、各共同相続人はその相続分に応じて、法律上当然に分割された債務を承継し各自承継した範囲において、本来の債務者と共に連帯債務者になるとしています。

連帯保証についても、同様に相続の対象になると考えられます。

では、根保証はどうでしょうか。これは継続的な金融取引などに利用される連帯保証の一つで、あらかじめ限度額を定めておき、その範囲内の継続的取引から生じた一切の債務について責任を負わせるものです。

民法は貸金等の根保証については、保証人が死亡したときに元本は確定するとしています（４６５条の４）。したがって、確定したこの分の根保証債務を相続することになります。

まずは基礎をしっかりと 3

■相続手続き

相続するためにはどんな手続きが必要か

▼何もしなければ単純承認となりマイナス財産も相続する

■マイナス財産が多いため、あるいは相続トラブルを避けるため相続権を放棄したい、あるいはプラス財産の限度でしかマイナス財産の相続はしたくない場合（限定承認）には、家庭裁判所での手続きが必要です。

単純承認や相続放棄とは

相続が開始したからといって、誰もが喜んで相続人として相続するとは限りません。

①相続財産といっても借金の方が多い、②相続財産をもらわなくても生活できるし、それより相続争いに巻き込まれたくない、③長男に店を継がせる、④次男に農家を任せなければならないなどという場合には、相続を選択せずに「**相続放棄**」をする（民法９３８条）ケースもあります。

また、プラスの相続財産もあるが、マイナスの相続財産もあり、複雑なのでプラス財産の限度でマイナス財産の相続をする「**限定承認**」をするケースもあります（民法９２２条）。

相続放棄もせず、限定承認もしない、すなわちプラス財産もマイナス財産も全て相続するというのが「**単純承認**」と言われる一般に行われている相続です。

単純承認には何らかの届出が必要なわけではありません。自分が相続人になったことを知ったときから３か月が過ぎると、当然に単純承認したことになります。それ以外にも、相続財産の全部または一部を処分したり、相続放棄や限定承認した後で相続財産の全部または一部を隠匿した場合も単純承認をしたことになります。

相続人は、単純承認をしたことになれば、単純承認の取消し（撤回）はできず、その後は相続放棄も限定承認をすることもできません。

３か月の熟慮期間とはどういうことか

自分が相続人になったことを知ったときからの３か月間のことを、「熟慮期間」と言います。この3か月の間に、相続するかどうかをよく考えなさい、という意味の期間なわけです。

被相続人が死亡した直後は、葬儀だ、初七日だなどとあわただしく、一般に相続の話が出てくるのは四十九日過ぎという例が多いようです。

それから相続財産の調査にかかり、プラス財産がどれくらいあり、マイナス財産がどれくらいあるかを明らかにしなければなりません。その結果、単純承認をするか、相続放棄あるいは限定承認をするかを決めなければなりません。

財産が多く、また権利関係が複雑であったりすると、3か月の期間はすぐに過ぎてしまいます。そのため、この3か月の間に調査が終わりそうにもない場合には、家庭裁判所に期間伸長を求めることができます。

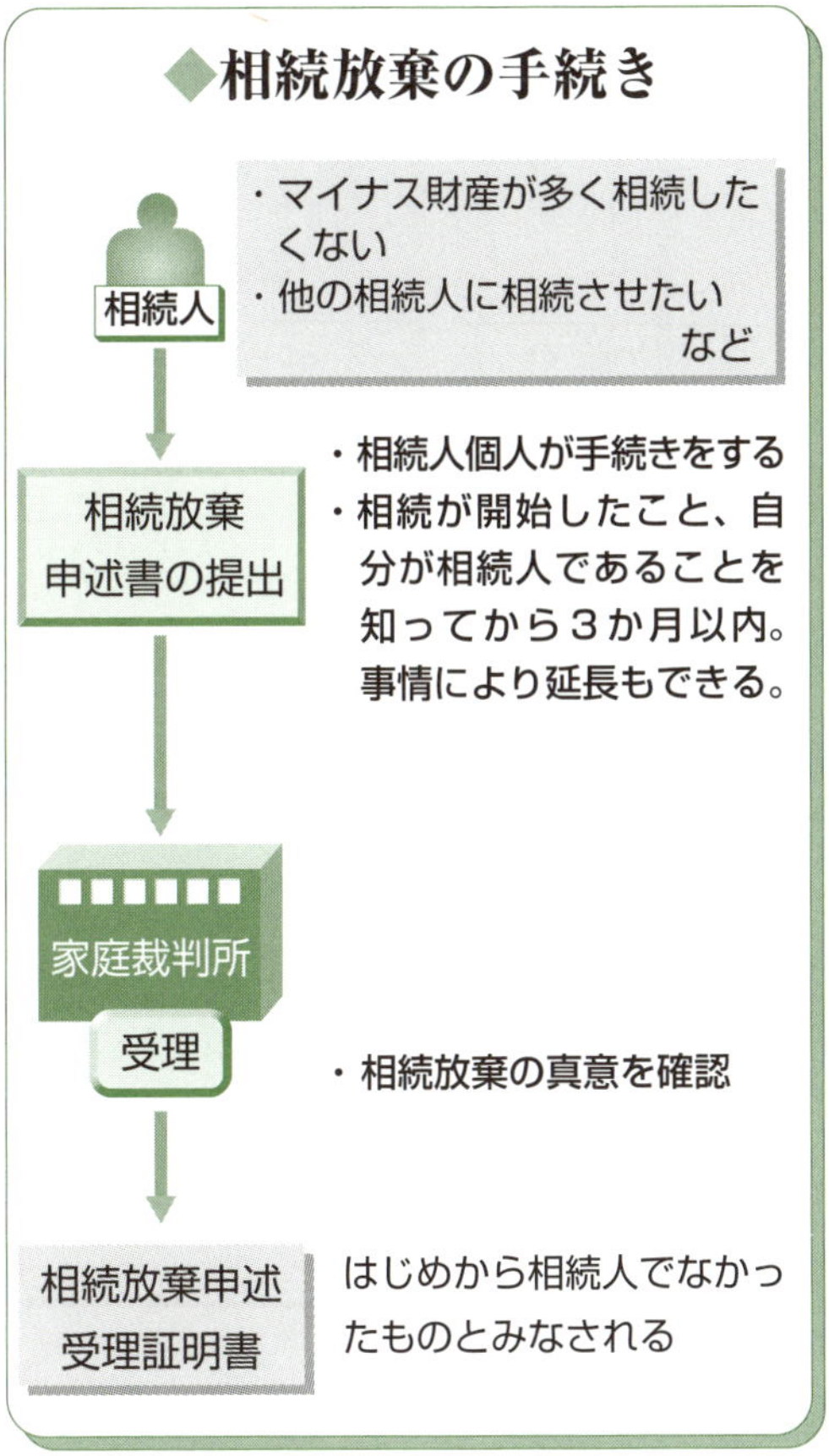
◆相続放棄の手続き
相続人
・マイナス財産が多く相続したくない
・他の相続人に相続させたい など
相続放棄申述書の提出
・相続人個人が手続きをする
・相続が開始したこと、自分が相続人であることを知ってから３か月以内。事情により延長もできる。
家庭裁判所
受理
・相続放棄の真意を確認
相続放棄申述受理証明書
はじめから相続人でなかったものとみなされる

なお余談ですが、ベテランの高利貸しになると、借主が死亡しても催促には行かず、3か月後に催促に赴くと言いますから驚きものです。

相続放棄の手続きはどのようにするか

「たいした財産もないし、これ以上貸金業者につきまとわれたくないので、相続放棄をしたい」という依頼者もあります。

一般的には、プラスの相続財産よりマイナスの相続財産が多い場合に、相続放棄をするケースが多いようです。それ以外にも、相続により農地を分割すると農業を継続できない場合に、農業を継がない者に相続放棄をさせ、その代わりなにがしかの金銭を支払うケースもあります。

相続放棄とは、相続人が財産の承継を全面的に否認することです。

相続放棄の結果、その相続人は

最初から相続人でなかったことになります。たとえば、相続財産が1000万円、相続人が妻と子2人であった場合に、子のうちの1人が相続放棄をしたとしますと、本来は妻500万円、子各250万円相続するはずであったのが、子のうちの1人が相続放棄をした結果、放棄した子は最初からいなかったことになりますので、妻500万円、子500万円のように変わってきます。

　相続放棄をする手続きは、自分が相続人であることを知ったとき（被相続人が死亡したときとは限りません）から3か月以内に、家庭裁判所へ相続放棄の申述をします（相続放棄申述書は家庭裁判所にあります）。

　家庭裁判所から呼び出しがくる場合もありますが、裁判官の面前でその申述が真意に出たもの（虚偽や脅されたものではないこと）である旨を述べるだけですみます。

　家庭裁判所では、相続放棄申述受理証明書をくれますので、貸金業者等の被相続人の債権者が押しかけてきても、これを見せれば一件落着です。

　なお、相続放棄をした者の子が、親に代わって代襲相続（47ページ参照）することはできません。

◆限定承認の手続き

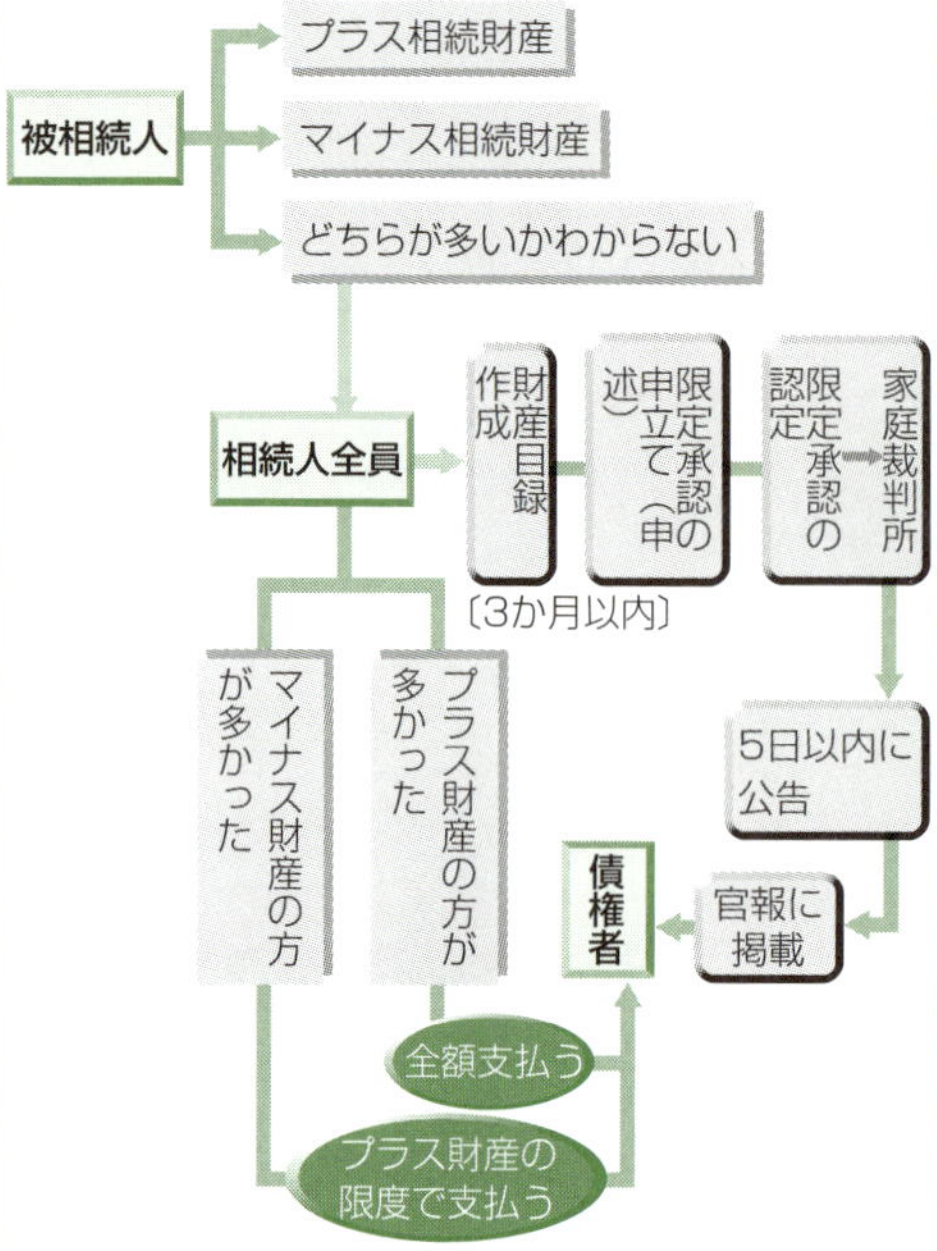

※自己のため相続の開始があったことを知った時から3か月以内に財産目録の作成等が困難な場合には、この期間の延長を家庭裁判所に請求できる。

限定承認をする場合の手続きは

　限定承認は、相続人がプラスの相続財産の限度でのみ、被相続人の債務を負担する条件付きの相続方法です（民法922条）。

　限定承認は、相続があったことを知った日から3か月以内に、財産目録を作って家庭裁判所に限定承認の申立て（申述）をします。この申立ては相続人が複数いる場合には、全員が共同してしなければなりません。

まずは基礎をしっかりと 4

■遺言による相続と法定相続

法定相続は遺言がない場合の相続方法

▼遺言書があれば法定相続に優先するので、まず遺言書捜しから

■相続の形態は、世界各国で様々です。欧米では遺言による相続が主流です。イギリスでは、遺言書を書くのが紳士の条件の一つに挙げられているそうです。わが国の相続形態は法定相続主義と思われている方が多いようですが、法律上はそうでもないのです。

法定相続と遺言による相続

自分の所有する財産は、生前であろうと自分の死後であろうと自由に処分できるのが私有財産制度の原則です。もちろん、死んでしまえば財産を処分することは自分ではできませんので、遺言という形をとって処分することになります。

しかし、自分の所有する財産といえども、それを形成するについては、自分一人の力だけではなく、社会や回りの人たちの力に負うところが多いわけです。

また、だからといって、残された家族の生活保障も無視するわけにはいきません。そのために死後の相続の方法を法律で定めておくというのが法定相続の根拠です。

わが国の相続制度は、この両者の考え方を調整して、取り入れた制度となっています。

すなわち、被相続人が遺言を残して死亡した場合には、遺言書に書かれた通りの相続が行われますし、家族の生活の保障という面を無視できませんから、相続財産の一定部分は遺言によっても処分できず、家族のために残しておくことを必要としています（**遺留分制度**）。

被相続人が遺言を残さずに死亡した場合には、あらかじめ法律で定めている相続人が、定められている相続分に従って相続する法定相続を行うことになっています。

このように、わが国の相続制度は、遺言による相続制度と法定相続との2本立てになっており、遺言による相続が優先することになっています（遺留分侵害については49ページ参照）。

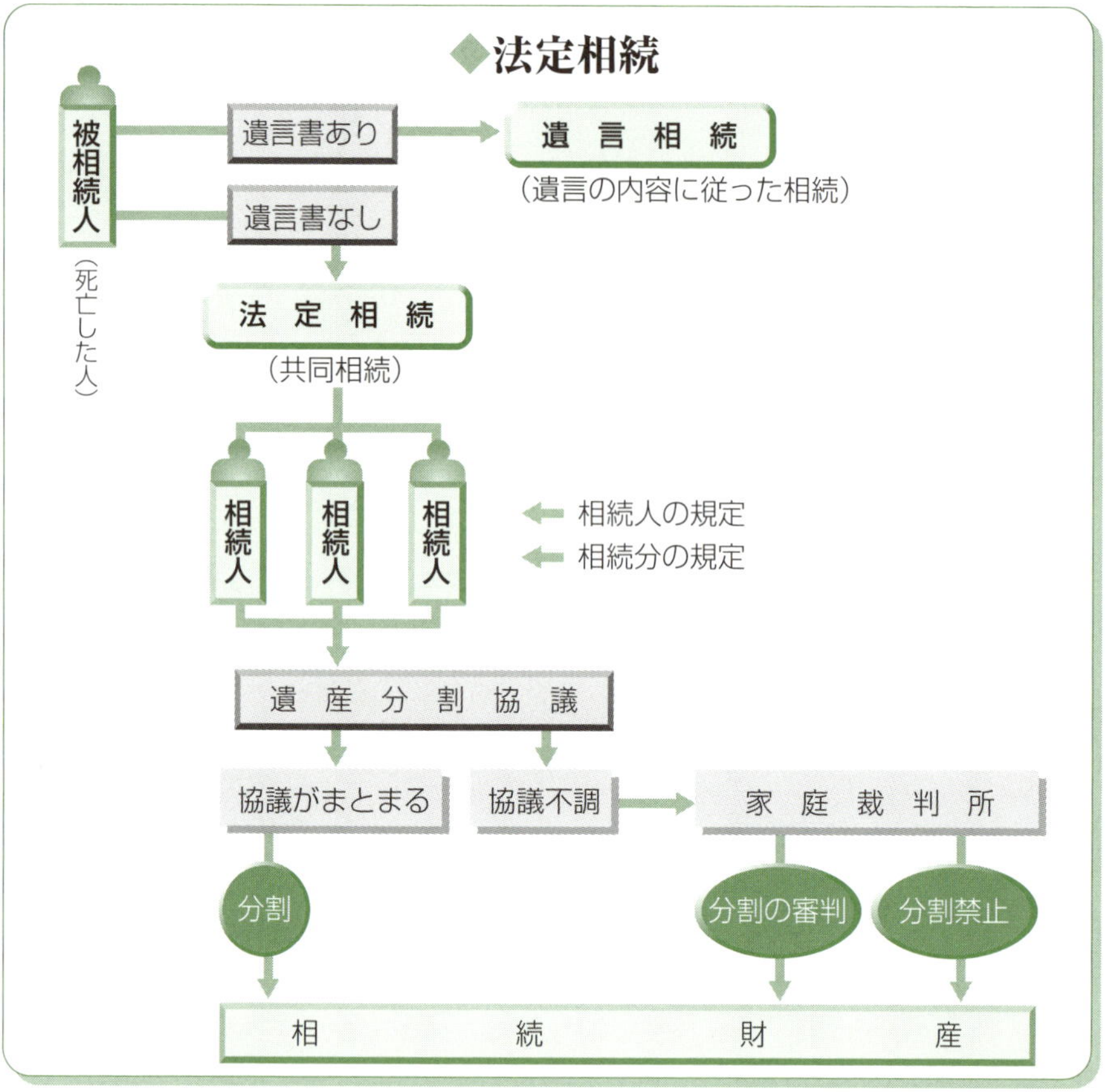

遺言による相続の効果と特色は

遺言については、後にPART2（67ページ以下）で詳しく解説しますので、ここでは基本的な事柄を簡単に述べてみましょう。

遺言者は自分の所有する財産を、遺言という書面により、相続人あるいは相続人以外の者（法人でもよい）に贈与（一般に遺贈と言われます）することができます。相続や遺贈を受ける人（受遺者と言います）の承諾を必要とするものではありません。

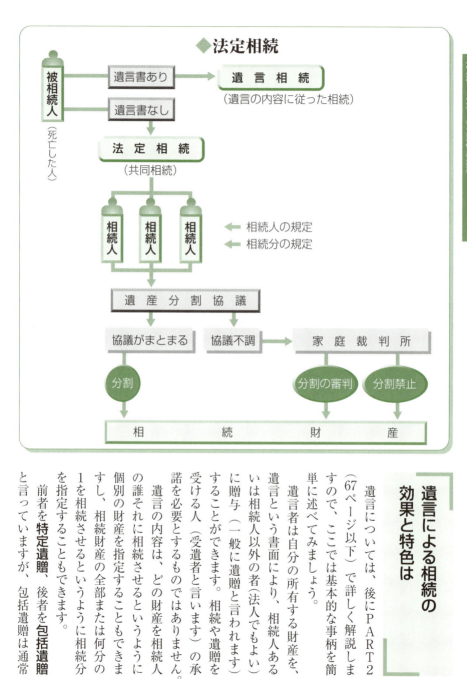

遺言の内容は、どの財産を相続人の誰それに相続させるというように個別の財産を指定することもできますし、相続財産の全部または何分の1を相続させるというように相続分を指定することもできます。

前者を**特定遺贈**、後者を**包括遺贈**と言っていますが、包括遺贈は通常の相続である法定相続と変わらないため、法定相続の規定が適用されます（相続分は指定されたもの）。

また、遺言で「自分の死後、母親の生活の面倒を見ること」などの条件をつけて遺贈をする場合があります。これを**負担付遺贈**と言います。負担付遺贈を受けたものが負担義務を果たさないときは、相続人は義務者に催促し、それでも実行しないときは、家庭裁判所に遺言の取消しを請求できます。

受遺者は、遺贈を受けることも、拒否することも自由ですが、包括遺贈の場合には、遺贈の事実を知ってから3か月以内に家庭裁判所に放棄の申述をしなければなりません。

法定相続人とはどのような者か

被相続人が遺言を残さないで死亡した場合に、被相続人は自分の築き上げた財産は社会のお蔭だから全部社会に還元しようと思うでしょうか。おそらく、残された配偶者や子の生活を心配し、生活の支えとして使われることを願っていたと思われます。

そこで、法定相続では、被相続人個人の意思（愛情）を推測して、合理的な範囲で相続人になる者とその範囲を決めています。民法では、家族共同体の構成員である者を中心として、**相続人になる者の順序と範囲**が決められています。相続の順位に係わらず常に相続人になるとしたのが配偶者です。夫婦の財産は夫婦共同で築き上げたものという考え方も加味されたものと思われます。

第1順位が、子（子が死亡して孫がいれば孫）です。実子と養子とを問いません。胎児も生きて生まれれば、相続人になります。また、被相続人が愛人に生ませた子のように嫡出子でない子（婚外子）であっても、被相続人の認知を受ければ相続人になります。

第2順位が、父母、祖父母などの直系尊属です。実父母も養父母も相続人となります。父母が死亡し祖父母がいる場合には、祖父母が相続人となります。

第3順位が、兄弟姉妹です。被相続人の死亡時に、すでに兄弟姉妹が死亡していれば、その子（甥、姪）が親に代わって相続人となります。

第1順位の相続人がいれば、第2順位、第3順位の相続人は相続できません。先順位の相続人がいない場合に後順位の相続人が相続できることになります。

孫や甥・姪が相続人に代わって相続人になることがあります。これを「**代襲相続**」と言います（後述）。

配偶者は、どの順位の人とも共同して相続人となります。第1〜第3順位に従って配偶者の相続分は大きくなります。

まずは基礎をしっかりと 5

■法定相続分

法定相続では誰が・どれだけ相続できるのか

▼法定相続人が各自どれだけ相続できるかを定めたもの

■共同相続人が被相続人の財産を相続する割合のことを「相続分」と言います。被相続人は遺言によって、自分でまたは第三者により相続分の指定をすることができます。これを「指定相続分」と言います。遺言がない場合に、民法の定める「法定相続分」によることになります。

配偶者の相続分は誰と相続するかで違ってくる

配偶者とは、夫からすれば妻を、妻からすれば夫を、言います。ここでは特に断らないかぎり、妻が配偶者として夫の財産を相続するケースにより話を進めます。

現在の相続制度は、配偶者相続と血族相続の2本立てとなっています。法律では「配偶者は常に相続人となる」と規定しています。また、血族相続は、前述したように、第1順位が子（直系卑属）、第2順位が父母（直系尊属）、第3順位が兄弟姉妹となっています。

配偶者が常に相続人になるという意味は、子がいれば子と一緒に相続人となり、子がいなければ被相続人の父母と一緒に相続人となり、子も父母もいない場合には、兄弟姉妹と一緒に相続人となるという意味です。もちろん、兄弟姉妹もいなければ、配偶者が単独で相続することになります。

法定相続分の基本的なパターンを次ページに図で示しておきました。この図からもわかるように、

①配偶者が子と一緒に相続するときは、妻の相続分は子が何人いようと、2分の1で、子が何人かいれば、残りの2分の1を均等に分割します。子が死亡していれば孫が代襲相続人となります。

②配偶者と父母とで相続する場合は、配偶者の相続分は3分の2、残りの3分の1を父母（養父母も含む）が均等に分割します。父母がすでに死亡していて祖父母がいれば、同じ割合で祖父母が相続します。

③配偶者が兄弟姉妹と一緒に相続する場合には、配偶者の相続分は4分

◆法定相続分の基本的なパターン

❶配偶者と子が相続する場合

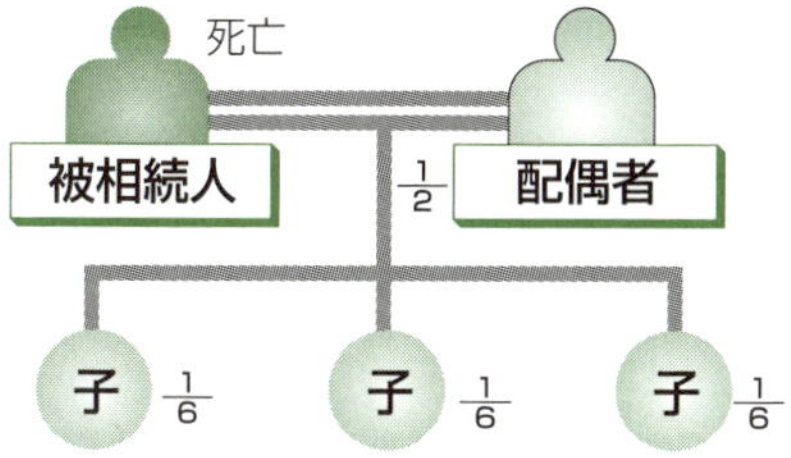

＊配偶者$\frac{1}{2}$、子は各自$\frac{1}{2}\times\frac{1}{3}=\frac{1}{6}$
＊被相続人の父母、兄弟姉妹には相続権はない
＊配偶者が死亡していれば子が$\frac{1}{3}$ずつ相続する

❷配偶者と直系尊属（父母）が相続する場合

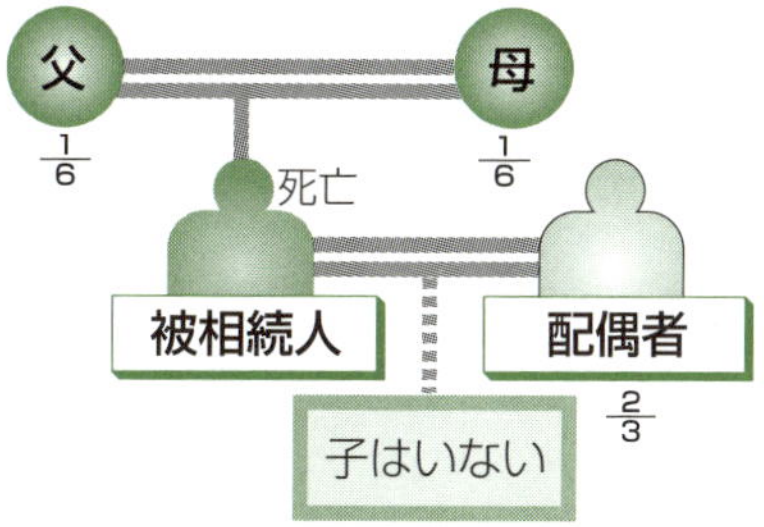

＊配偶者は$\frac{2}{3}$、父母は各自$\frac{1}{3}\times\frac{1}{2}=\frac{1}{6}$
＊父母がすでに死亡で祖父母がいれば祖父母が各自$\frac{1}{6}$
＊兄弟姉妹に相続権はない
＊配偶者が死亡していれば父母が$\frac{1}{2}$ずつ

❸配偶者と兄弟姉妹が相続する場合

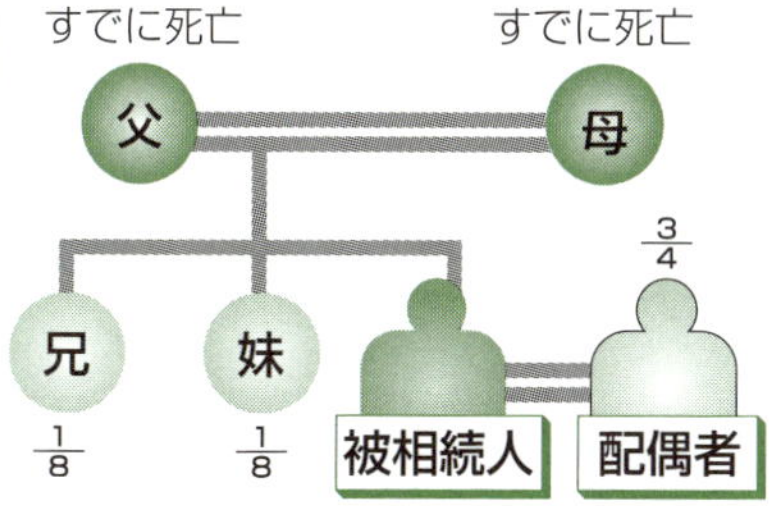

＊配偶者は$\frac{3}{4}$、兄弟姉妹は各自$\frac{1}{4}\times\frac{1}{2}=\frac{1}{8}$
＊配偶者が死亡していれば兄弟姉妹が$\frac{1}{2}$ずつ相続

❹内縁配偶者と子がいる場合

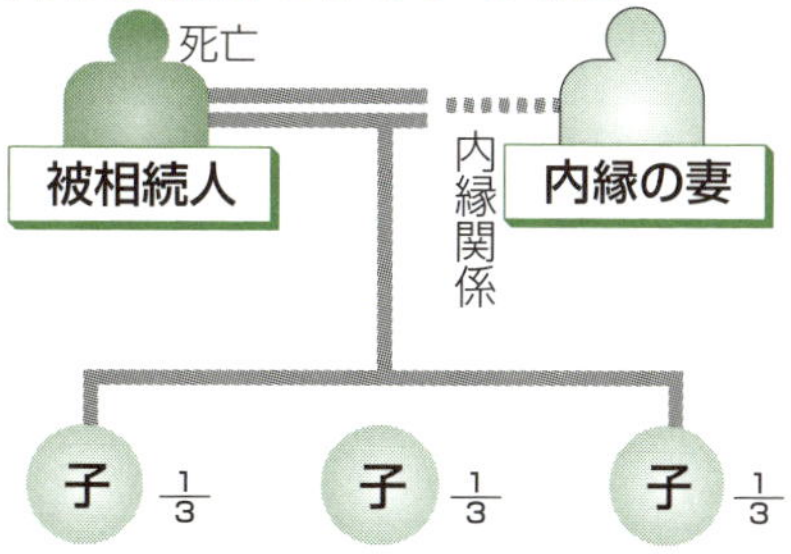

＊ 内縁の配偶者は相続人とならない。子が遺産のすべて（各自は$\frac{1}{3}$ずつ）を相続する。

❺子の１人が死亡し孫がいた場合

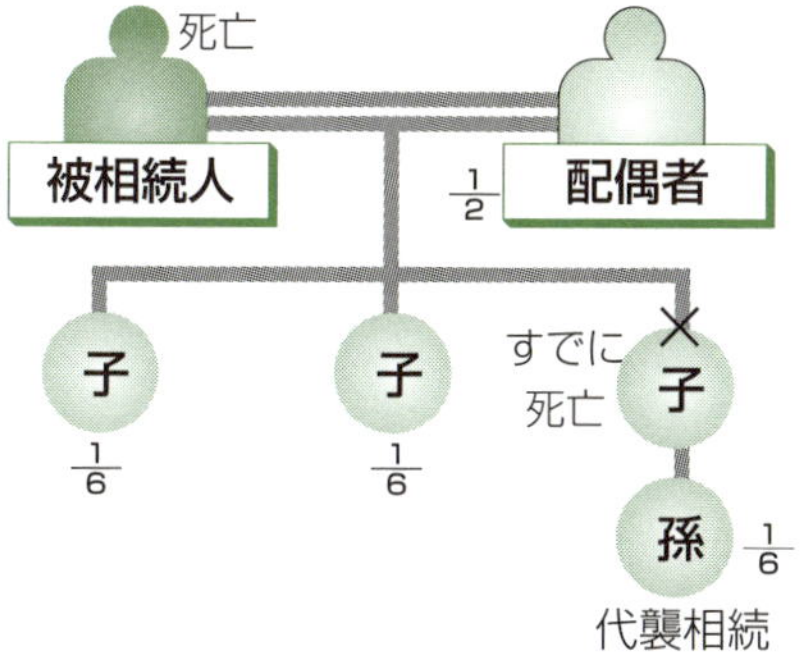

＊配偶者の$\frac{1}{2}$は変わらない。子は各自$\frac{1}{6}$ずつであり、子の一人が死亡していても、死亡した子の子（被相続人の孫）がいれば、その孫が子に代わって相続分を受け取る（代襲相続）。

❻子の１人が相続放棄した場合

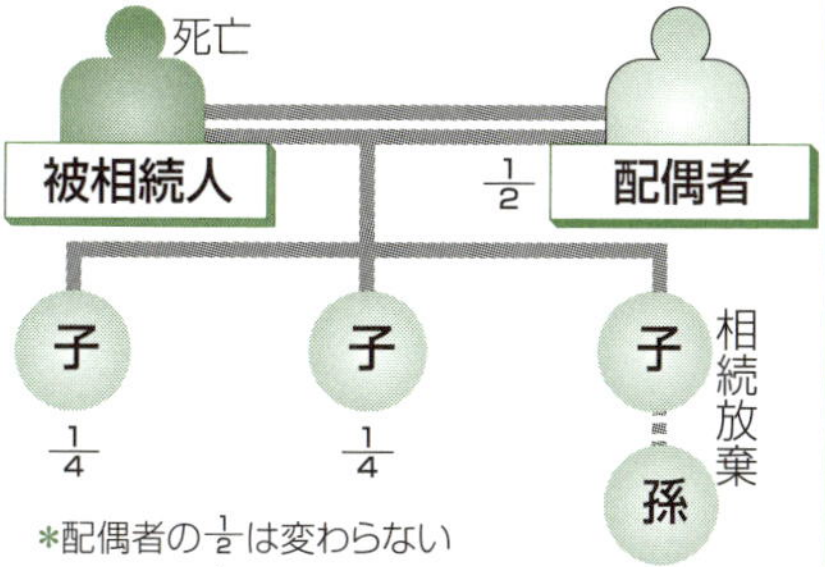

＊配偶者の$\frac{1}{2}$は変わらない
＊子は各自$\frac{1}{6}$ずつであったのが、相続放棄の結果$\frac{1}{2}\times\frac{1}{2}=\frac{1}{4}$ずつとなる。
相続放棄の場合は、放棄した子に子（被相続人の孫）がいても、代襲相続は生じない。

の3、兄弟姉妹は残りの4分の1で均等に分割します。

　このように、配偶者は常に相続人になりますが、誰と一緒に相続するかによって、以上のように相続分が変わってきます。

配偶者の相続で問題になることは

　人生は複雑で、いろいろです。法律の予定するように、基本的なパターンに納まりきれるものではありません。そのために、いろいろな相続をめぐる問題が起こってきます。

　たとえば、結婚式を挙げ、同居して生活していたが、妻に子供ができたのを機に、婚姻届を出して籍に入

❼子の1人が婚外子（非嫡出子）の場合

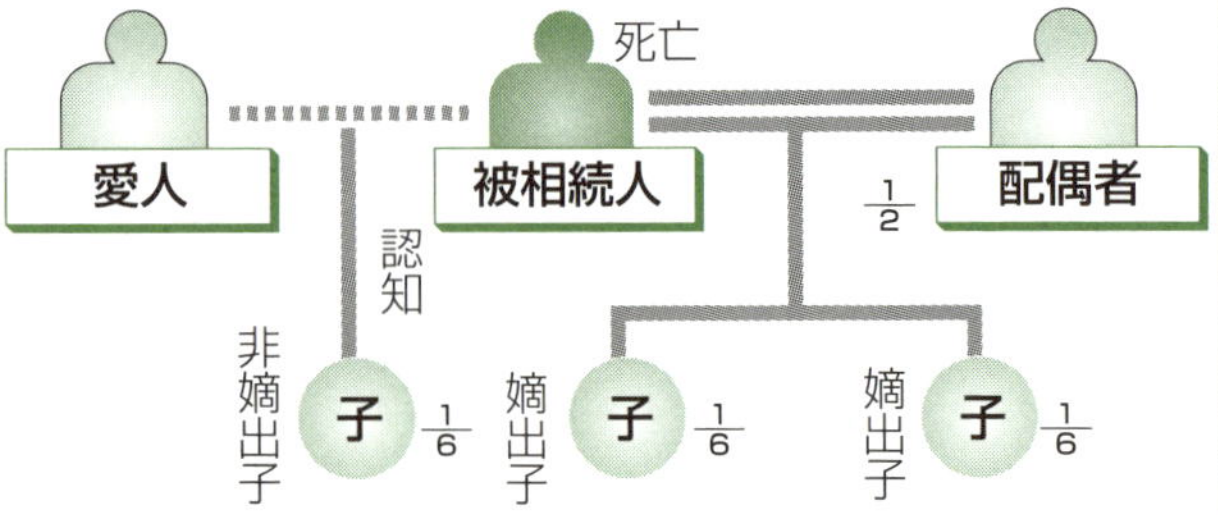

＊配偶者の$\frac{1}{2}$は変わらない
＊嫡出子･非嫡出子の相続分は$\frac{1}{2}\times\frac{1}{3}=\frac{1}{6}$ずつ
（注）　法改正により非嫡出子の相続分も嫡出子と同じになった。

❽半血の兄弟姉妹が相続する場合

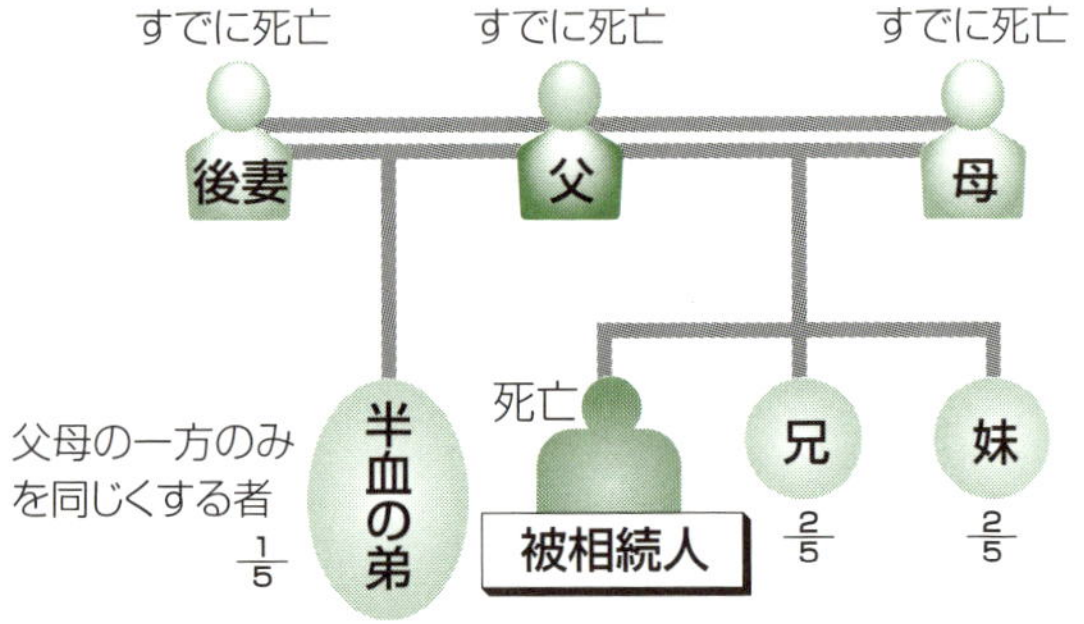

＊配偶者がいないので兄弟姉妹が全部相続
＊兄弟姉妹は$1\times\frac{2}{5}=\frac{2}{5}$ずつ
＊半血の兄弟姉妹（父母の一方のみが同じ）は$1\times\frac{1}{5}=\frac{1}{5}$となる

❾甥や姪が相続する場合

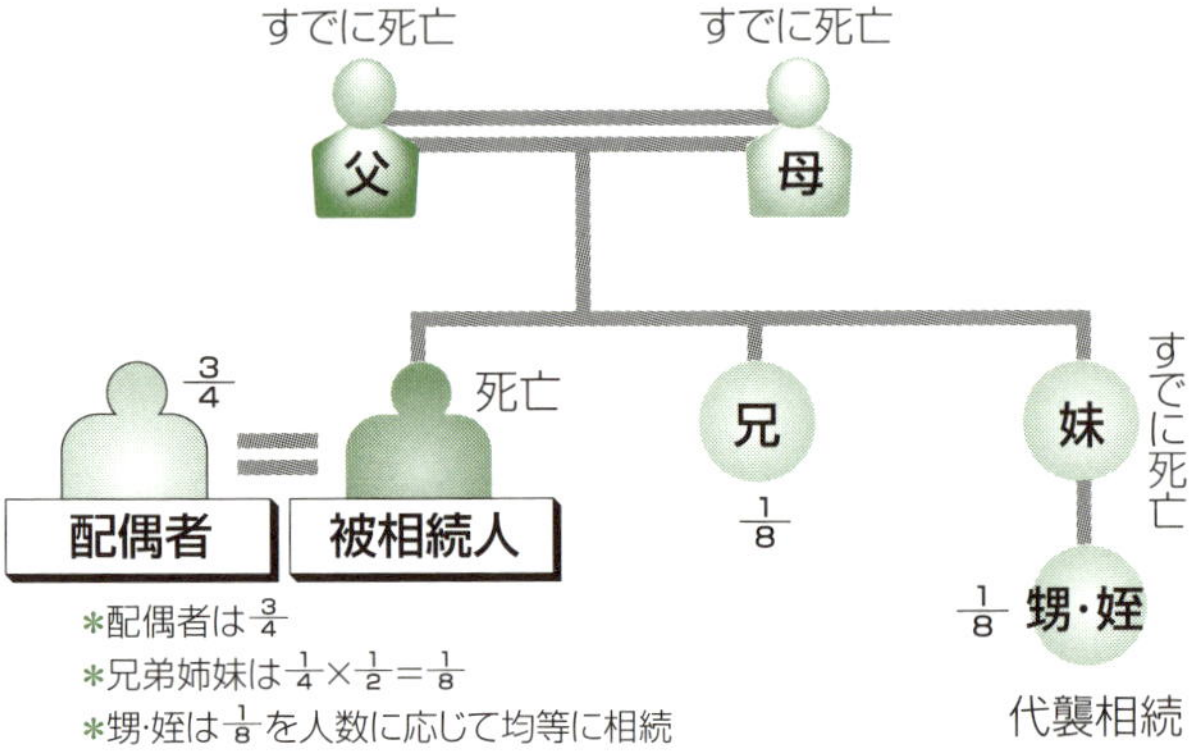

＊配偶者は$\frac{3}{4}$
＊兄弟姉妹は$\frac{1}{4}\times\frac{1}{2}=\frac{1}{8}$
＊甥･姪は$\frac{1}{8}$を人数に応じて均等に相続

れるつもりであったところ、夫が急死したなどという場合は悲劇です。

この場合には、法律上の夫婦とは認定されませんので、妻は配偶者として夫の財産を相続することはできません（生まれてくる子供は認知されれば相続権はありますが）。この場合は内縁関係です。内縁の場合は、いくら何十年一緒に生活していても、相続権は発生しないのです（詳細は51ページを参照）。

これとは逆に、夫婦関係がこじれ、口もきかなくなり、別居し、離婚調停を申し立て、離婚することで話がついていた時に、夫が死亡したという場合はどうでしょうか。

離婚届が市区町村役場の戸籍係に提出されて受理されないかぎりは、まだ法律上は夫婦です。ですから、この場合には、妻に配偶者としての相続権があります。

夫が蒸発したまま7年以上経ったので、失踪宣告を申し立て、失踪宣告の審判が下りたとします。夫の行方がわからなくなってから7年の期間が満了したときに、夫は死亡したものと推定されますので、妻は配偶者として財産の相続をすることができます。

ところが、その後に妻が再婚し、新しい夫との間に子供も生まれ、平穏な生活を続けていたところ、蒸発したはずの夫がひょっこり帰ってきたとします。関係者の申立てにより失踪宣告の取消しの申立てが行われると、失踪宣告は取り消されます。この場合、すでに相続をすませた財産はどうなるのでしょうか。また、再婚はどうなるのでしょうか。

民法では、失踪宣告を受けた者が生きていたことが判明した場合には、相続人や再婚した妻が、本人が生きていたことを知っていたかどうか（善意であったか否か）を問題にします。知らなかった場合は、相続財産が残っている限度で返せばよいのです（全部使ってしまっていたら返さなくてもよい。32条2項ただし書）。また、善意で再婚している場合は、失踪宣告を受けた前夫との夫婦関係は復活せず、再婚が有効です（32条1項後段）。

子が相続人になる場合の問題点

被相続人に配偶者がいれば、配偶者の相続分は2分の1、子の相続分は2分の1であることは、前に述べた通りです。

子が数人いる場合には、均等に分割することになります。

では、被相続人に配偶者がいない場合、すなわち父親が死亡したときに母親がすでに死亡していたり、離婚していた場合はどうなるか。

この場合には、第1順位の相続人である子が相続財産全部を相続することになります。被相続人の父母がいても、兄弟姉妹がいても相続権はありません。

この場合の子には、胎児も含まれます（詳しくは41ページを参照）。

同じ被相続人の子であっても、ちゃんと相続できる場合と全然相続できない場合があります。

正式な夫婦の間で生まれた子は嫡出子としてちゃんと相続できますが、内縁の妻の子や愛人との間に生まれた子（非嫡出子）は、被相続人から認知を受けている場合、また被相続人の死後に家庭裁判所で認知が認られた場合には相続人になれます。

では、被相続人よりも先に、子が死亡していた場合はどうでしょうか。

この場合には、すでに死亡している子に子（被相続人にとって孫）がいれば、この孫は死亡した子の受け取るはずであった相続分を子に代わって相続することができます。これを「**代襲相続**」と言います。

代襲相続は、子がすでに死亡していた場合に限らず、子が**相続欠格**あるいは**相続廃除**によって相続権を失った場合（60・61ページ参照）にも認められますが、相続放棄の場合には認められません。

孫が数人いれば、同様に子の相続分を均等に分けることになります。

子が**非嫡出子**の場合、子が**養子**の場合は、項を改めて解説します（55ページ参照）。

父母が相続人になる場合の相続分は

子が親よりも先に死ぬことを逆縁といいますが、高齢化が進むに連れ、親が子の財産を相続する例も増えてくるかもしれません。

説明の都合上、父母の相続としましたが、条文では直系尊属を第2順位の相続人と規定しています。直系尊属とは、父母や祖父母などで直系（妻の父母は直系尊属ではありません）のものを言います。以下も、理解の便を考え父母で通します。

父母が相続人となるパターンは二通りあります。一つは、子に配偶者がいて、その配偶者との間に子がない場合です。

この場合には、父母の相続分は3分の1、配偶者の相続分が3分の2であることは、前述した通りです。

もう一つのケースは、死亡した子に配偶者がいない（結婚していないか、あるいは子供の生まれないうちに離婚して独身の場合）ケースです。

この場合には、子の相続財産の全てを父母が全部相続します。父母が複数の場合には均等に分けます。

父母が相続人になるケースは、少ないと思われがちですが、たとえば子が交通事故に遭って死亡した場合、あるいは学校事故、レジャー事故で死亡した場合などでは、その損害賠償請求権が相続の対象となります。

子が養子であった場合、養父母が

相続権を持つのは当然ですが、子を養子に出した実父母も、相続については養父母と同じく相続権を持ちます（**特別養子**の場合は、55ページ参照）。

兄弟姉妹が相続するときの相続分

被相続人の兄弟姉妹が相続人になる場合も二通りのパターンがあることは、直系尊属の場合と同様です。

すなわち、被相続人に配偶者はいるが、子や孫も直系尊属もない場合です。この場合には、兄弟姉妹の相続分は4分の1、配偶者の相続分は4分の3です。

もう一つのケースは、前のケースで配偶者がいない場合です。この場合には、兄弟姉妹が全部の相続財産を相続します。兄弟姉妹が数人いる場合には、均等に分けることはこれまでと同じです。

よく質問されるのは、父母の一方のみを同じくする兄弟姉妹が相続人の中にいる場合です。俗に言う腹違いの兄弟姉妹がいる場合です。

たとえば、母が死亡したあとに父が再婚し生まれた子、反対に父が死亡したあとに母が再婚し生まれた子、父が愛人に生ませた子などが、これに当たり、法律上は「**半血の兄弟姉妹**」と言っています。

この半血の兄弟姉妹の相続分は、通常の兄弟姉妹の2分の1です。

また、被相続人よりも先に相続人になるはずの兄弟姉妹が死亡しており、その者に子がいる場合（被相続人にとって甥《おい》・姪《めい》）、甥・姪が親に代わって相続する（**代襲相続**）ことになります。再代襲はありません。

甥や姪の側からすれば、叔父・叔母に子や親がなければ、死亡した自分の親に代わって叔父・叔母の財産を相続できることになるわけです。

★代襲相続人

相続人である親が生きていれば、被相続人の財産をいずれ相続できたのに、相続開始のときには死亡していたため、後で相続により財産を承継し得たはずという子の期待を保護するという趣旨で設けられたのが、「代襲相続」の制度です。

代襲相続が認められるのは、相続開始以前の死亡、相続欠格、相続人廃除の3つの場合で、相続放棄では代襲相続はありません。

代襲相続人になれるのは、相続人のうち被相続人の子および兄弟姉妹についてだけ認められており、息子の嫁のような直系卑属の配偶者は代襲相続人にはなれません。

また、代襲相続については、代襲相続人は、被代襲相続人が相続資格を失ったとき存在している必要があるのか、あるいは被相続人が死亡のとき存在していればいいのか学説上の争いがありましたが、昭和37年の民法改正により、相続開始のときに存在していればよいということで結着をみています。

まずは基礎をしっかりと
6

■指定相続分

遺言により相続分や相続財産が指定されたら

▼法定相続分と性質は変わらず相続人と同じ権利義務を持つ

■自分の所有する財産を、自分が死んだ後に思いどおりに処分する遺贈（遺言による贈与）の方法として、個別具体的に財産を贈与する方法と相続分を指定する方法とがあります。

当然、法定相続分とは異なる指定がなされるわけですが、特定の相続人の持つ遺留分を侵害したときに、問題となります。

自分の死後に遺産を分ける方法は

わが国の相続制度は、遺言による相続と法定相続による相続との２本立てを取っていることは前述した通りです。そして被相続人の死後に遺言書が発見されれば、法定相続に優先して遺言書に書かれた内容に従って相続が行われます。

遺言によって、財産を相続人あるいは相続人以外の者に与えることを「**遺贈**」と呼んでいます。そして遺贈を受ける者を「**受遺者**」と言いますが、遺贈では受遺者の承諾を必要としません。もちろん、受遺者が遺贈を拒否することは自由です。

それに対して、自分の死後に財産を贈与する旨を生前に契約をすることもできます。これを「**死因贈与**」といい、この場合には受贈者の承諾が必要です。

死因贈与は、自分の死後に財産を贈与する点で遺贈に類似していますので、死因贈与の効力に関しては、遺贈に関する規定（９６４条以下）が適用されます。

遺贈の場合にも、死因贈与の場合にも、相続人にかかる税金は贈与税ではなく、相続税です。

遺贈の場合には限界がある

遺言によって相続財産を与える方法に、○○株式会社の株券１万株を何某に与えるというように個別的に財産を指定する方法を「**特定遺贈**」と言い、相続財産の全部または何分の１を誰それに相続させるというように割合を決めて与える方法を「**包**

括遺贈」と言っています。このように、どのような方法でも自分の財産は自由に死後であっても処分できるのが原則ですが、例外もあるのです。

たとえば、遺産全部を○○養老院に遺贈してしまったら、残された妻子の生活はどうなるでしょうか。また、3人いる相続人のうちの1人に全財産を遺贈したら、後の2人は1円ももらえず不公平になります。

そこで、相続人の生活保障や共同相続人間の公平な財産相続を図るために、相続財産の一部を相続人に残しておく必要があります。すなわち、私有財産制度に基づく財産の自由処分の原則と相続人の保護という2つの要請の調和を図る必要があります。

これを満たすために設けられた制度が「**遺留分**」の制度です。

遺留分というのは、一定の相続人に必ず残しておくべき一定の相続財産の割合のことです。

相続人のために残しておくべき遺留分は、以下のとおりです。

①相続人が配偶者と子の場合は、被相続人の財産の2分の1

②配偶者と父母などの直系尊属の場合は、被相続人の財産の2分の1

③父母などの直系尊属のみの場合は、被相続人の財産の3分の1

相続人が兄弟姉妹の場合は、遺留分はありません（民法1042条）。

このように法定相続分に優先する遺言ですが、遺留分という大きな壁があるのです。

遺留分を侵害した遺言がされると

遺留分を持つ推定相続人の遺留分を侵害して遺言が行われた場合には、遺留分を侵害された者は、遺留分を侵害する遺贈を受けた者に対して、遺留分侵害額に相当する金銭を払えと請求することができます（**遺留分侵害額請求権**。民法1046条1項）。この規定は令和元年7月1日以降に開始する相続に適用されます（改正前は遺留分減殺請求権と言い、侵害された相続分の返還を請求するものでしたが、法改正で金銭請求となりました。令和元年6月末日までに開始した相続には、この遺留分減殺請求権の規定が適用されます）。

遺留分の基礎となる財産額は、「被相続人が相続開始の時に有した財産の価額に、その贈与した財産の価額を加えた額から、債務の全額を控除して」算定します。この贈与とは「相続開始前1年間になした贈与」のことですが、当事者が遺留分侵害の事実を知って贈与した場合は1年以上前の贈与額も加えることになります（1044条）。この他、特別受益分（58ページ参照）があれば、これも加えて遺留分額を計算します。

遺留分侵害額請求権の行使は、相手方が応じなければ最終的には訴えを起こすしかありませんが、まずは

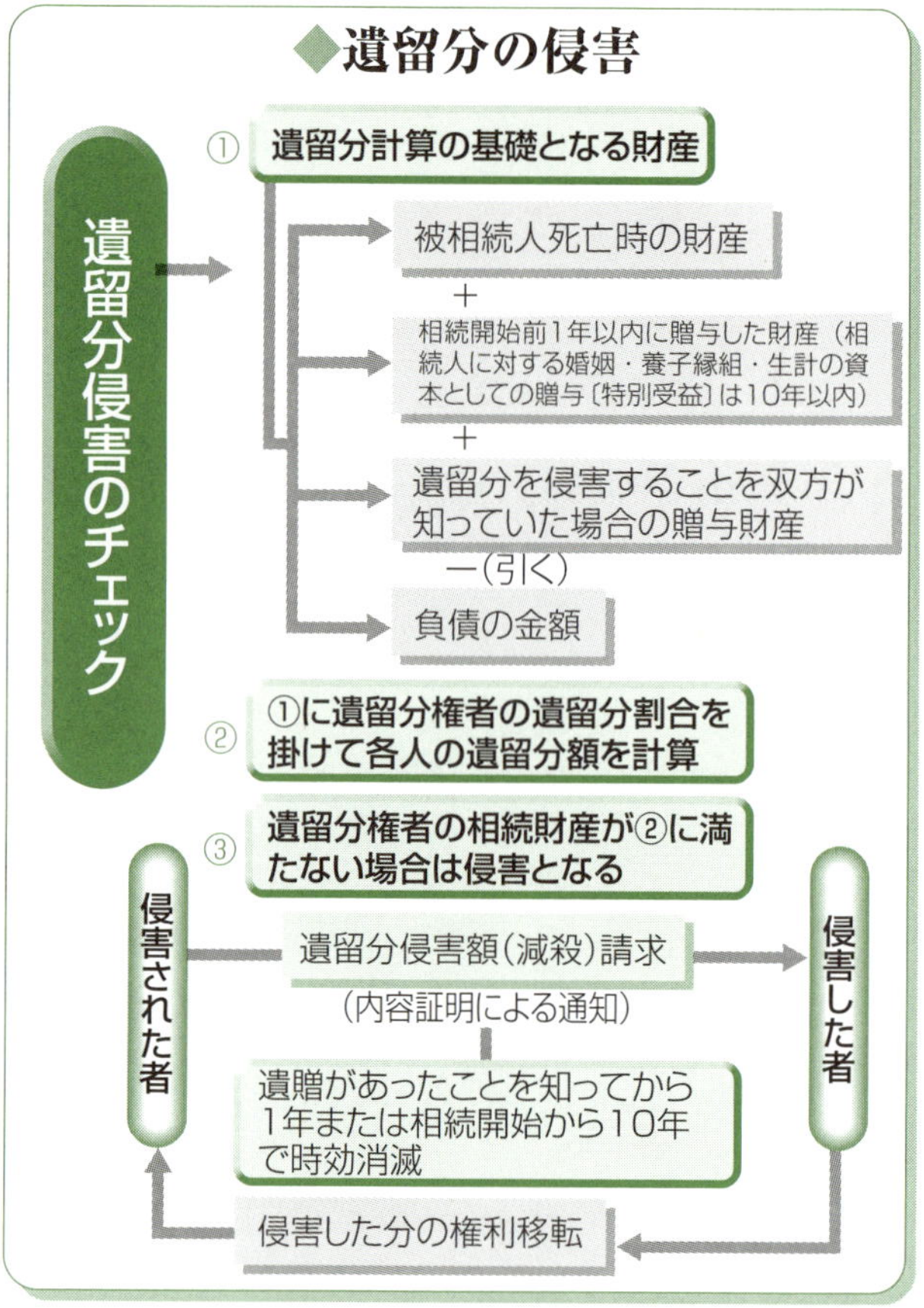

当事者間の話合いで解決すべきです。ただし、後日請求の証拠が残るよう、通常は、内容証明郵便で「遺留分を侵害しているので、侵害額を支払え」と通知するといいでしょう。

しかし、侵害した者が、話合いや侵害額の支払いにすんなり応じないという場合には、通常の民事訴訟や遺産分割の審判・調停を申し立てることになります（遺留分減殺請求の場合も請求手続きは同じです）。

なお、遺留分侵害額請求は従来の遺留分減殺請求のように権利関係の変動はもたらしませんが、いつまでも請求権行使を認めるのは、やはり適当ではありません。そこで、遺留分侵害額の請求権についても、減殺請求権同様、「遺留分権利者が、相続の開始および遺留分を侵害する贈与または遺贈があったことを知った時から1年間行使しないときは時効によって消滅する。相続開始から10年を経過したときも、同様とする」と定めています（1048条）。

ここでいう「知った時」とは、単に贈与または遺贈があったことを知っただけでなく、侵害額の請求ができることを知った時と考えればいいでしょう。

なお、遺留分の侵害者に、贈与を受けた者と遺贈を受けた者とがいる場合には、民法ではまず遺贈を受けた者が侵害額の支払いを負担することになっていますが（1047条1項1号）、法改正前の減殺請求では、「贈与は、遺贈を減殺した後でなければ減殺できない」とされていました。

まずは基礎をしっかりと
7

■内縁の妻の相続権

内縁の妻でも遺産がもらえる場合があるのか

▼相続権はないが例外としてもらえる場合がある

■外から見ている分には、何ら普通の夫婦とは変わらないのですが、夫が死亡し、相続の段階になって、夫には本妻（法律上の妻）がいて、相続権を主張してきたために、内縁であったことがわかる例があります。ただし、内縁は本妻がいる場合に限られません。

内縁関係とはどんな場合をいうのか

夫婦としての実態（結婚する意思と夫婦共同生活をしている事実）があるのに、婚姻届を出していない夫婦を「内縁関係」と言っています。

わが国では、法律婚主義をとっており、民法の定める婚姻する意思と婚姻届の受理という2つの要件を備えた夫婦でないと、法律上の夫婦とは認めてくれません。

そのため、法律が画一的に処理する事柄については、内縁関係については適用されないことになります。すなわち、夫婦が同じ氏を名乗れないこと（法律上）、子供が生まれても嫡出子になれないこと、夫婦の相手方が死亡しても相続が認められないこと、などです。

しかし、社会的には夫婦としての実態を備え、夫婦共同生活を送っているのに、何らの保護を与えないのは妥当ではないとの考えから、内縁関係を法律上の夫婦に準ずる関係、すなわち「**準婚**」として保護するようになってきました。

なお、男女が外形的には夫婦同然の共同生活を送っているが、結婚する意思のない、いわゆる「同棲」や「愛人関係」などの場合は、内縁関係にはならず、法律の保護を受けることはありません。

内縁に認められる法律上の保護は

普通の夫婦に認められる全ての法律上の保護が、内縁の者に認められるわけではありません。しかし、次に掲げる項目については、認められるようになってきました。

夫婦としての同居、協力、扶助義務は認められます。日常生活の費用を分担する婚姻費用分担義務、日常の取引関係から生ずる債務すなわち日常家事債務の連帯責任、貞操の義務も認められます。

また、内縁を解消する場合には、財産分与の規定が準用されるというのが判例ですし、正当な理由なく内縁関係を解消した本人、または不当に干渉して内縁関係を破綻させた者に対しては、不法行為責任すなわち損害賠償責任（慰謝料）を請求できることも判例で認められています。

その他、厚生年金、国民年金、健康保険、国民健康保険などの社会保険の分野でも、内縁関係にある者を適用の対象として認めるようになっています。

内縁の者について相続が認められる場合

内縁の配偶者については相続が認められないのは、前に述べた通りです。

ただし、この原則を貫くと、内縁の配偶者保護に欠けることから、次の二つの場合には、相続類似のことを認めています。

一つは、相続人が誰もいない場合です。民法では、法定相続人がいない場合には、被相続人と特別の縁故関係にあった者は、家庭裁判所に申し立てて、相続財産の全部または一部を請求できることになっています（９５８条の３）。

特別縁故者とは、被相続人と生計を一にしていた者、被相続人の療養看護に努めた者、その他被相続人と特別の縁故のあった者を言うとされています。

内縁の配偶者は、ここで言う特別縁故者に該当しますので、相続財産をもらえることになります。

なお、もらえる財産の内容や程度は、申立てを受けた被相続人の住所地を管轄する家庭裁判所が、特別縁故者の種類、縁故関係の厚さ薄さ、職業、財産の内容など一切の事情を考慮して決めることになっています。

もう一つの場合は、内縁の夫婦が借家契約を結んでおり、契約の当事者である内縁の一方が死亡していた場合です。この場合に、被相続人に相続人がいない場合には、その同居者は建物の賃借人の権利義務を承継する（借地借家法36条）とされています。

しかし、これでは死亡した内縁の妻のほかに相続人がいる場合には、この規定では救済されません。法定相続人が夫に死亡された内縁の妻に家屋明渡しの請求を求めた事件で、最高裁判所は、相続人と内縁の妻との建物の使用状況および必要度などの事情を考慮した上、相続人の請求は権利の濫用として許されるべきではない（昭和39年10月13日判決）と

していま す。

また、内縁の妻には相続権がないのだからとの理由で家主が明渡しを求めてきたケースで、内縁の妻は、相続人の賃借権を援用して明渡しを拒否できるとしています（最高裁・昭和42年4月28日判決）。

なお、借地の場合には、内縁関係を保護する規定は、残念ながらありません。

しかし、借地上に建物を所有していた内縁の夫が死亡した事件で、内縁の妻を準親族関係にある者として扶助することが必要であるとして、内縁の妻の保護を図っている判例があります。

◆内縁関係者（特別縁故者）の相続

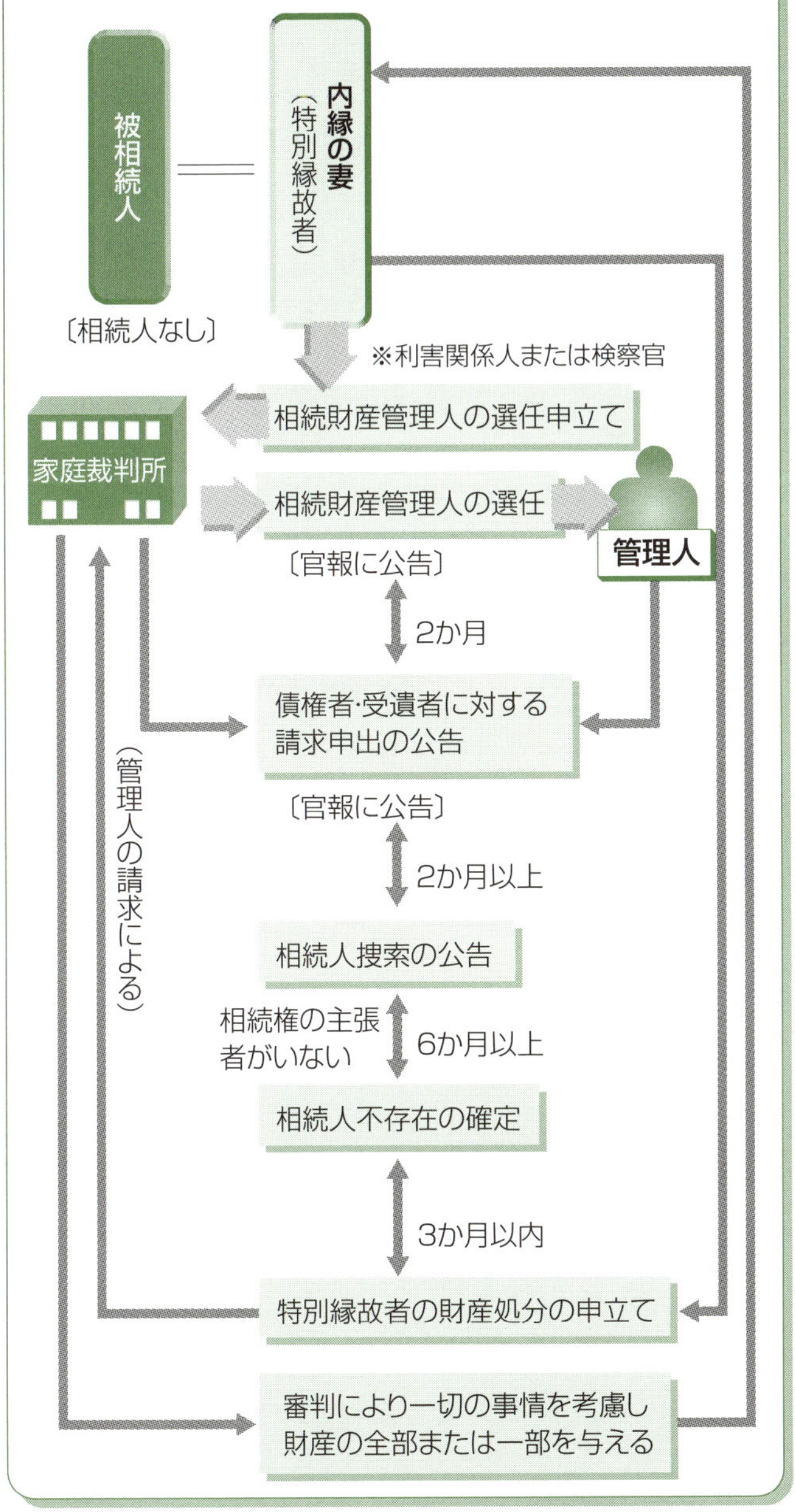

まずは基礎をしっかりと
8

様々なケースでの子供の相続問題

■子供の相続

▼離婚した夫婦の間の子、非嫡出子、養子の相続問題

■シェイクスピアのリア王の話を持ち出すまでもなく、古今東西を問わず、相続をめぐる肉親同士の争いは跡を絶たないものです。相続争いの当事者は大人です。そのため、子供の相続権はややもすれば無視されがちです。ここでは子供特有の相続の問題を取り上げてみました。

両親の離婚と子供の相続権

令和3年中の離婚件数は18万4386組（概数）で、2分51秒に1組の夫婦が離婚する状況です。

夫婦が離婚する場合に問題になるのは、財産分与、慰謝料といった金銭問題です。しかし、それより大事なのが、子供の親権者をどちらにするか、です。親権者が決まらないことには、離婚届は受け付けられず、離婚はできないからです。

夫婦が離婚すれば、法律上は赤の他人になるわけですから、離婚後に元夫婦の一方が死亡したとしても、その元配偶者には相続権がないことは当然です。

しかし、離婚を前提に別居し何年もの期間がたっていた、あるいは離婚訴訟中に配偶者が死亡したという場合には、夫婦の実態はなかったとしても、籍があれば残された配偶者は相続権を持つことになります。

ポイントは、離婚届が受理されているかどうかで、離婚夫婦の相続は決まります。

しかし、離婚した夫婦間に子がいた場合には、そう簡単にはいきません。夫婦が離婚したとしても、また親権がどちら側にあろうとも、子供との親子関係は切れるわけではないからです。

離婚した夫婦の子は、父親または母親が再婚していても、また姓が変わっていても、親子の縁は切れないわけですから、両親のどちらについても相続権を持つことになります。

また、親が再婚し、その相手との間に子が生まれれば、他の子と同じ割合で相続権を持ちます。連れ子には相手配偶者の相続権はありません。

非嫡出子の場合には不利益を被るのか

正式な夫婦の間に生まれた子のことを「**嫡出子**」、正式な夫婦以外の間で生まれた子のことを「**非嫡出子**」と言います。

たとえば、内縁の夫婦の間に生まれた子、夫と恋人や愛人との間に生まれた子は非嫡出子となります。ただし、父親が自分の子であると認知(市区町村役場に認知届を出す)しないと、非嫡出子としての間の法律上の親子関係は生まれず、相続権も発生しません。

非嫡出子も父親の子に変わりはありませんから、父親が死亡すれば、当然相続権を取得します。

相続分は、民法では法律婚を前提としていますので、法律の認めていない婚姻関係外から生まれた非嫡出子は、以前は嫡出子の相続分の2分の1でした(旧900条4号)。

これについて、生まれてきた子は何の責任もなく、嫡出子との間に相続分において差別を設けているのは憲法14条の法の下の平等に反するとして、裁判で争われてきました。

最高裁判所はかつては、「民法の法律婚主義を採用している以上、非嫡出子に区別が生じるのも止むを得ない」として合憲の立場を維持してきましたが、平成25年9月24日の大法廷の決定によって、「父母が婚姻関係になかったという、子にとっては自ら選択ないし修正する余地のない事柄を理由としてその子に不利益を及ぼすことは許されない」との判断を下しました。これを受けて平成25年12月5日、民法の一部を改正する法律が成立し、嫡出でない子の相続分は嫡出子の相続分と同等となりました(同月11月公布・施行)。この改正は、平成25年9月5日以後に開始した相続に適用されます。また、最高裁決定で「少なくとも平成13年の7月において憲法違反」としていることから、平成13年7月1日以後に開始した相続で遺産分割協議が終了していないものについても適用があると考えられます。

養子や特別養子の相続分は

養子制度は血のつながらない親子関係のない者の間に、人為的に法律上の親子関係を作りだす制度です。**養子縁組**をするには、当事者間に養子縁組をする意思が必要です。子が15歳未満の場合には、親などのその子の法定代理人が、子に代わって縁組の合意をします。また、未成年者の養子縁組には、家庭裁判所の許可を得ることが必要です。

法律上は、嫡出子も養子も、子であることに変わりませんので、同じ順位で、等分に相続します。また、養子と実親の間にも親子関係はありますので、養子は実親の相続についても、相続権を失うことはありません。すなわち、養子は、養親と実親との両方の相続権を持つわけです。

なお、養親が死亡したときにすでに養子となった人が死亡していた場合に、養子の子が代襲相続できるかという問題があります。この点については、養子縁組前に生まれていた子（連れ子）には代襲相続権はなく、養子縁組後に生まれた子（被相続人の孫）には代襲相続権があります。

昭和62年の民法改正により、今までの養子縁組制度の他に、「**特別養子制度**」が設けられました。

特別養子制度は、未成年の子の福祉を目的とし、養親と養子との間に実の親子と同様の強固で安定した親子関係を設立させるために設けられたものです。

この特別養子制度の成立によって、従来の養子制度のことを「普通養子制度」と呼び区別しています。

特別養子制度には、いろいろと条件が付けられています。左に図示しましたので参照してください。

特別養子の場合、養親と養子との間に嫡出子と同様の親子関係が生ずるのは、普通養子の場合と同様ですが、縁組の成立により実親と親子関係が終了する点が一番の違いです。

その結果、特別養親子関係が成立することにより、実親との間では、相続関係も扶養関係も生じません。

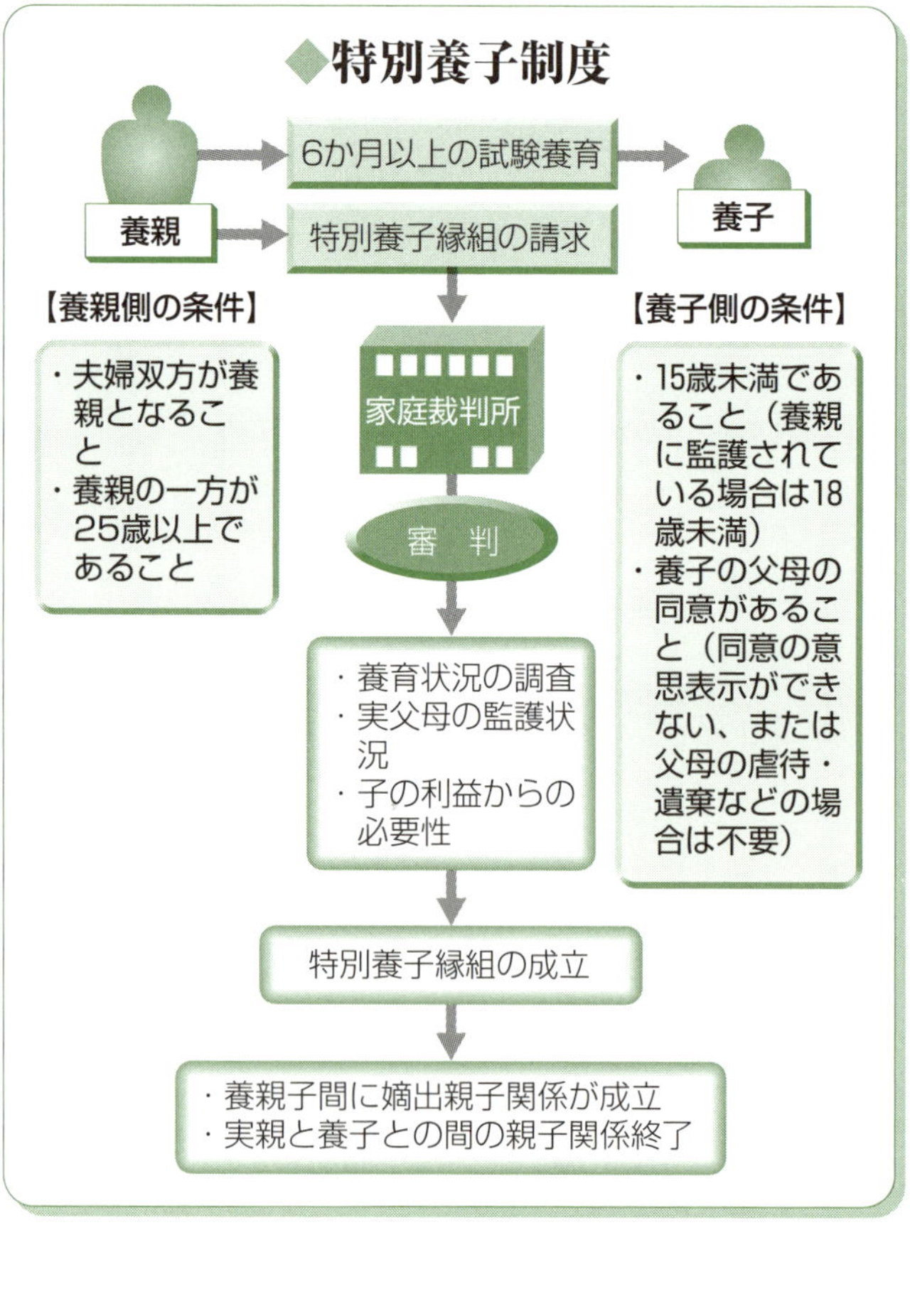
◆特別養子制度
養親
6か月以上の試験養育
特別養子縁組の請求
養子
【養親側の条件】
・夫婦双方が養親となること
・養親の一方が25歳以上であること
【養子側の条件】
・15歳未満であること（養親に監護されている場合は18歳未満）
・養子の父母の同意があること（同意の意思表示ができない、または父母の虐待・遺棄などの場合は不要）
家庭裁判所
審　判
・養育状況の調査
・実父母の監護状況
・子の利益からの必要性
特別養子縁組の成立
・養親子間に嫡出親子関係が成立
・実親と養子との間の親子関係終了

まずは基礎をしっかりと
9

■特殊な相続分

取り分を変える寄与分と特別受益とは

▼一律的に決められている法定相続分の欠点を是正

■法定相続分は、被相続人の介護をした、商売を手伝った、マンションの購入資金を出してもらったなど、被相続人と相続人間の一切の事情を考慮せずに、一律に決められています。そのため相続人間で不公平感が増し、トラブルの原因になりがちです。これを救済するために相続人の取り分を変更するのが**寄与分**であり、**特別受益分**です。

寄与分とはどのようなものか

寄与分というのは、昭和55年の民法改正により設けられた制度で、相続人の中に、被相続人の家業である商店経営や農業などに従事し、財産の維持または増加に特別の貢献をしたなどの事情がある場合に、他の相続人との公平を保つために認められた特殊な取り分です。

寄与分が認められる相続人の態様は、

① **家事従事型**　被相続人である父の家業である農業や商工業に共に従事し、ほとんど報酬ももらわず財産の維持または増加に寄与した場合

② **金銭等出資型**　父の事業に関する借財を返済するなどして事業の維持・発展に寄与した場合

③ **療養看護型**　妻または子が長期療養中の被相続人の看護に努めた場合などで、その結果、付添人などの費用の支出を免れ、財産が維持された場合

④ **その他**　被相続人の生活費を賄う支出をし財産の維持に寄与した場合、被相続人の財産の管理を行い、管理費用の支出を免れるなど財産の維持に寄与した場合

などがあります。

寄与分が認められた場合の遺産分割は

寄与分については、まず相続人全員で話し合う遺産分割協議で決めることになっています（詳細は159ページ参照）。

協議ができない、あるいは協議が

まとまらない場合には、家庭裁判所の調停あるいは審判で決まることになります。

家庭裁判所では、寄与をしたと主張する者の請求があれば、寄与の時期、方法および程度、相続財産の額その他一切の事情を考慮して寄与分を決めることになっています。

寄与分が認められると、被相続人が相続開始の時に有していた財産の価額から寄与分を控除し、残った財産を法定相続分に従って算定し、寄与した者にはこれに寄与分をプラスする方法で行います（下表参照）。

特別受益制度とはどんなものを言うのか

被相続人から生前に、高額な私立医科大学などの学資を出してもらったり、結婚に際して多額の持参金をもらったり、事業を起こすのに資本金を出してもらったり、あるいは遺言により遺産をもらうことになった相続人がいた場合、何ももらっていない相続人にすれば、不公平です。

被相続人から、このような生前贈与を受けたり、あるいは遺贈を受けた者を「**特別受益者**」と言っており、相続人の中に特別受益者がいる場合には、次の方法によって各人の法定相続分が修正されます。

被相続人から生前に贈与された財産を、相続開始のときの時価で評価します。この価額を被相続人の相続開始時の相続財産に加えます（持戻し）。遺贈については本来の相続財産に含まれているから加算しません。

その上で、法定相続分（遺言によ

◆寄与分の計算方法

【事例】相続人は、妻と子の太郎と花子の３人
相続財産は4500万円
寄与分は花子につき500万円

①遺産から寄与分を差し引く
4500万円－500万円＝4000万円
②法定相続分に従い計算する
妻　4000万円×$\frac{1}{2}$＝2000万円
子各自　4000万円×$\frac{1}{2}$×$\frac{1}{2}$＝1000万円
③これに寄与分を加える
妻 2000万円　太郎 1000万円　花子 1500万円

※特別受益分があるときの計算は下表参照。

◆特別受益分の計算方法

【事例】相続人は妻と子の太郎と花子
相続財産は4500万円
太郎はマンション購入資金500万円を、花子は結婚支度金400万円の生前贈与を受けた。

①相続財産に生前贈与額を加える
4500万円＋(500万円＋400万円)＝5400万円
②法定相続分に従い計算する
妻　5400万円×$\frac{1}{2}$＝2700万円
子各自　5400万円×$\frac{1}{2}$×$\frac{1}{2}$＝1350万円
③生前贈与分を差し引く
太郎　1350万円－500万円＝850万円
花子　1350万円－400万円＝950万円

※差し引いた結果がマイナスになる場合は、相続分はゼロ。

る指定相続分があればこれによる）に従って各自の相続分を算出します。これから生前に贈与を受けていた者は、その額を差し引きます。

特別受益分を差し引いた結果、マイナスになった場合には、その相続人には相続分はないことになります（前ページの計算例を参照）。

どんなものが特別受益となるか

特別受益は以下の場合です。

① 被相続人からの遺贈

遺言により贈与されたもの。

② 婚姻、養子縁組のための贈与

持参金、嫁入り道具等の持参財産、支度金等で、結納金や挙式費用は通常、特別受益には含まれません。

③ 生計の資本としての贈与

独立に際しての営業資金、住居の新築資金や家の新築のための土地の贈与などがあります。大学へ行く学費等については、扶養義務の範囲を超え、高額であれば特別受益となるでしょう。扶養義務の範囲に属するかどうかは、被扶養者の社会的地位、資産状態等に即して判断します。

④ 死亡退職金と生命保険金

相続人中に死亡退職金や生命保険金を受領した者がいる場合は、共同相続人間の公平を図る趣旨から特別受益にすべきであるというのが学説で、審判例は分かれています。なお、最高裁は生命保険について「不公平が到底是認することができないほど著しい」場合には特別受益に準じて持戻しの対象となるとしています。

なお、特別受益について話合いがつかなければ、家庭裁判所に調停あるいは審判を申立てます。また、特別受益分が多くて遺留分を侵害する場合には侵害額の請求ができます。

◎特別受益と相続分皆無証明書

よく問題になるものに、自分はすでにこの特別受益を受けているから相続分はない旨の証明書（**特別受益証明書**または**相続分皆無証明書**）が悪用されることがあります。

不動産の相続登記では、実印を押し印鑑証明書を付けた遺産分割協議書が、添付書類として必要とされます。これに代わる簡易な方法として明治時代以来認められているのが特別受益証明書や相続分皆無証明書で代行する制度なのです。

今日でも、共同相続人のうちの一人に財産を相続させるために、このような文書に実印を押させて（印鑑証明書も付け）、これを添付書類として相続登記が行われています。

実際に、特別受益を受けていればいいのですが、よくわからないままにハンコを押し、後になって遺産をもらえずに紛争になることがあります。このような書類にハンコを求められたら、説明を受け、十分納得した上で、ハンコを押すことが重要です。

まずは基礎をしっかりと
10

■相続欠格・廃除

どんな場合に相続人になれなくなるのか

▼法定相続人が必ず相続人になれるわけではない

■被相続人が死亡すれば相続人になれる地位にいる者を「**推定相続人**」といいます。推定相続人だからといって必ず相続人になれるわけではありません。民法では、相続人の地位を剥奪される二つの場合を規定しています。一つは「**相続欠格**」であり、他の一つは「**相続人の廃除**」です。いずれの場合も、相続人にはなれなくなってしまいます。

どんな場合に相続欠格になるか

早く遺産を相続したいために被相続人を殺害した、あるいは自分が多く相続するために兄弟を殺害した、このような者に相続を認めてもいいものでしょうか。

相続制度の基礎にあるものは、被相続人を中心とした妻、子、父母、兄弟姉妹といった家族的共同生活です。この家族的共同生活を破壊してまで、自分に有利な相続を図ろうとして、反社会的な行為をした推定相続人にまで、相続権を認めることは、妥当ではありません。

そのような行為をした推定相続人は、被相続人の意思とは関係なく、法律上当然に相続人になる資格を失う（民法891条）としたのが、「相続欠格」の制度なのです。

民法では、次に述べる5つの欠格事由が発生した場合には、法律上当然に相続人になることはできないとしています。

① **故意に被相続人または相続について先順位もしくは同順位にある者を死亡するに至らせ、または至らせようとしたために、刑に処せられた者**

殺人（未遂含む）の故意が要件となっていますので、不注意で交通事故により死亡させた場合や傷害致死の場合は該当しません。また、執行猶予の判決の場合には、猶予期間の満了により刑の言渡しが効力を失い、欠格の要件を欠くことになり欠格の効果が生じません。

② **被相続人の殺害されたことを知って、これを告発せず、または告訴**

しなかった者

これは、被相続人が殺害されたとき、告訴や告発するのは相続人の義務であり、告訴も告発もせずに犯罪の発覚を妨げ、または遅らせたことに対して制裁を加えるという趣旨に基づきます。

したがって、告訴や告発のできない者、およびできにくい者、すなわち幼児や被成年後見人など是非の弁別のできない者、加害者の配偶者または直系血族にある者は除かれることになっています。

③ 詐欺または強迫によって、被相続人が相続に関する遺言をし、撤回し、取り消し、またはこれを変更することを妨げた者

これは被相続人の遺言の自由を保障するために設けられたものです。対象になる遺言は有効な遺言であることが必要です。

④ 詐欺または強迫によって、被相続人に相続に関する遺言をさせ、撤回させ、取り消させ、または変更させた者

⑤ 相続に関する被相続人の遺言書を偽造し、変造し、破棄し、または隠匿した者

相続欠格になるとどうなるか

相続欠格事由があった場合には、その時に欠格の効力が法律上当然に発生しますので、裁判所に申し立てるなど、なんら手続きは必要とはしません。

欠格事由が相続開始後に発生した場合は、相続開始時に遡って効果は発生します。

欠格事由のある者が、事実上相続をしたときは、他の相続人はこの者に対して、相続回復の請求をすることができます。

また、欠格の効果は、被相続人との間で相対的に発生するだけです。たとえば、父親が被相続人の場合に欠格ありとされても、母親の相続については相続する権利があるということです。

相続欠格の効果は、その本人に限られますので、欠格者の子は欠格者に代わって代襲相続をすることができます。

相続人の廃除とはどういうことか

遺留分を有する推定相続人が、被相続人に対して虐待をし、もしくはこれに重大な侮辱を加えたとき、または推定相続人にその他の著しい非行があったときは、被相続人は、その推定相続人の廃除を家庭裁判所に請求することができます（民法892条）。

相続人の廃除も、推定相続人から相続権を剥奪する旨の規定ですが、相続欠格とは異なり、被相続人の意思によって、遺留分の権利を含む相続権を完全に奪うもので、廃除をするには、家庭裁判所の審判により行うことにしています。

廃除の申立てを受けた家庭裁判所は、申立人の一方的な言い分のみで廃除を認めるわけではなく、相手方の言い分も聞いて、公平な判断をします。

すなわち、表面に現れた暴力行為のみを問題にするのではなく、そこに至るまでの原因や、被相続人の側に挑発的な行為がなかったかどうか、あるいは一時的なものではなかったかなど慎重に判断されます。

審判で廃除が認められますと、廃除された推定相続人は、被相続人の財産を相続する相続人としての地位を失います。

しかし、その者に子がいれば子が代襲相続人として相続できることは、相続欠格の場合と同様です。

廃除の審判が確定したときは、申立人は審判確定日から10日以内に、その旨を市区町村役場の戸籍課へ届けることが必要です。

被相続人が生きているうちに廃除の申立てをすると、また暴力を振るわれるおそれがある場合もあります。そこで、廃除の申立ては遺言によってもすることが認められています（893条）。

この場合は、遺言執行者が家庭裁判所に遺言に基づく相続人廃除の申立てをすることになります。

廃除後に、被相続人は、廃除を受けた推定相続人が心を入れ替え真面目に働くようになったなどの理由がある場合でも、特に明確な理由がない場合でも、廃除の取消しを家庭裁判所に請求することができます。

この廃除の取消し請求は遺言によっても行うことができます。

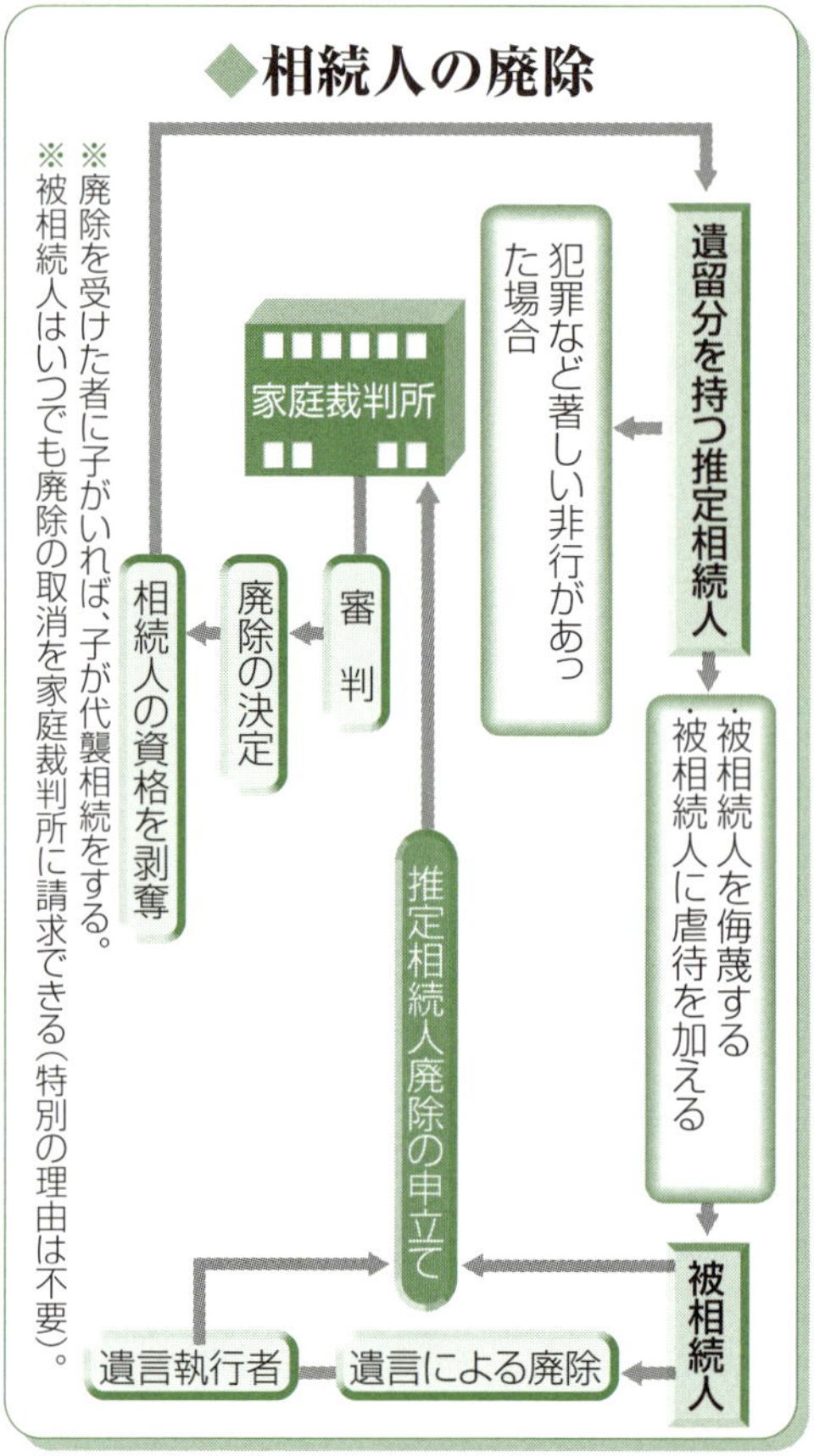
◆相続人の廃除
遺留分を持つ推定相続人
犯罪など著しい非行があった場合
・被相続人を侮蔑する
・被相続人に虐待を加える
被相続人
遺言による廃除
遺言執行者
推定相続人廃除の申立て
家庭裁判所
審判
廃除の決定
相続人の資格を剥奪
※廃除を受けた者に子がいれば、子が代襲相続をする。
※被相続人はいつでも廃除の取消を家庭裁判所に請求できる（特別の理由は不要）。

まずは基礎をしっかりと 11

遺産分割

実際の遺産の分配は話し合いで決めればよい

▼話がつかない場合には家庭裁判所の調停や審判で

遺言により相続分が指定されていた場合、あるいは法定相続分に従って相続する場合、2分の1とか3分の1といったように割合で遺産を分けるわけですが、羊羹やりんごならいざしらず、家や車など分割しようがない気がします。原則として、相続人全員が話し合って納得すれば、どのように分けてもよいのです。

遺産分割協議とはどのようなものか

財産相続で具体的に誰が何を相続するかを決めるのが遺産分割協議です。いわば、財産相続のメインともなるもので、詳細は別項（136ページ以下）で解説します。ここでは、遺産分割の基本的な事柄だけを述べます。

被相続人が亡くなると、被相続人が所有していた財産は相続財産となり、共同相続人全員の共有となります（民法898条）。この共有財産を、誰がどの財産を相続するかを具体的に決めるための話し合いが、**遺産分割協議**です。

被相続人が遺言を残して死亡した場合は、遺言の内容で、「○○の土地は△△に」などと個別具体的に相続する方法が定められていれば、これに従った遺産分割が行われますので（遺言執行者がいれば遺言執行者が行う）、遺産分割協議で決める必要はありません。

ただし、遺言によって、相続分の指定が行われていた場合には、遺産分割協議により決めることが必要です。

では、遺産分割協議は、誰が呼びかけて、いつから始めなければならないでしょうか。これについては、民法では何も規定もなく、誰が呼びかけてもよいのです。

いつから始めるかですが、相続開始後、かなりの期間を経過してからですと、遺産が分散するおそれや、生活に困って遺産の一部を費消してしまう相続人が出てこないとも限りませんし、また、自分のために相続があったことを知った時から3か月を超えると負債が多い場合などの相続放棄や限定承認もできなくなります。ですから、相続開始後、あまり遅くない時期に始めるとよいでしょう（通常四十九日の法要の後くらいに始めるケースが多いようです）。

遺産分割協議を進めるルールは

遺産分割協議というのは、被相続人の残した遺産を、各相続人がどのようにして相続するかを決める話し合いです。そのため、相続人のうちの1人を除外したり、相続人以外の者を加えて行った遺産分割協議は、制度の趣旨から無効となります。

遺産分割協議は、相続人が全員参加して行いますが、その前に、遺産とされる財産の評価を行わなければなりません。評価は、遺産分割協議の時点での評価です。

その上で、マイナス財産があれば、その分は控除します。その他、寄与分の主張があったり、特別受益者がいる場合もありますが、これについてはＰＡＲＴ３の遺産分割の個所（159ページ）を参照ください。

遺産分割は、相続人全員の共有財産を分割するわけですから、全員が納得すれば、遺言による指定相続分や法定相続分とは異なっても有効とされています。ただし、紛争となれば法定相続分による相続となると考えられますので、あくまで相続人全員の合意を得る努力が必要です。遺産分割をする際の基準として、民法は「遺産に属する物または権利の種類および性質、各相続人の年齢、職業、心身の状態および生活の状況その他一切の事情」を考慮することとしています（９０６条）。

たとえば、被相続人が町工場を経営し、長男が手伝っていたとしますと、工場を残すような話し合いをすべきであり、また相続人のうちに身体障害者がいれば、そのことも考慮に入れた話し合いをすべきです。

遺産分割の話し合いができ、まとまったら遺産分割協議書を作成します。文書化することを法律が要求しているわけではありませんが、後になって協議内容に疑義が生じたり、モメたりするのを防ぐためと、相続財産に不動産がある場合の相続登記に必要な添付書類としても必要だからです。遺産分割協議書には、各自が署名し、実印を押して、印鑑証明書を添付します。

相続人が海外に行ったまま行方不明のため協議に参加できない、あるいは相続人の1人が頑固で話がまとまらないなどの場合には、家庭裁判所へ調停または審判を申し立てて、決めてもらうことになります。

上手な分割の仕方は

◆遺産分割の方法・手続

●被相続人が遺言により指定

指定分割 → 遺言により分割方法が指定されている場合。

●遺言による指定がない場合

協議分割 → 相続人全員が協議した上で分割する。

現物分割 → 個々の財産を各相続人が相続する。

●主な財産が不動産しかない場合など

換価分割 → 遺産を売却してその代金を分割する。

●農業や商店を一人に継がせる場合など

代償分割 → 遺産の全部あるいは大部分を特定の相続人に相続させ、超過部分を他の相続人に金銭で支払う。

●遺産分割協議ができない、またはまとまらない場合

調停分割 → 家庭裁判所に調停を申し立て話合いで決める。

審判分割 → 家庭裁判所の審判により決めてもらう。

遺産をめぐる相続紛争は争族あるいは争続などとも言われますが、通常の紛争の場合は、紛争の原因があり、そのために争いが起こります。

しかし、相続の場合は、各相続人が相続権という権利をもっており、自分の権利を主張しているだけです。権利の衝突が相続紛争の実態です。

いつまでも自分の権利ばかり主張していたのでは、遺産分割協議はまとまりません。ここは身内同士の話し合いなのですから、お互いが譲歩し合って、話をまとめることです。

また、主な相続財産が母親の住んでいる土地家屋しかない、あるいは長男が後を継いで農業をしている田畑が主な相続財産というケースはよくあります。これを直接分割することは事実上できません。

そこで、不動産はそのままにして他の相続人には分割払いで金銭を支払う方法、またはその不動産を売却して代金を分割する方法などがあります（上の図を参照）。事例に則した相続の仕方を選択してください。

遺産分割協議をする前に、問題があり、そのために協議に入れない場合があります。たとえば、遺産の範囲についてもめている場合、相続人の身分関係、または寄与分の申出について争いがある場合などです。

これらの場合には、直ちに民事訴訟を起こすのではなく、家庭裁判所へ遺産分割の調停あるいは審判の申立てをします。その中で、問題になっていることについて判断を仰ぐことです。

◆民法相続編の主な改正点――配偶者に居住権など

■平成30年7月、約40年振りに相続法が大改正された。主な改正点は次の通りで、令和2年4月までに改正条項すべてが施行されている。

①配偶者居住権の新設

被相続人の配偶者が、被相続人の死亡時に、その遺産（相続財産）である家に居住している場合は、他に遺産がないと、遺産分割でその家を売却しなければならない（その家に住めなくなる）こともあった。

改正法では、配偶者居住権制度が創設され、配偶者が相続財産である家に無償で居住していた場合には、「遺産分割で配偶者居住権を取得するか」「遺言で配偶者居住権の遺贈を受ければ」、そのまま家に居住し続けることができる（民法１０２８条）。その家を、子どもと共有した場合も終生居住が可能になった。

②遺産分割で特別受益に含めない夫婦間の遺贈の範囲を拡大

婚姻期間が20年以上の夫婦の一方（被相続人）が、居住用財産を相手方に遺贈または贈与した場合、その建物を特別受益として相続財産には組み込まないとの意思を示したものと推定する（９０３条4項）。

③遺産分割前の預金引出しの緩和

相続人は、遺産分割協議が済む前でも、被相続人の預貯金の3分の1について、自分の法定相続分に相当する金額（1行１５０万円限度）を引き出せる（９０９条の２）。

④自筆証書遺言の遺言方式の緩和

自筆証書遺言は、全文自筆が原則だが、財産目録はパソコン作成でも認められるようになった（９６８条２項）。また、法務局が自筆証書遺言書を保管する制度も創設された。

⑤遺留分制度の見直し

遺留分を侵害された場合、遺留分を侵害した相続人などに、遺留分に相当する金額の支払いを請求できるようになった（減殺請求ではない）。

⑥相続の効力の見直し

遺言などで、法定相続分を超えて遺産を受け取った場合、相続分を超えた財産は、登記、登録をしないと第三者に対抗できなくない。

⑦特別の寄与の新設

相続人以外の親族（たとえば相続人の妻）が、被相続人の療養看護をして、その財産の維持や増加に貢献しても、旧法は相続人にしか寄与分を認めない（９０４条の２）。

しかし、法改正で特別寄与制度が創設され、相続人以外の親族が無償で被相続人に療養看護その他の労力を提供し、被相続人の財産の維持・増加に貢献（特別の寄与）した場合、貢献分相当の金額の支払いを相続人に請求できる（１０５０条）。

PART 2

遺産を残す人が知っておきたい

遺言の書き方と手続き

思いどおりに自分の財産を相続させる手段を知ろう

◆苦労して築いた財産を、自分の思いどおりの分け方で、遺族に分け与えたいと思う人もいるでしょう。そのための方法として、遺言の制度が定められています。

◆ところが、この遺言の制度、いろいろ法律上の約束ごとがあります。また、何から何まで、遺産を残す者の思いどおりにはできません。この章では、そうした遺言の、上手な書き方・活用の仕方を解説します。

被相続人は自由に遺産を処分できる

遺言の活用と手続き

◆遺言は自分の死後、その財産（遺産）の処分方法などについて言い残しておくものです。もちろん、家族や友人、会社へのメッセージなども、遺言と言えるでしょう。ただし、法律が保護する遺言内容は、大きく分けて、①遺産の処分方法、②相続人の排除と認知、③未成年者の後見の３つです。また、法律の定める方式や手続きに従った遺言しか認められません。なお「ゆいごん」が一般的ですが、法律では「いごん」と言います。

●上手に遺産を残すための遺言の役割

■自分の財産は原則として、いつでも自由に処分できます。これは、死後も同じです。遺産をどう処分するか、遺言を使ってその処分方法を決めておけます。

被相続人の死亡

残った財産は遺産となる

相続の開始

遺言がある

・遺言の方式は法律の定めがある
・遺言は満15歳からできる

遺産を自由に処分できる

・相続人以外（内縁の妻、世話になった人など）に遺産を分けたいとき
・特定の人にだけ、多く遺産を残したいとき
・相続人から排除したいとき
・相続人にしたい（認知）とき
・遺言執行者を指定したいとき・など

遺言がない

▼法定相続人は、次の通り
・常に相続人となる配偶者（妻または夫）
・次の順位で法定相続人となる
①直系卑属（子、孫）
②直系尊属（父母、祖父母）
③兄弟姉妹

遺産は法定相続分で分ける

▼法定相続分は、次の通り
・配偶者と直系卑属　１対１
　子供が複数のときは等分
・配偶者と直系尊属　２対１
・配偶者と兄弟姉妹　３対１
★特別受益者や寄与分のある相続人がいると調整が必要

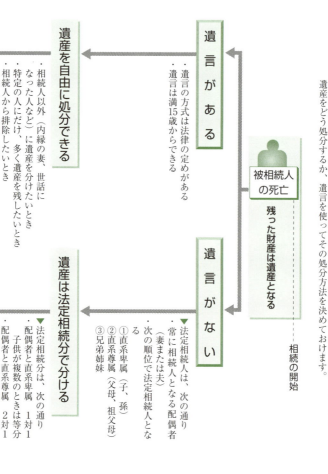

■**遺言執行者の役割**

遺言執行者は、遺言の内容を実現する人のことで、遺産（相続財産）の管理や、その他遺言の執行に必要な一切の行為をする権利と義務があります。

いくら遺言を残しても、被相続人の死後、遺族がその指示通りに、遺産の処分や認知の手続きを進めてくれるとは限りません。遺産をめぐって相続人間で争いがあったり、また登記や引渡しなど煩雑な事務手続きを必要とする場合、相続人だけで遺言内容を実現するのは難しいでしょう。こんな場合に備えて、遺言で遺言執行者を指定しておくと便利です。

なお、遺言で指定がなくても、利害関係人（相続人、受遺者、相続財産に関する債権者など）の請求により、家庭裁判所が遺言執行者を選任してくれます。この遺言執行者には、遺産の中から応分の報酬（遺言書の指定額か家庭裁判所が決めた金額）が支払われます。

■**遺産分割は遺言通りでなくてもよい**

遺言は、被相続人が自分が死んだ後の財産処分や身分関係の処理を託すもので、その意思は尊重しなければなりません。しかし、遺産の分割については、必ずしも遺言の指示通りに分けなければならないという決まりはないのです。相続人全員で話し合い、合意ができれば、被相続人の遺言内容と異なる遺産分割をすることも一向にかまいません。

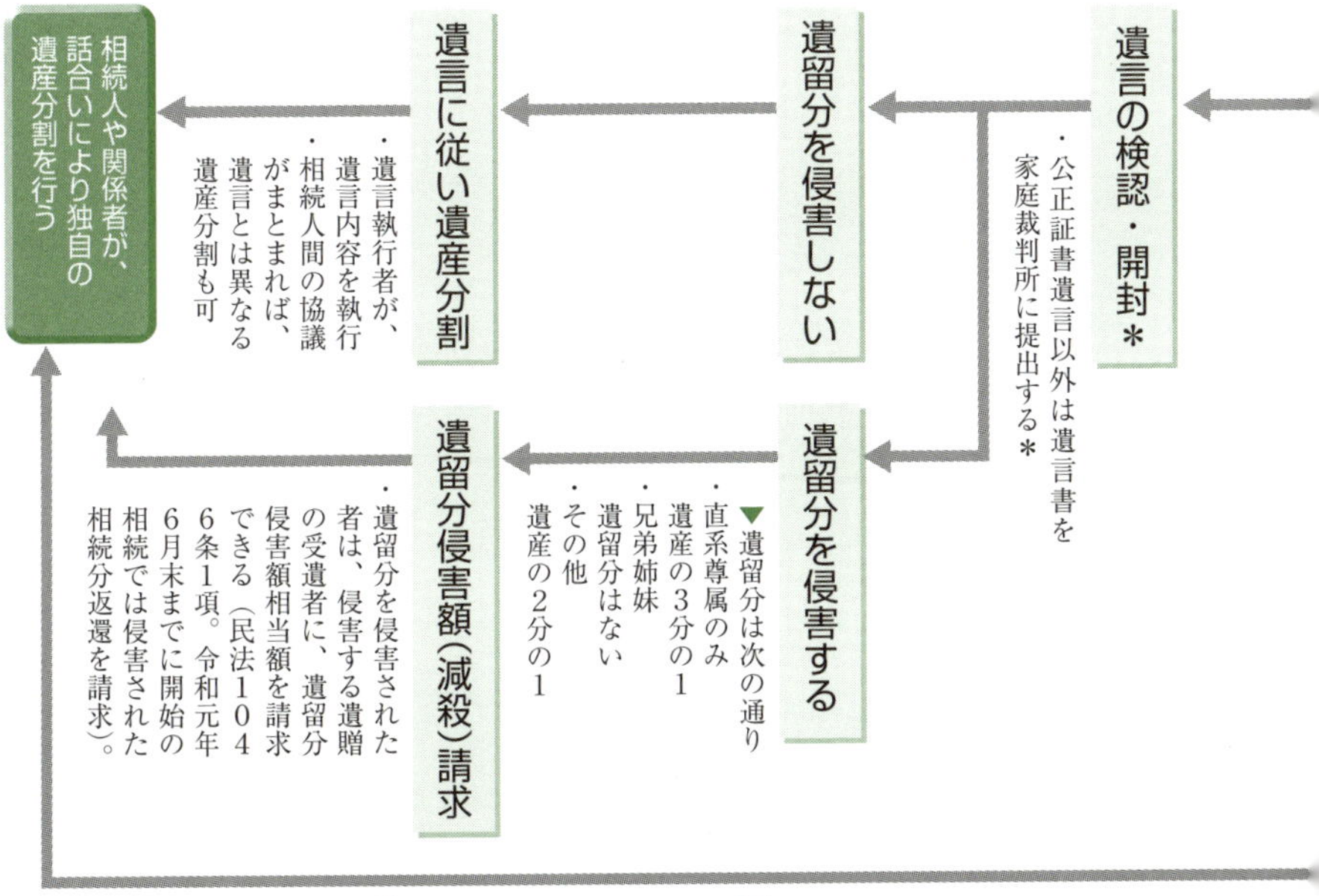
遺言の検認・開封＊
・公正証書遺言以外は遺言書を家庭裁判所に提出する＊
遺留分を侵害しない
遺言に従い遺産分割
・遺言執行者が、遺言内容を執行
・相続人間の協議がまとまれば、遺言とは異なる遺産分割も可
相続人や関係者が、話合いにより独自の遺産分割を行う
遺留分を侵害する
▼遺留分は次の通り
・直系尊属のみ 遺産の3分の1
・兄弟姉妹 遺留分はない
・その他 遺産の2分の1
遺留分侵害額（減殺）請求
・遺留分を侵害された者は、侵害する遺贈の受遺者に、遺留分侵害額相当額を請求できる（民法1046条1項。令和元年6月末までに開始の相続では侵害された相続分返還を請求）。

▼法定相続人は遺産を受け取るかどうかは自由（相続の開始を知った時から3カ月以内にその結論を出す必要がある）

＊遺言を家庭裁判所に提出することを怠り、検認を受けないで遺言を執行し、または家庭裁判所以外で遺言を開封した者は、5万円以下の過料

〔注1〕法定相続分と異なる遺産分割指定の遺言を残す場合、遺留分を侵害しないように注意しなければならない。また、あらかじめ財産目録を作っておくと便利である。
〔注2〕遺言執行者は、報酬を受け取ることができる。

上手な遺言のつくり方 1

■有効な遺言のチェックポイント

本人の意思なら、法律的にどんな遺言も有効か

▼遺言の書き方や手続きは法律で決められている

遺言は15歳になれば誰でも自由にできる

遺言は、自分の死後、残った財産（遺産）の処分方法などを言い残す手段です。その内容は、死んでいく人の最後の意思表示とも言えます。

遺言者としては、後に残った遺族や受遺者たちに、その意思を尊重してもらいたいでしょう（一般的には、相続人全員の合意があれば、遺言と異なる遺産の処分ができる）。

もっとも、遺言の内容をめぐって疑問や争いが起きても、相続が開始（遺言者が死亡）した後では、遺言者本人に、その真意を確かめることはできません。また、遺言者の意思なら、どんな内容の遺言でも、どういう方法で遺言しても、法律上有効かというと、そうでもないのです。

遺言の方法（遺言方式）については、民法960条に、「遺言は、この法律に定める方式に従わなければ、することができない」と規定されています。この方式によらない遺言は、道義的にはともかく、法律的には何の効力もないのです。

ところで、遺言も契約と同じ法律行為ですが、契約と違い、相手の承諾を必要としない単独行為です。何を言い残そうと遺言者の自由ですが、法律的に意味があるとして民法で保護される内容は、たった10種類しかありません（72ページ下段参照）。

なお、遺言は満15歳になれば、誰でもできます（961条）。たとえ未成年者でも、契約締結などの場合とは異なり、法定代理人（親権者など）の同意はいらないのです。

遺言書のない遺言は法律的には無効

民法の規定する遺言の方式には、3つの普通方式と4つの特別方式があります（左ページ図参照）。それぞれの書き方や具体的な手続きは、民法967条~984条に規定されていますが、いずれの方式も「遺言書」という証書を作成しないと、遺

◆民法が定める７つの遺言方式とその特長

- **普通方式**
  - **自筆証書遺言**
    - ＊いつでも誰にでもできる最も簡単な遺言で、本人が自分で、その全文、日付、氏名を書きハンを押せばよい
    - ★紛失や変造の危険と方式不備で無効になるおそれがある
    - ※法務局保管制度あり
  - **公正証書遺言**
    - ＊公証役場等で本人の口述内容を公証人が公正証書に作成※
    - ＊証人２人以上の立会いが必要
    - ★費用と手間はかかるが保管は確実で最も安心安全な方式
  - **秘密証書遺言**
    - ＊遺言内容を死ぬまで秘密にしたい時に使う方式
    - ＊本人の署名捺印と２人以上の証人と公証人が必要※
    - ★秘密保持と保管は確実だが方式不備で無効になるおそれも
- **特別方式**
  - 危険な事態が目の前に迫っている（危急）時
    - **一般危急時遺言**
      - ＊病気やケガで臨終の時が迫った時にする遺言
      - ＊証人３人以上が立会い１人が口述し全員に読み聞かせる※
      - ＊20日以内に証人か利害関係人が家裁に請求し確認を取る
    - **難船危急時遺言**
      - ＊船の遭難で船中にある時に臨終が迫った場合の遺言
      - ＊証人２人以上が立ち会えば口頭でよい※
      - ＊証人が趣旨を筆記し、署名捺印し、証人の一人または利害関係人から家裁に遅滞なく請求し確認を取る
  - 一般社会から離れた場所（隔絶地）にいる時
    - **一般隔絶地遺言**
      - ＊伝染病で病院に隔離された人が遺言を作る場合
      - ＊警察官１名と証人１人以上の立会いが必要
    - **船舶隔絶地遺言**
      - ＊船舶内にいる人が遺言を作る場合
      - ＊船長または事務員１名と証人２人以上の立会いが必要

※口がきけない遺言者は手話通訳による申述も認められます。また、遺言者または証人が耳が聞こえない場合、公証人は筆記した内容を手話通訳により伝えることで読み聞かせに代えることができます（難船危急時および秘密証書遺言は前半部分が該当）。

言としての効力は生じません。特別方式が認められるのは、伝染病で病院に隔離されたり、突然の事故で死に瀕しているなど、危急な場合や隔絶地にいる場合だけで、一般的には普通方式が使われます。

　では、どの遺言方式がベストかというと、これは一長一短です。たとえば、本人が自書する自筆証書遺言は、とくに立会人も証人もいりません。遺言の全文、作成年月日、氏名を自書し、これに印を押すだけですから、作るのは簡単です。ただ、作成日付を書き忘れたり、訂正方法を間違えたり、いわゆる要式の不備があると、法律上、遺言の効力が認められません。また、遺族が遺言の存在に気づかなかったり、隠したり、変造したりすることもあります。

　安全確実という意味では、やはり公正証書遺言にしておくのが一番でしょう。しかし、この遺言書の作成には、費用や手間がかかります。

　なお、遺言書がないと有効な遺言とは認められないと言いましたが、遭難した船中での遺言は口頭や手話ですれば良く、その場で遺言書を作る必要はありません。ただし、後日、その趣旨を立ち会った証人が筆記し、連名で署名捺印したものを家庭裁判所に提出、確認を得なければ、有効な遺言とは認められないのです。

遺言はいつでも自由に撤回することができる

　遺言は、その遺言者が死亡した時から効力が発生します（民法985条）。遺言を書いた時からではありません。つまり、生きている間は、いつでも自由に遺言内容を撤回したり、変更したりすることができるわけです。何度、書き直してもかまいません。しかし、その一方で、前の遺言を回収する義務はありません。

　法律的には、後から書かれた遺言

★民法が保護する10種類の遺言事項

　遺言書には、「兄弟仲良く」などと、遺産の処分以外の訓戒や家族への思いなど、何を書いても自由ですが、その内容が遺言として、民法の規定で法律的に効力があると認められる（法律行為と認められる）のは、次の10種類です。

①**遺贈や寄付行為など遺言者の遺産（相続財産）の処分**（民法902条1項）　法定相続人の遺留分は侵害できません。

②**推定相続人の廃除**（893条）または**廃除の取消し**（894条2項）

③法定相続分と違う遺産分けの時、**相続分の指定**または**指定の委託**（902条1項）
　特定の相続人の分だけの指定（同条2項、903条3項）もできます。

④**遺産の分割方法の指定**（908条前段）　第三者に委託することもできます。

⑤**遺産分割の禁止**（908条後段）

◆未成年者や精神上障害のある者が遺言をする場合

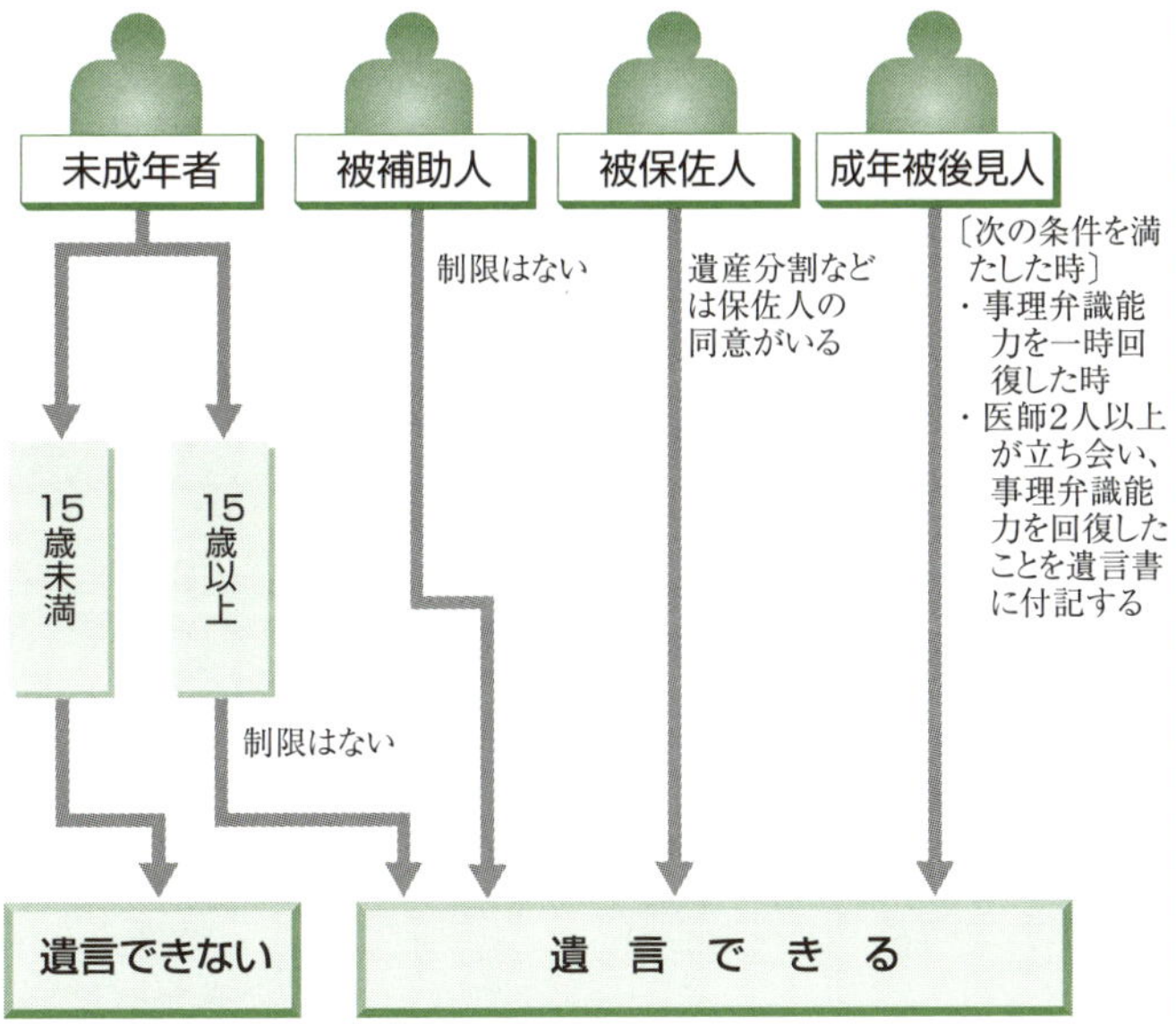

＊次の者は、遺言の証人または立会人になれない（民法 974条）
①未成年者、②推定相続人、受遺者およびその配偶者と直系血族、③公証人の配偶者、4親等内の親族、書記および使用人

（作成日が新しいもの）が有効ですが、死後、複数の遺言書が見つかり、争いになることもあります。

なお、いくら民法の遺言方式に従っても、同じ遺言書に、2人以上の人が署名捺印する共同遺言はできません（975条）。もし、どうしても同一内容の遺言を残したいなら、各々が同じ内容の遺言書を別々に作っておくしか方法はないでしょう。

最長死後5年間、分割を禁止できます。

⑥**相続人相互の担保責任の指定**（914条）　遺言で担保責任の範囲を変更すると相続人により損得がはっきり分かれます。

⑦**遺言執行者の指定**（1006条）　第三者に指定の委託もできます。

⑧民法の**遺贈分侵害額の負担方法**とは違う方法の指定（1047条1項2号）

⑨**認知**（781条2項）

⑩**未成年後見人の指定**（839条）　親権者が1人もいなくなる場合だけです。遺言で、第三者に指定の委託もできます。

①、②、⑨の法律行為は、遺言者の生前にもできますが、それ以外の行為は遺言によってしかできません。

祭祀財産（系譜、祭具、墳墓など）は、相続財産とは別個の財産ですが、遺言で**承継者を指定**できます。

民法以外の遺言事項には、一般財団法人の設立・財産の拠出、生命保険の受取人の変更、信託の設置があります。

上手な遺言のつくり方 2

■自筆証書遺言

自筆証書遺言を書く場合にはどんな点に注意したらいいか

▼遺言が無効になるケースもある

自筆証書遺言なら、誰でも簡単に書ける

自分が死んだ後、遺産はそれぞれの法定相続分どおりに分ければいい、そう考えているなら遺言は不要です。しかし、個人企業や商店の経営者で、自分の死後、経営上困るので財産を分散したくない場合、特定の相続人に全財産を残したい（または1円も渡したくない）場合には、法定相続分と違う遺産の分配を指示する遺言を残す必要があります。

また、法定相続人以外（内縁の妻、世話になった息子の嫁、知人など）にも遺産を分けたい場合、家族関係が複雑（先妻の子や愛人の子がいるなど）でもめそうな場合も、遺言を残しておくといいでしょう。なお、遺言方式の中では、自筆証書遺言がもっとも手軽です。

自筆証書遺言は、文字通り、遺言者本人が自書するものです。遺言者が自分で、①遺言書の全文を書き、それに②日付と③自分の氏名を書いて、ハン（認印でもかまいません）を押せば良く、民法が定める7つの遺言方式の中では、一番簡単に作れます（968条）。この遺言は紙とペンの他、ほとんど費用もかかりませんし、他の方式のように証人も立会人も不要です。また、自分が死ぬまで遺言内容を秘密にしておけるという長所もあります。

しかし、その一方で、自筆証書遺言は欠点も少なくありません。たとえば、方式に不備があり遺言書が無効になることも多く、本人以外の第三者により内容の変造や偽造をされやすいのも事実です。また、遺言書の紛失とか、不利な相続人が遺言書そのものを隠すといった保管面での不安もあります。さらに、家庭裁判所の検認手続きを経ないと、遺言の執行ができません（左ページ図参照）。

パソコンの遺言は、法律的に無効である

自筆証書遺言は、①～③の要件の

◆自筆証書遺言の流れ

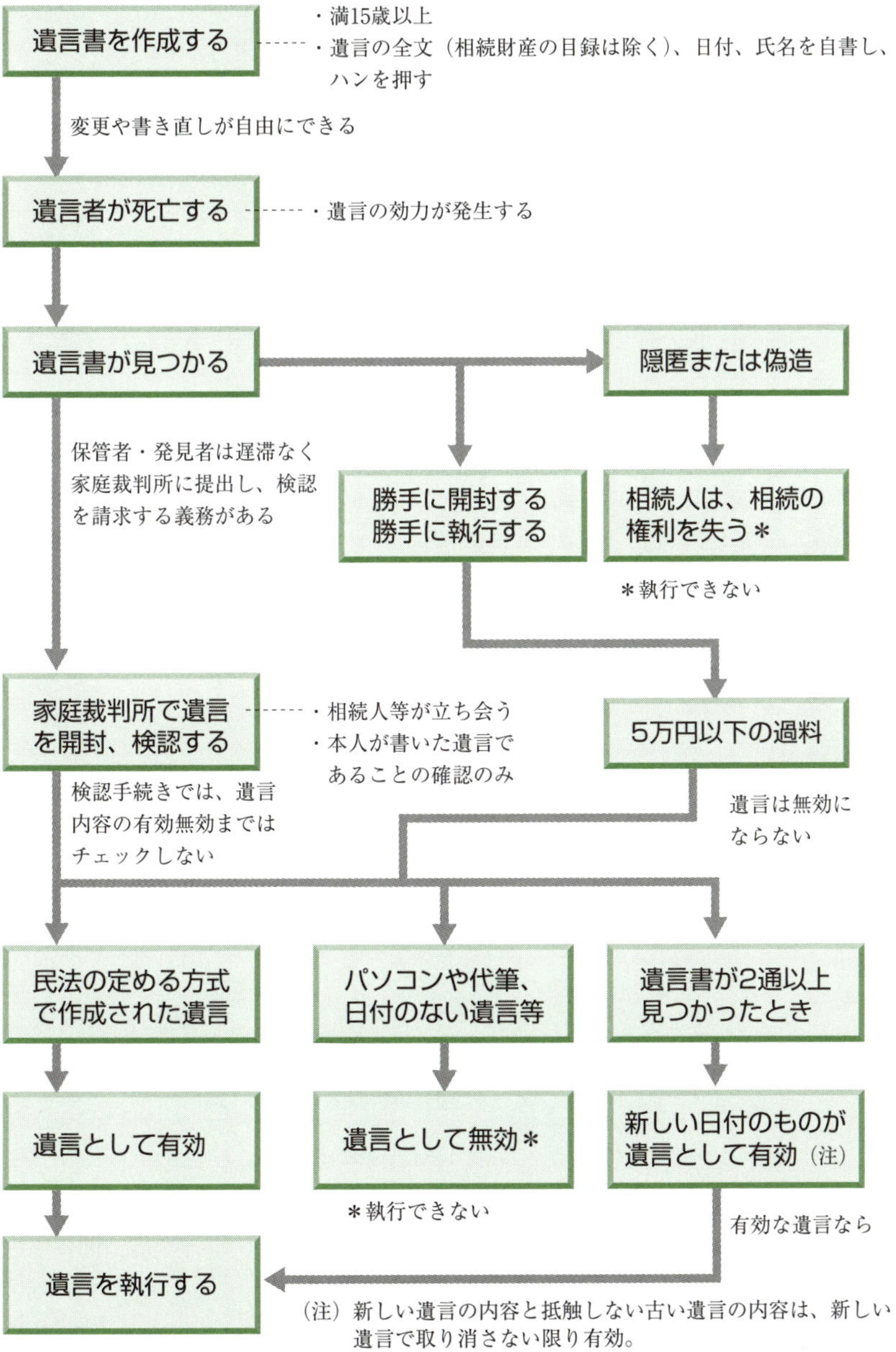

（注）新しい遺言の内容と抵触しない古い遺言の内容は、新しい遺言で取り消さない限り有効。

いずれが欠けても法律上無効です。

①**（自書）**は、その筆跡が遺言者本人のものだと確認するためのものですから、パソコンの遺言書や他人が代筆したものは無効です。遺言者が他人に手を支えられ、その補助で書いた遺言書も、無効となることが多いですが、身体の不自由な遺言者が同様の方法で書いた遺言書を有効とした判例もあります。なお、財産目録については、法改正により自書でなくてもよくなり、パソコンなどによる作成も可能になりました（民法968条2項。66ページ参照）。

②**（日付）**は、日付の書き漏れ、存在しない日付（例2月30日など）、あいまいな日付（例5月吉日など）は、すべて無効です。ただし、具体的な数字でなくても、たとえば遺言者の「満60歳の誕生日」というように、遺言書の作成日が特定できればかまいません。有効です。

③**（名前と印）**については、署名捺印のない遺言は無効です。ただし、名前はペンネームや芸名でも良く、印鑑も実印を使う必要はありません。なお、拇印については裁判所の判断が分かれています。また最近、花押による捺印を無効とした判決もありました（最高裁・平成28年6月3日判決）。後々のトラブルを避けるため、実印か認印を使ってください。

この他、自筆証書遺言作成の際、注意してほしいのは、遺言書を書き間違えた場合の訂正（81ページ参照）の仕方です。民法の定める方式で訂正しないと、内容の訂正が認められなかったり、遺言書そのものが無効になることもあります。

また、満15歳未満の人の遺言や2人以上の医師の立会いがない成年被後見人の遺言も無効です。

自筆証書遺言は家裁の検認手続きが必要

特別方式で遺言を作成する場合を除けば、遺言書作成から遺言者が実際に死亡するまで、時間的に余裕があるのが普通です。その間に、遺言書を書き直したり、内容を変更する場合、前に書いた遺言書を破棄するか、新しい遺言書に「前の遺言を取り消す」と書いておけば何の問題もありません。しかし、その処置を怠ると、遺言者の死後、同人の作成した遺言書が2通以上出てくることになります。この場合には、原則として作成日の新しい遺言書が優先され、新しい内容と抵触する古い遺言書の部分は撤回されたものとして扱われるのです（民法1023条）。

なお、自筆証書遺言は、家庭裁判所の検認手続きを受けないと遺言の執行ができません（公正証書遺言以外は、すべて検認手続きが必要。封筒に入っている場合、開封も家庭裁判所でする）。法務局保管制度を利用すれば、検認は不要です。

◆遺留分の対象となる財産の考え方

遺留分の対象となる財産 ＝ 死亡時の相続財産 ＋ 相続開始前1年内の贈与（相続人に対する婚姻・養子縁組・生計の資本としての贈与は10年内） ＋ 遺留分侵害を知ってした贈与 － 債務の全額

＊遺留分を超えた相続財産は、遺留分権者（配偶者、子供など直系卑属、父母など直系尊属）が減殺請求により取り戻せる。

しかし、この検認手続きは、遺言書が真実、遺言者本人の作成したものかどうかをチェックするだけです。その遺言の有効性や内容の正否を判断するものではありません。ですから検認手続きが済んでも、相続人や利害関係人は、その遺言の有効性や遺言内容を争うこともできます。

また、この検認手続きを経ないからといって遺言そのものが無効になるわけでもありません。ただし、手続きを怠ると5万円以下の過料です。

ところで、死んだ人の財産（相続財産）は、原則として、その法定相続人が引き継ぐことになっています。法定相続人の範囲や個々の相続分は民法に規定があります（42ページ参照）。しかし、法定相続分とは異なる遺産分けを望む被相続人（相続財産を残した人）も多いのではないでしょうか。

たとえば、相続人のうちの1人にだけ遺産を多く残したいとか、法定相続人ではないが親身に世話をしてくれた息子の嫁にも遺産を分けたいという場合です。

このように、法定相続分とは異なる遺産分けをしたい場合にも、遺言が役に立ちます。ただし、遺留分侵害には注意してください。

★遺言の前文

民法の定める遺言方式に従えば、遺言には、何を書いてもかまいません。しかし、法律的に意味のあるのは、遺産の処分などの法律行為だけです（72～73ページ下段参照）。また、相続人が遺言とは異なる遺産分割を相続人全員の合意ですることもあります。

たとえば「母さんの面倒を頼む」とか、「兄弟仲良く」というような文言は、法律的には何の意味もありません。

相続人がその遺言内容を守らなかったとしても、法的な制裁を受けることはなく、せいぜい道義的に非難されるだけです。

しかし、せっかく遺言を作るのですから、法的には無意味でも、家族へのメッセージや遺言を書くに当たっての心境（たとえば、なぜこういう遺産分けをしたのかなど）を前文に残しておくのもいいでしょう。

遺言書の基本サンプルと作成の要点

遺言書には何を書いても自由です。法律的には意味のない家族へのメッセージも、遺言者本人にとっては大切であることに変わりはありません。しかし、遺留分を侵害する相続分の指定やあいまいな遺産分割の指定など、自分の死後、相続人間でトラブルになりそうな遺言内容を書くのは避けたいものです。

また、いくら家族へのメッセージを残したいからといって、法律的には何ら意味のない文言をダラダラと並べ連ねるのも感心できません。

遺言書を作成する場合、メッセージも法律行為（たとえば遺産の処分方法や相続廃除、認知など）も、より具体的に、かつシンプルに書き残すのがベストです。

ここでは、自筆証書遺言の基本サンプルをいくつか紹介しておきますので、参考にしてください（他の方式の遺言にも使えます）。

〈例1〉一番簡単な遺言のサンプル

遺言書

私の全財産を妻花子に相続させる。

令和四年一月五日

甲野一郎 ㊞

自筆証書遺言に要求されるのは、①遺言の内容を記した全文、②日付、③氏名を、全部自書すること、その遺言書に、④ハンを押すことだけです。法律上「遺言書」という表題は、とくに必要ありませんが、誤解されないためにも付けておくといいでしょう。

なお、法定相続人が他にいない場合、また妻と兄弟姉妹だけの場合は、これで十分ですが、それ以外の法定相続人がいる場合、遺留分侵害額の請求を受ける心配があります。

〈例2〉相続分を具体的に指定したサンプル

遺言書

私は次の通り遺言する。

一　私の遺産についての相続分は、次の通り指定する。

1　妻雪子は三分の一

2　長男太郎は三分の一

3　二男次郎は四分の一

4　長女春子は一二分の一

私は、この遺言書の全文を書き、日付および氏名を自書し、印を押した。

令和四年一月九日

川田三郎 ㊞

複数の法定相続人がいる場合には、

自分の死後のトラブルを避けるためにも、法定相続人各自の相続分を指定することです。むろん、遺留分を侵害しないよう配慮してください。

　また、個々の相続人が受け取る相続物件を遺言書で具体的に指定することもできますが、この場合には、登記簿や車検証などを見て、正確に書かなくてはいけません。

　なお、この遺言書には「私は、この遺言書の全文~印を押した。」と断り書きを付けてありますが、これは書かなくてもかまいません。

〔例3〕遺言を撤回する場合のサンプル

遺　言　書

遺言者川田三郎は、この遺言により令和三年一二月九日に作成した遺言書の全部の項目を撤回する。

令和四年一月三日

川田三郎 ㊞

　撤回する遺言が、たとえ公正証書遺言でも、遺言者は自筆証書遺言で自由に撤回できます。撤回したことを公証役場に連絡する必要もありません。

〔例4〕遺言執行者を指定するサンプル

遺　言　書

私は次の通り遺言する。

一　私は左の者を認知する。

東京都杉並区宮前六丁目七番八号ハイツ宮田二〇三号室

香　川　洋　子

令和三年一二月二五日生

二　遺言執行者として、次の者を指名する。

東京都武蔵野市東久保三丁目四番五号

弁護士　角丸次郎

令和四年一月六日

岡山史朗 ㊞

　この遺言書は、認知の遺言書です。相続廃除や相続人ごとに相続物件が指定されている場合も、遺言内容の実現には事務手続きが必要となります。この場合、遺言執行者を指定しておくと、遺言の執行がスムースに運びます。なお、執行者の住所や職業は法律上の記載事項ではありませんが、このように書いておくと便利です。ただし、いくら遺言で指定しても、その相手が必ず遺言執行者を引き受けてくれるとは限りません。また、複数の執行者を指定することもできます。

〔例5〕特定の人に遺産を残すサンプル

遺　言　書

私は次の通り遺言する。

一　私の遺産のうち、三分の一は妻星江の相続分とする。

二　私の遺産のうち、三分の一は二人の子どもの相続分とし、孝之と善之の相続割合は均等とする。

三　私の遺産のうち、三分の一は親身に私の世話をしてくれた長男孝之の嫁光子に与える。

令和四年四月一〇日

谷村直之 ㊞

法定相続人がいる場合、それ以外の人にも遺産を残そうと思ったら、必ず遺言書を作らなければなりません。そして、遺言書には、遺産の中から何を与えるのか、この遺言のように、相続分や相続物件を明示しておく必要があるのです。

★遺言書の保管はどうするか

遺言書は遺言者の死後、見つけやすく、生前は秘密にしておける場所に保管しておきたいものです。弁護士や信用できる友人に預けたり、銀行の貸金庫に仕舞っておくといいでしょう。また、信託銀行の遺言信託を利用する方法もあります。加入者のために、遺言書を作成してくれ、遺言者が死ぬと遺言の執行も行ってくれます。

なお、自筆証書遺言を作成したものの、その紛失や改ざんが心配という人は、遺言書を遺言保管所（住所地、本籍地などの法務局）で預かってもらう「遺言書保管制度」の利用がお勧めです。法務局が管理・保管するので、紛失や改ざんのおそれはありません。

★表現が曖昧でも真意がわかれば有効な遺言書と認められる

自筆証書遺言は手軽ですが、法律の定める方式を欠くと、無効になる場合もあります。また、その内容が明確でないため、相続人間でトラブルになることも少なくありません。

ここでは、被相続人の死後、会社の机から見つかった書面が遺言書として有効がどうか、別居中の妻子と実弟の間で争われた判例を紹介します。

★

会社役員だった被相続人Aは実弟Yとは疎遠だったが、急性心筋梗塞などで入院した際、別居中の妻X（離婚を申し立てている）と子らは見舞いにも来ないので、Yに入院費などの立替えを依頼し、Yは退院手続きなどもしている。Aはその後も入退院を繰り返し、そのたびにYの世話になっていたが、やがて自殺した。

Aの死後、その執務机の引出しから、彼自筆の遺言書と思われる書面が見つかり、そこに「私に万一の事があれば本件全てを実弟Yにお渡しください」と書かれていた。しかし、Xは書面の記載内容は明確性に欠け、遺贈は無効だとしてYを相手どり、同書面は自筆証書遺言として無効との確認を求める裁判を起こした。

裁判所は、①書面が遺言として有効か無効か、また②遺言として有効なら、本件全てとは遺産全部のことかどうか、その解釈が争われた。

裁判所は、書面の遺書としての有効性について、形式的に解釈するだけではなく、作成者の置かれた状況、作成時の事情を考慮し、その真意を探る必要があり、表現が曖昧でも作成者の真意が特定できれば、自筆証書遺言として有効と指摘した。その上で、Xに介護を拒否されたAが、面倒を見てくれたYに遺贈する意思があったと認めるのが相当としている。また、「万一の事」とは自分の死を意味し、「本件全て」は執務机の引出しに入っている通帳などを指すと特定できるから、本件書面の記載が明確性を欠くことはなく自筆証書遺言として有効と認め、Xの要求を退けた（大阪地裁・平成二一年三月二三日判決）。

◆自筆証書遺言の訂正方法と変更方法

遺言の内容を訂正する場合には、下のような方法によります（民法９６８条３項）。この方法に従わない訂正は認められません。その場合、一般的には元の文章が遺言の内容となります。

なお、訂正の仕方を間違えると遺言書全体が無効になる場合もありますので、各自の相続分に関わるような部分や作成日付などの訂正をする場合は、遺書を書き直すのも一つの方法です。

■遺言書の正しい訂正（加除変更）の仕方

遺　言　書

私は次の通り遺言する。

一　妻花子には全遺産の弐分の壱を譲る。　参　㊞

二　長男一郎には私名義の預金を譲る。　（と株）㊞

…

令和四年一月五日　山田太郎　㊞

本行第拾弐字目を参に変更する。　山田太郎

内容の第弐条第拾四字の次に「と株」の弐字を加入する。　山田太郎

★加除変更の旨を付記し署名する。その行のある上の余白（遺言書本文の欄外）に訂正内容を書き遺言者本人が署名する

★加除変更の場所を示す直す文字は線で消す

★加除変更場所にハンを押す
直した文字の横に訂正内容を書き、または書き加え、遺言書と同じハンを押す

■遺言書が無効になる訂正（加除変更）の仕方

遺　言　書

私は次の通り遺言する。

一　妻雪江には全遺産の[redacted]分の壱を譲る。　参　㊞

二　長男肇には全遺産の[redacted]分の壱を譲る。　参　㊞

…

令和四年一月四日　田中次郎　㊞

・「遺言書」でも「遺言状」あるいは「遺言」でもかまわない

＊元の文字を塗りつぶすなど、見えなくしてはならない

元の文字がわからないように消された場合、その部分が内容全体に関わる部分だと、遺言全体が無効になることもあります

・変更した旨の付記も署名もなく、抹消部分の当初の文字も判読できません。相続分は内容全体に関わる部分でもあり、この遺言そのものが無効とされます。

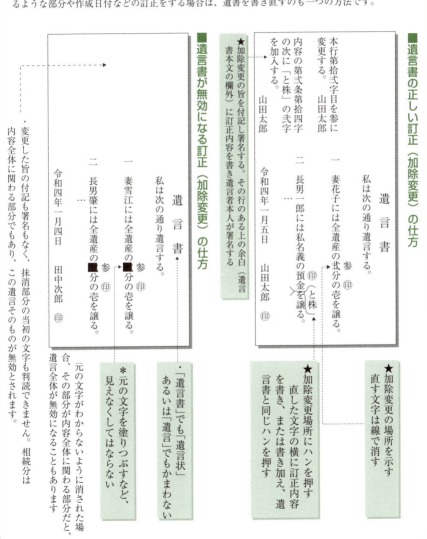

上手な遺言のつくり方 3

■公正証書遺言

公正証書遺言とはどんなものか

▼安全確実だが手間と費用はかかる

公証人に遺言内容を口述して作成する

公正証書遺言とは、遺言者が公証人（法務大臣が、判事、検事、弁護士、法務局長経験者の中から任命する法務局所属の特別公務員）によって、遺言書を作成、保管してもらうものです。自筆証書遺言と違って、遺言者は遺言内容を公証人に口述する（話す）だけで、実際の遺言書は公証人が書きます。

もちろん口述する内容は、キチンと順序立て、また文章にする必要はありません。「遺産を誰にどれだけ」「この不動産を誰に譲る」などと、できるだけ具体的に遺産の処分内容や相続人以外の受遺者（遺産を残す人）、廃除する相続人、そして遺言執行者を誰にするかなどを公証人に話せばいいのです。

遺言書の文章は、遺言者の述べた趣旨に沿う形で公証人が作ってくれます。口述の代わりに、遺言内容を書いた下書きを公証人に渡し、遺言書の文章を作ってもらう方法もあります。

もっとも、遺言内容は公証役場に行ってから考えるのではなく、事前に自分の考えをまとめてメモなどにしておくと、作成手続きがスムースに運びます。

なお、口がきけない遺言者の場合、遺言の趣旨を自書するか、手話通訳人に申述させる方法で、公証人への口述とすることが認められています（公証人は、その旨を証書に付記します。民法９６９条の２）。

ところで、公正証書遺言で遺言者が自書するのは、原則として公証人の筆記内容が自分の口述内容と比べ、間違っていないことを承認する署名だけです（遺言者が病気などで署名できない場合は公証人がその理由を付記して署名に代えられます）。

公正証書による遺言書は、法律の専門家である公証人が直接筆記しますので、方式不備で無効となることは、まず考えられません。

また、遺言者が口述した内容に、

遺留分侵害など法的に問題があれば、公証人は遺言者に合法的な内容に改めるよう助言します。

公正証書遺言は、保管も確実で偽造の心配もなく、民法の定める遺言方式の中では最も安全で確実なものと言えるでしょう。

ただし、自分で作れる自筆証書遺言と違って、公証人に支払う遺言作成手数料などの費用がかかります。

また、遺言者は作成に立ち会う証人を最低2人は探さなければなりません。

そして、その証人と一緒に公証役場に出向く必要があります（病気などで、遺言者が公証役場に行けない場合、公証人が遺言者の所に来てくれる場合もあります）。

◆公正証書遺言作成の流れ

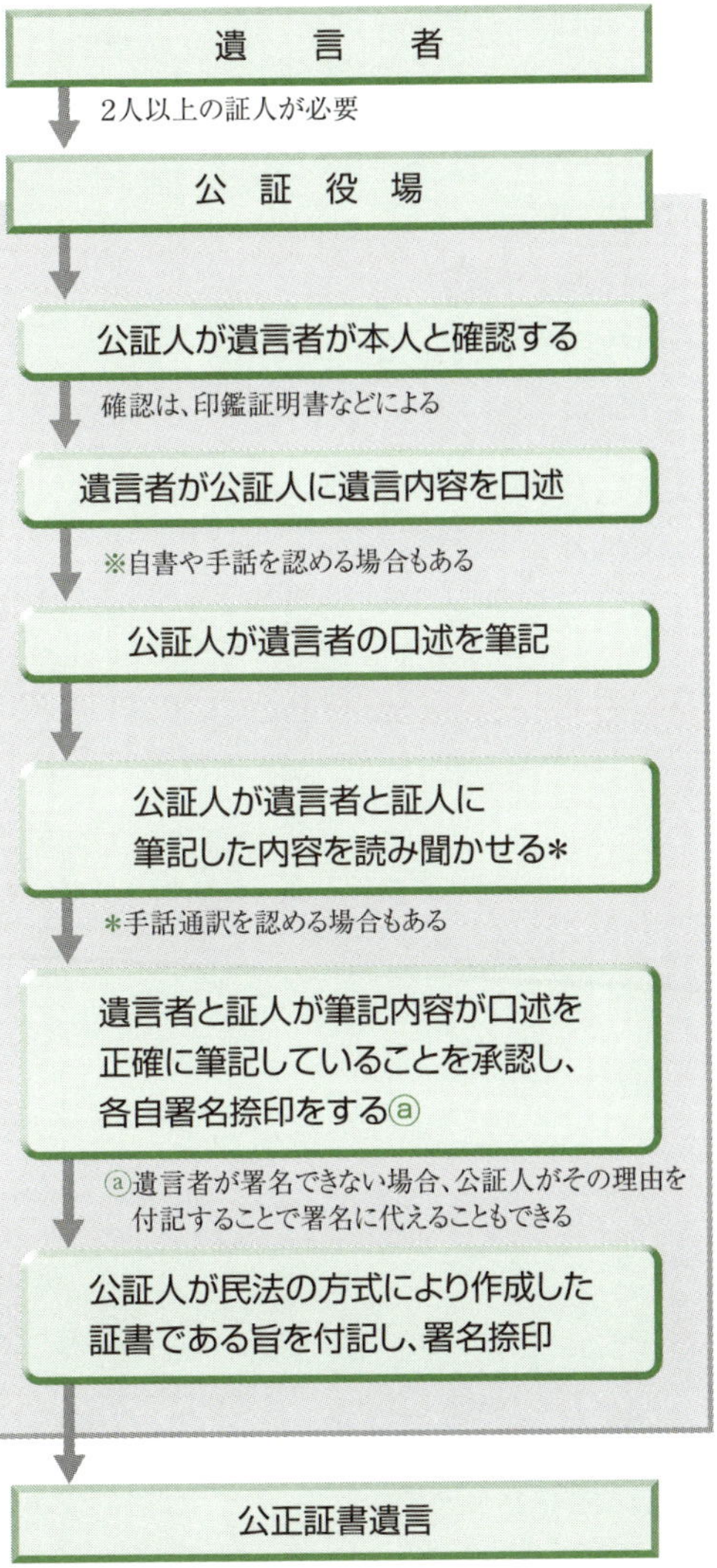
遺　言　者
2人以上の証人が必要
公　証　役　場
公証人が遺言者が本人と確認する
確認は、印鑑証明書などによる
遺言者が公証人に遺言内容を口述
※自書や手話を認める場合もある
公証人が遺言者の口述を筆記
公証人が遺言者と証人に筆記した内容を読み聞かせる＊
＊手話通訳を認める場合もある
遺言者と証人が筆記内容が口述を正確に筆記していることを承認し、各自署名捺印をするⓐ
ⓐ遺言者が署名できない場合、公証人がその理由を付記することで署名に代えることもできる
公証人が民法の方式により作成した証書である旨を付記し、署名捺印
公正証書遺言

・証人の全員が、公証役場での手続きすべてに立ち会う必要がある。
・遺言者の健康状態などにより、公証人が、病院や自宅に出向いて手続きを行うこともできる。

公正証書遺言を作る人は年々増えている

公証役場は、全国に約300か所あります。個人で探すことも可能ですが、銀行で遺言信託の契約をすると、銀行の担当者が証人・参考人となり公証役場に同行してくれます。

公正証書遺言の作成費用は、遺産を受け取る相続人や受遺者の人数によりますが、公証人の手数料（左表参照）の他は若干の郵便代がかかるだけです（公証役場以外で作成する場合には、公証人の日当や交通費も必要です）。

●公正証書遺言の手数料（公証人手数料令抜粋）

遺産の金額・内容	公証人の手数料
100万円まで	5,000円
200万円まで	7,000円
500万円まで	11,000円
1,000万円まで	17,000円
3,000万円まで	23,000円
5,000万円まで	29,000円
1億円まで	43,000円
3億円まで	43,000円に超過額5,000万円までごとに、13,000円を加算する
（以下省略）	

※1　手数料は、遺産をもらう相続人、受遺者ごとに計算します。たとえば、遺産が1億2,000万円で、1人がすべてを相続する場合は手数料56,000円、相続人が2人で8,000万円と4,000万円をもらう場合は43,000円＋29,000円＝72,000円です。

※2　遺産額の合計が1億円以下の場合には、上記により算定した金額に11,000円を加算します。
なお、秘密証書遺言を作成する場合の手数料は11,000円です。

※3　詳細は公証人に確認して下さい。

遺言者は印鑑証明で本人の確認をする

公正証書遺言書作成のため、公証役場に行く場合、遺言者は自分の財産目録や不動産登記簿謄本（登記事項証明書）など遺産の全容がわかる資料を持参する必要があります。

遺言内容に関わらず、次のようなものを用意しておくといいでしょう。

① 遺言者本人の印鑑登録証明書

遺言者が公証人と面識がない場合、本人確認のためにも必要ですので、実印と一緒に持参します。ただし、印鑑登録をしていない場合（実印がない場合）は、運転免許証、旅券、マイナンバーカードなどで本人確認をしているようです。

② 遺言者と相続人との続柄がわかる戸籍謄本（全部事項証明書）

遺留分の侵害がないかなどの確認に使います。

③ 相続人以外に遺産を分けたい場合、受け取る人（受遺者）の住民票が受遺者の特定に必要です。

④ 遺産に不動産がある場合は、その不動産の登記簿謄本（登記事項証明書）、固定資産評価証明書

特定の物件を譲り渡す場合は、遺言書に物件内容を正確に書くためにも、これらの書類が必要です。

⑤ 証人２人（左記参照）

⑥ 遺言内容のメモ

遺産をどう分けたいのか、その大まかな内容を簡単なメモにしておくといいでしょう。その場で公証人に聞きながら作ることもできますが、メモがあると手間が省けます。

もし、具体的な作成手続きや持参資料などがわからなければ、最寄りの公証役場（そこそこの都市なら、職業別の電話帳に載っています）に電話して直接聞いてください。親切に教えてくれるはずです。

2人以上の証人が立ち会うこと

公正証書遺言を作成する場合、２人以上の証人が必要です。この証人は公証役場での遺言書作成過程（83ページ図参照）すべてに立ち会う義務があります。そして、公証人が筆記した遺言書が、遺言者の口述内容通りに書かれていることを確認し、遺言書に署名捺印しなければなりません。

証人には当然、自分の遺言内容を聞かれてしまいます。遺言者としては、秘密が守れる信用できる人物を選ばなければなりません。ただし、いくら信用がおけるからといっても、次の人は証人になれません（民法９７４条）。

① 未成年者

② 推定相続人、受遺者、それらの配偶者と直系血族

③ 公証人の配偶者、４親等内の親族、書記および使用人

なお、証人の捺印は、認印でもよいことになっています。

公証人は、同じ公正証書を通常３通作ります。１通は原本として公証役場に保管され、２通は正本および謄本として遺言者に渡されます。なお、遺言者の依頼で通数を増やすことも可能です。

★秘密証書遺言も公証人が手続きをする

秘密証書遺言は、遺言内容は自分が死ぬまで秘密にしたいが、遺言書を確実に保管したいという場合に使われます。遺言者は、遺言書に署名捺印し、それを封筒に入れて同じ印で封印するだけでよく、自筆証書遺言のように全文を自筆する必要はありません。パソコンで書いたものでも有効です。また、遺言書の日付も必要事項ではありません。

ただし、公正証書遺言同様、公証人と2人以上の証人が必要です。もっとも、遺言者本人の遺言書であると承認するだけで、その内容までは確認してくれません。

ようするに、秘密証書遺言は紛失や隠匿、偽造は防げますが、方式の不備などで無効になる危険がある方式なのです。

上手な遺言のつくり方 4

■遺産の整理

遺産はどう整理しておけばいいか

▼遺産目録を作っておくといい

遺産目録を作っておくと便利である

これから遺言をしようとする人は、たとえ相続人が1人でも、まず自分の財産について整理し、財産目録を作ってください。

自宅の土地建物や自動車、愛用の装飾品など遺言者本人の身の回りにあるものはともかく、どの金融機関にどんな預金があるか、住宅ローン以外に個人的な貸し借りがあるか、などということは、家族でも意外と知らないものです。本人もすべてを覚えているとは限りません。

しかし、財産目録があれば、相続人は遺産を探す手間が省けますし、受け取れる遺産の全容がわかります。相続人同士のトラブルも防げるのではないでしょうか。遺言者にとっても、遺言を作る場合に便利です。

なお、預貯金や貸付金などの債権は、相続開始時にそのすべてを把握できてなくても、相続の権利がなくなるわけではありません。

ただ、債権には消滅時効があり、相続財産となった債権も、相続人が相続開始(被相続人が死亡したこと)を知ったときから5年間、あるいは相続開始から10年間、権利を行使しないときは時効です(民法166条)。時効期間が過ぎても、相続人は債務者に相続債権の請求はできますが、債務者が時効を主張した場合には、回収することができません。

また、特許権や実用新案権は、遺言者が死んでも、相続人は自動的に相続したものとしてその権利を取得しますので、原則として移転登記の必要はありません。ただし、相続したことを特許庁長官に届け出なければなりません。

遺産の目録は遺言と一緒に保管すること

財産目録には、一般的に財産的価値のあるものだけを記載すればいいと思います(89ページ表)。ただし、土地家屋や預貯金、動産や売掛金といった、いわゆる資産だけでなく、ローンや買掛金、人を雇っているならその使用人に払う予定の未払賃金など負債（マイナスの資産）も載せることを忘れないでください。遺産が差引で負債の方が多いとわかれば、相続人は遺産相続の権利を放棄することもできます。

なお、財産目録があれば、相続人間で遺産分割協議をする場合、もっと他に遺産があるのではないかとか、相続人の誰かが意図的に遺産の一部を隠しているのではないかなどと、互いに疑心暗鬼に陥ることもないでしょう。

また、節税などの相続税対策を考えるためにも、財産目録は必要です。

たとえば、相続税支払いのため遺産の一部を処分する必要がある場合、個々の資産を比較して、より換金性が高く、不要なものを選ぶことができますし、遺贈や生前贈与を利用することにより、課税される相続財産を減らすこともできます。

なお、作った財産目録は紛失しないように、遺言とともに保管しておくといいでしょう。

未登記物件があるとトラブルの元になる

財産目録を作る目的は、まず自分の死後、相続人の遺産を探す手間を省くという点です。

次に、相続人が遺産分割協議の際に、節税や効率的な遺産分配をするための資料作りという側面もあります。

さらに、遺言者自身が自分の財産を整理することで、相続の際トラブルとなりそうな原因を見つけて未然に処置しておけるという利点もあるのです。

たとえば、不動産を相続しても、相続人がその物件の所有権を自分名義に移転登記せず、未登記のまま（被相続人名義のまま）残しておくことも珍しくはありません。

登記費用もかかりますし、その手間も面倒だからです。相続税や毎年の固定資産税の支払いさえ怠らなければよく、税務上は移転登記をしなくても問題ありません。

移転登記が問題になるのは、売買や借金の担保とするときだけです。

しかし、このような未登記物件は何らかのトラブルを引き起こすこともあります。

次のような事例で考えてみましょう（次ページ上図参照）。

〔事例〕 祖父Xの土地A地を相続した父Yが死亡し、その息子yがA地を相続するという場合です。そして、YとZ（Yの兄弟）のXの遺産に対する法定相続分は均等ですが、Xの遺産を相続する時点では、Yが資産価値の高いA地を相続することにZも納得していたとします。

A地について、XからYへ相続登

◆相続した土地を未登記のまま放っておくと、どんなトラブルが起きるか

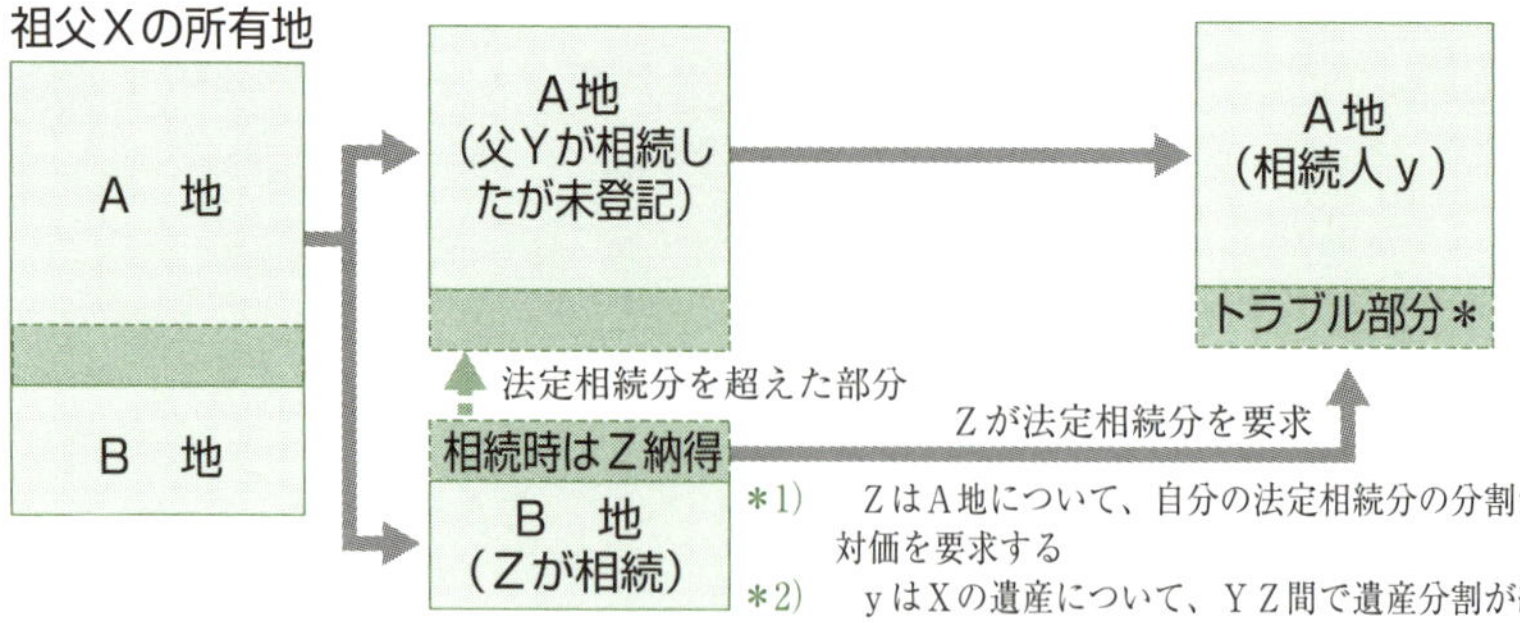

＊1)　ZはA地について、自分の法定相続分の分割か、対価を要求する

＊2)　yはXの遺産について、YZ間で遺産分割が終了していることを証明する必要がある

記がしてあれば、A地をyが相続することに何の問題もありません。しかし、未登記のままだと、問題が生ずる恐れがあります。

極端な例ですが、A地よりはるかに価格の低いB地を相続したZが、未登記であることをいいことに、A地について自分の相続分を主張する可能性もないとは言えないのです。

この場合、Xの遺産分配について、YZ間で覚書のようなものを交わしていれば問題ありませんが、単なる口頭での了承だけでは証明が面倒です。

最終的に立証できるにしても、裁判にでもなれば手間も費用もかかります。しかし、Yがキチンと相続による移転登記をしておけば、この手間が省けるわけです。

★遺言の撤回の方法は

遺言者は、いつでも遺言の全部または一部を撤回できます。ただし、撤回は、一定の方法でしかできません（民法1022条以下）。

具体的には、次の3つがあります。

① 前の遺言に抵触する遺言（撤回の遺言）を書く（1023条1項）

前の遺言と矛盾する内容の遺言を書けば、その抵触する部分は、後の遺言で前の遺言は撤回されます。遺言で「全財産をAに譲る」と書き、半年後に「全財産をBに譲る」と書いた場合、作成日の後の遺言の方が有効です。

② 遺言の内容に抵触するような行為を遺言後にする（同条2項）

たとえば、「私の車はCに譲る」と遺言に書いても、相続開始までに車をC以外の第三者に売ってしまえば、Cに譲る車はなくなります。これは、事実上、遺言を撤回したのと同じです。

ただし、抵触しない部分については、前の遺言内容が有効です。

③ 遺言者が故意に、遺言書を破った場合（1024条）

遺言のうち、破棄された部分のみが撤回されたことになります。

◆どんなものが相続財産（遺産）になるか（財産目録に載せておきたいもの）

相続財産の種類	財産目録に載せる内容など	揃えておく書類等
土地および建物	・所在、地積、建物面積、用途（居住用など）、現況（更地、駐車場など）の他、物件を特定できる資料――賃貸物件は賃借人の氏名や賃料など賃貸条件 ・未登記の物件は、取得の経緯や未登記の理由を書いておくといい ・借地、借家の場合は、地主や家主の氏名、賃料などを書いておくといい	・登記簿謄本（または登記事項証明書）と公図 ・固定資産税評価額等物件価格がわかるもの ・賃貸借契約書
農地・山林などその他の土地	・所在、地積など――賃貸物件は賃借人の住所氏名や賃料など賃貸条件	・登記簿謄本と公図 ・賃貸借契約書
預貯金 債券	・金融機関ごとに、定期性預金と普通預金など流動性のものとに分け、それぞれの口座ごとに残高を記載する（定期預金は満期日や預入条件も書いておくといい） ・債券類は保護預りのものと無記名のもの（証券現物を所持）に分け、詳細を記載しておく	・預貯金の通帳類 ・使用する銀行印 ・無記名債券の現物
株式	・銘柄、株数など――売却に制限のある株式については、その旨も記載しておく	・証券会社の明細書
自動車	・車種、年式、ナンバーなどを記載（個人名義でも会社で使っているものは付記すること）	・車検証 ・自動車保険の証券
会員権（ゴルフ・ジム・レジャー施設など）	・相続が可能なもの（規約上、相続が認められている）のリスト――施設名、連絡先の他、購入価格や年会費など、わかる範囲で記載する	・会員権の証書 ・購入時の領収書など
動産（書画・骨董・宝石類など）	・高額なものは１点ずつ記載した方がいい	・保管証など
生命保険金	・保険会社ごと、保険ごとに、受取人、金額を記載	・保険証券など
特許権・実用新案権・意匠権・商標権・著作権	・できるだけ細かく記載すること（相続による移転登録をしないと相続人の権利が発生しない権利もあるので必ず記載のこと）―各権利ごとに存続期間があることに注意	・登録許可証など
貸金債権 売掛債権 労働債権など	・金額、利息、満期があるものは、その内容を具体的に記載しておくこと――個々の債権ごとに記載しておくといい ★債権には時効期間があるので注意すること 時効期間は、改正民法の施行（令和２年４月１日）後は、給料の３年を除き５年に統一された（166条・消滅時効）	・借用書・領収書 ・売掛帳 ・給料明細など
裁判上の損害賠償請求権	・原告でも被告でも、民事裁判で係争中のものは記載のこと債務不履行の請求権は、権利行使できることを知ったときから5年以内、権利行使できるときから10年以内（人の生命、身体への侵害によるものは20年以内）、不法行為は３年以内（生命・身体への侵害は５年以内）、20年以内	・訴状の控えなど
借入金など債務	・金額や利息、支払日など個々の取引ごとに詳しく記載しておくこと（たとえば住宅ローンのほか、消費者金融会社、カード会社からの借入金も）	・金銭消費貸借契約書の控えなど

＊株式会社、特例有限会社など、いわゆる会社組織になっている場合、個人の財産と会社の財産と混同しないよう、キチッと分けて記載しておくことが必要です。

上手な遺言のつくり方 5

■負担付の遺言

負担付の相続や遺贈はどう遺言しておくのがいいか

▼負担と相続とのバランスを考える

遺贈は、受遺者が自由に放棄できる

遺言により、自分の財産を無償で特定の人に与えるのが遺贈です。たとえば、内縁の妻に財産を残したいときとか、ずっと身の回りの世話や介護をしてくれた息子の嫁にも遺産を渡したい場合などによく使われます。この遺贈を受ける人を受遺者と言いますが、受遺者は相続人でも相続人以外の個人でもよく、また会社や学校などの法人でもかまいません。

法律上は、一定の割合で遺産を与える包括遺贈と、特定の財産のみを与える特定遺贈がありますが、どのような内容の遺贈をするかは遺言者の自由です（民法964条）。ただし、相続人の遺留分を侵害するような遺贈はできません。侵害した場合には、遺留分権者の相続人から遺留分侵害額相当の支払いを請求されることもあります（1046条1項）。

なお、遺贈の法律的な効力の開始時期は、遺言者の死亡時点です。

また、遺贈は、原則として受遺者の承諾を必要としませんが、それを受けるか、あるいは放棄するかは、受遺者の自由です。

しかし、包括遺贈と特定遺贈とでは、放棄できる期間とその法的手続きが異なります（左ページ上図参照）。注意してください。

負担付遺贈の受遺者は義務を負っている

一般的に遺贈は無償、つまりタダが建前です。通常、受遺者には反対給付の義務はありません。しかし、遺言者は反対給付を義務付ける負担付の遺贈をすることもできます。この場合、遺贈を受け、または受けることを承認した受遺者は、その負担を履行する義務を負うのです。

たとえば、友人に財産の一部を遺贈する代わりに、遺言者の幼い息子が大学を卒業するまで学費を面倒みてもらいたいという条件（負担）を付けたとします。その友人は遺贈を

◆受遺者（遺贈を受ける人）には遺贈をもらわない自由もある

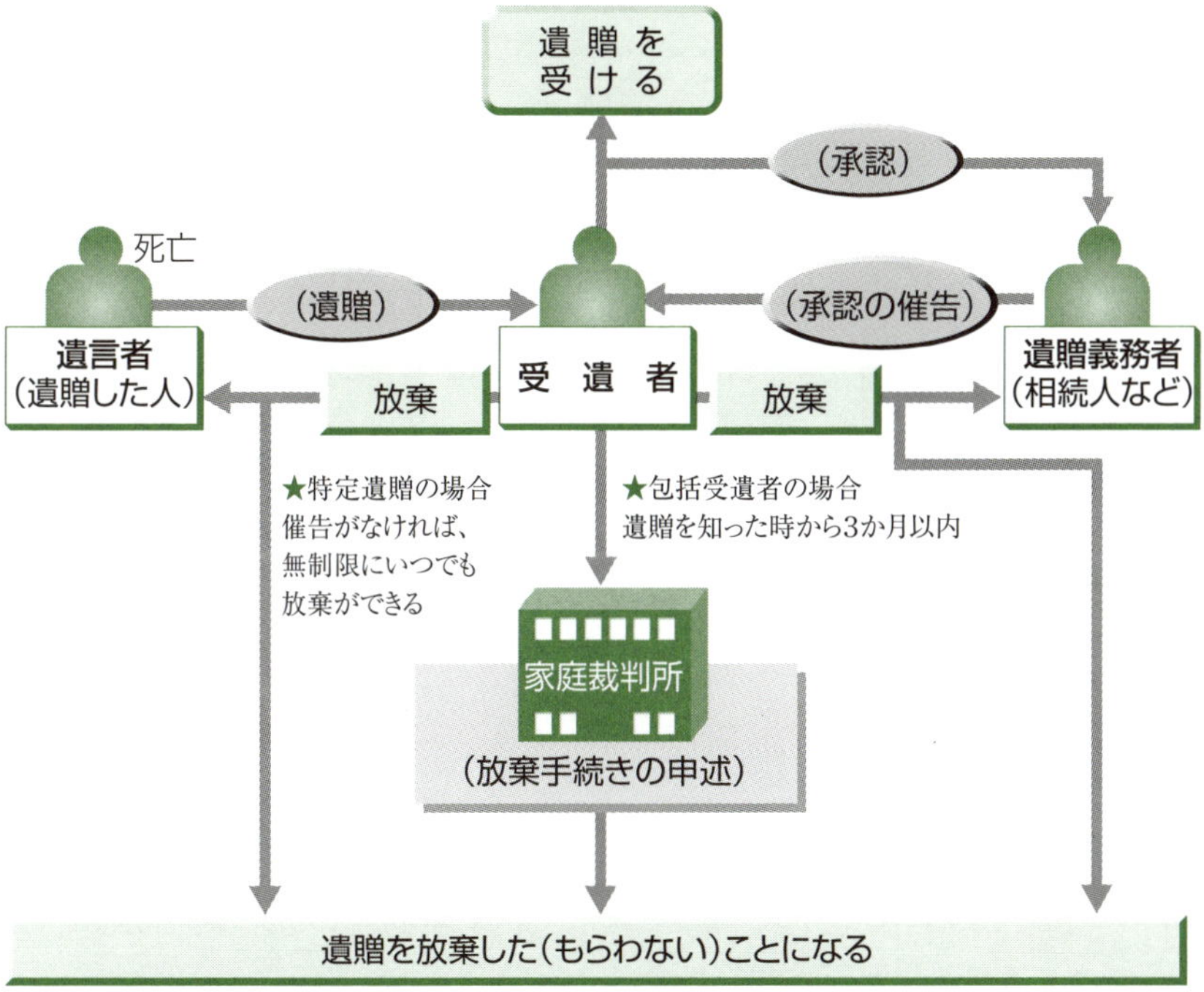

＊特定遺贈の場合には催告期間内に放棄の意思表示をしないと承認とみなされ、包括遺贈の場合は3か月以内に放棄手続きの申述をしないと遺贈を承認したものとみなされます。

受け取った場合には学費の面倒を見なければなりません。遺贈を受け取りながら学費を払わない場合、息子は友人に対し、直接学費の支払いを請求することができます。

このように、負担付遺贈の受遺者が負担を履行しない場合、その負担の利益を受ける者は自分で受遺者に対し、その負担を履行するよう請求ができるのです。ただし、受遺者の負担は、遺贈された目的物の価格を超えない範囲内ですし、また遺贈を放棄した受遺者には言うまでもなく履行の義務はありません。

遺言には借金のことも必ず記載すること

遺産の中にはマイナスの財産もあります。借金やまだ履行していない約束（負担）が、それです。遺産の相続人は原則として、そのマイナス部分も相続しなければなりません。しかし、死んだ人（被相続人）の負債すべてを無条件に相続人が引き継ぐとしたら、相続人の負担は余りにも大きくなり過ぎます。そのため、民法では相続放棄等の制度を設け、相続人は相続を放棄することも、また資産の範囲内で債務の支払いの責任を負うこと（限定承認）もできることにしたのです。

なお、現実の相続では、3か月（相続が開始したことを知った時から）という相続放棄等の可能な期間が過ぎるのを待って、被相続人の借金の返済を求めてくる不届きな債権者も少なくありません。その場合、相続人は相続放棄も限定承認もできず、結局、遺言者の作った借金などを引き継がなければならない場合もあります。遺言をする場合には、遺言者は借金や負担などの債務について忘れずに書き残しておいてください。

この他、寄与分や家業の承継など、特定の人に有利に図りたいことは、遺言書にはっきり書いておくことです。相続人や利害関係人は必ずしも遺言内容どおりの遺産処分をするとは限りませんが、信頼できる友人や弁護士を遺言執行者に指定しておくと、自分の死後も、彼らが遺言者の意思を尊重した遺言の執行を進めてくれるでしょう。

◆負担付き贈与を受けた場合の受遺者の義務

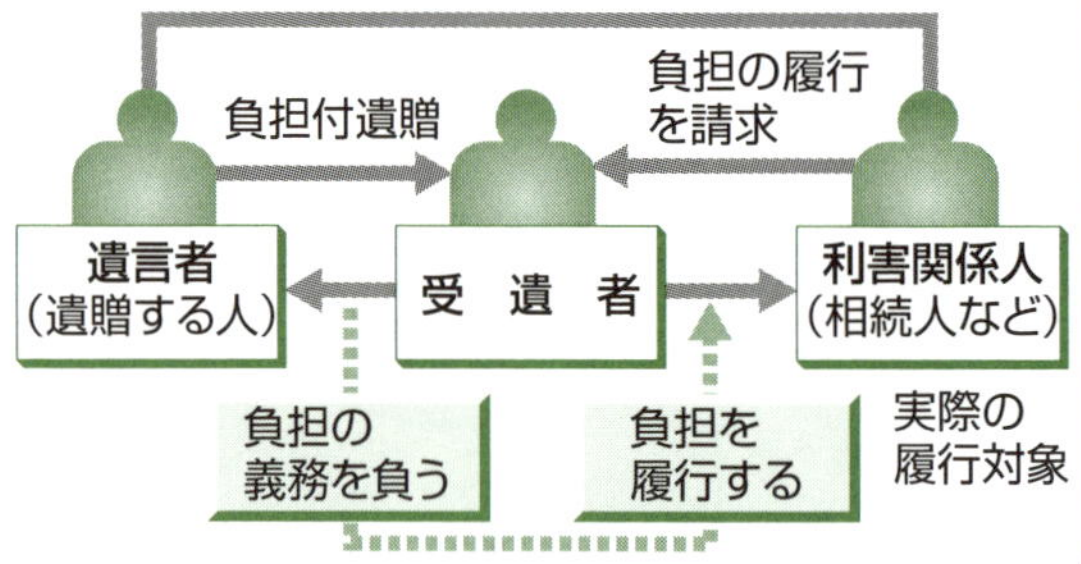

★遺言信託とは

遺言信託は本来、遺言者の遺言により、その遺産の全部または一部を妻子や病弱者、障害者など特定の人（受益者）の生活安定のため、信託銀行など受託者に信託し、それを管理運用してもらって成果を受益者に交付させるものです。

この他「銀行が行う遺言関連業務」も遺言信託と呼ばれています。最近では、銀行が信託業務として行う遺言信託の方が良く知られています。銀行では、次のような業務を用意していますが、詳しくは個々の銀行の窓口で尋ねてください。

① 遺言の執行業務
銀行が遺言書の作成から遺言内容の実行までを引き受けるものです。

② 遺言書の管理業務
遺言書を保管するもので、盗難や紛失は防げます。

③ 遺言の整理業務
銀行は、遺言執行者の指定がない場合、遺産の配分や相続上の諸手続きを代行します。

上手な遺言のつくり方 6

▼妻の寄与分を遺言で指定する

■遺言による相続分の指定

特定の相続人に遺産を渡したいときはどうするか

遺言で特定の人に遺産を多めに指定

遺言をするかどうかは、遺産を残す人（被相続人）の自由ですが、遺言をすると、民法の法定相続分と異なる相続分の指定ができます。たとえば、仕事を手伝ってくれた長男に他の子どもより余分に遺産を分けたいとか、法定相続人でない長男の嫁にも遺産を残したい、あるいは金遣いが荒く、迷惑をばかりかけられた三男の取り分を減らしたいという場合などです。自分の遺産を特定の人にだけ残したいとか、反対に特定の人には渡したくないという場合、遺

言を利用すると便利です。

もちろん、生前に相続人全員を集め、口頭でその意思を伝えておくことも自由です。しかし、遺言書という証拠を残しておかないと、遺産を法定相続分より減らされる相続人から不満が出て、相続開始後にトラブルが起きることがあります。なお、相続分の指定は遺言でしかできません（95ページ表参照）。遺言がなければ遺産は原則、法定相続分に従って分配されます。

特定の人に有利な相続をさせる遺言には、①その人の相続分の割合を増やしておく方法と、②具体的に相続物件を指定しておく方法とがあります。①の方が簡単ですが、遺言者の意図をより確実に実現できるのは②です。

たとえば、自宅の他に不動産をいくつも所有していたり、何台もの車を持っている場合、遺言で具体的に物件を指定することで、より価値のあるものを遺言者に渡せます。

特定の相続人の相続分を減らしたい場合も、同様です。

ただし、法定相続分と異なる相続分の指定をする場合、個々の法定相続人の遺留分を侵害しないよう注意してください。遺留分を侵害された相続人から遺留分侵害額の請求が出されることもあるからです。

遺留分を侵害せず、特定の人に遺産を多く残すには、その人の相続分

割合を増やし、かつ価値のある物件を譲るという指定を遺言でしておくといいと思います。なお、兄弟姉妹には遺留分はないので、兄弟姉妹に遺産を渡したくない場合は、その旨を遺言するか、他の相続人に遺産全部を分配し、その取り分をゼロにしておけばいいでしょう。

★妻に、いま住んでいる家をそのまま残す遺言書のサンプル

遺言書

私の全遺産については、全部を妻花子の相続分とする。

私の遺産は現在居住する居宅と若干の預金しかないが、二人で苦労して建てた自宅なので、今後も花子に住んでほしい。そのため居宅部分については花子に配偶者居宅権を遺贈する。また、預金については花子の老後の生活費としてほしい。

私の法定相続人である長男一郎と次男次郎はいずれ花子の遺産を継ぐことになるので、私の遺産分けは、この遺言の通りにしてほしい。

——以下省略——

★寄与分を考えた遺言書のサンプル

遺言書

私は次の通り遺言する。

一　私の遺産についての相続分を、次の通り指定する。

1　妻雪江は六分の五

2　長男太郎は一二分の一

3　長女花子は二四分の一

4　二女月子は二四分の一

二　私の遺産は妻雪江と協力して築いたものであり、法的には右遺産の二分の一は雪江の寄与分である。よって、花子と月子の相続分は各自の遺留分を下回らない。

——以下省略——

妻に自宅を残すには生前贈与でもよい

わずかな遺産でも、相続人が分配をめぐってトラブルになり、以後、一切交際が絶えたという例は少なくありません。このような争いも遺言があると、ある程度防げます。相続人の中で遺言者の意思を尊重しようという気持ちが働くからです。

たとえば、自宅と若干の預金以外に遺産はないが、そのすべてを妻に老後の生活費として残したいという場合、その旨を記載した遺言（上段の遺言書のサンプル参照）を残しておくと、他の相続人達も、わかってくれるのではないでしょうか。

また、法定相続分より多く遺産を渡したい相続人（たとえば妻）が、遺産形成に貢献している場合、その貢献度合を寄与分（57ページ参照）という形で指定しておくと、相続分

◆遺言でできること（法律的に効力があること）

1　遺言でしかできないこと

・法定相続分と異なる指定、または第三者に指定を委託

・特別受益者の相続分の指示

・遺産分割方法の指定、または指定の委託、分割の禁止

　誰が、どの遺産を取るか、具体的に指定できる。

・相続人相互の担保責任の指定

　相続人間の不公平をなくすため、瑕疵ある財産を相続した相続人に対しては、他の相続人がその瑕疵による損害を補填し合うことになる。

・遺言執行者の指定、または指定の委託

・遺留分侵害額の負担方法の指定（民法1047条１項２号）

・子どもの後見人の指定、または後見監督人の指定

　遺言者の他に、親権者がいればできない。

2　生前でもできること

・財産の処分（贈与または遺贈、寄付行為など）

・認知

・相続人の廃除、または廃除の取消し

・祭祀主宰者（系譜、祭具、墓などを承継する人）の指定

　生前の指定も遺言による指定もなければ慣習による。

　慣習が明らかでなければ、家庭裁判所が決定。

とは別に遺産を残せます（前ページ中段の遺言書サンプル参照）。

なお、婚姻期間が20年以上の夫婦が、居宅を遺贈や生前贈与で相手方に渡した場合には、その居宅は特別受益に含めないと意思表示したことになります（相続財産から当該居宅は除かれる。民法９０３条４項）。

遺産を渡したくない相続人は廃除できる

法定相続人でも法律上、相続人になれない人がいます。たとえば、被相続人や同順位の相続人を殺したり、遺言の偽造をした相続人は、自動的に相続権を失います（相続欠格という、民法８９１条）。

また、被相続人を虐待したり、重大な侮辱を加えたり、その他著しい非行のある相続人も、被相続人の申立てにより相続権を失うことがあるのです（相続廃除という。８９２条）。

家庭裁判所の審判が必要ですが、その相続人がもし相続廃除に該当する人間なら、遺言で相続廃除の意思表示をしておくといいでしょう（８９３条。この申立ては、被相続人の生前でもできます）。

◆遺産を渡したくない相続人がいるとき

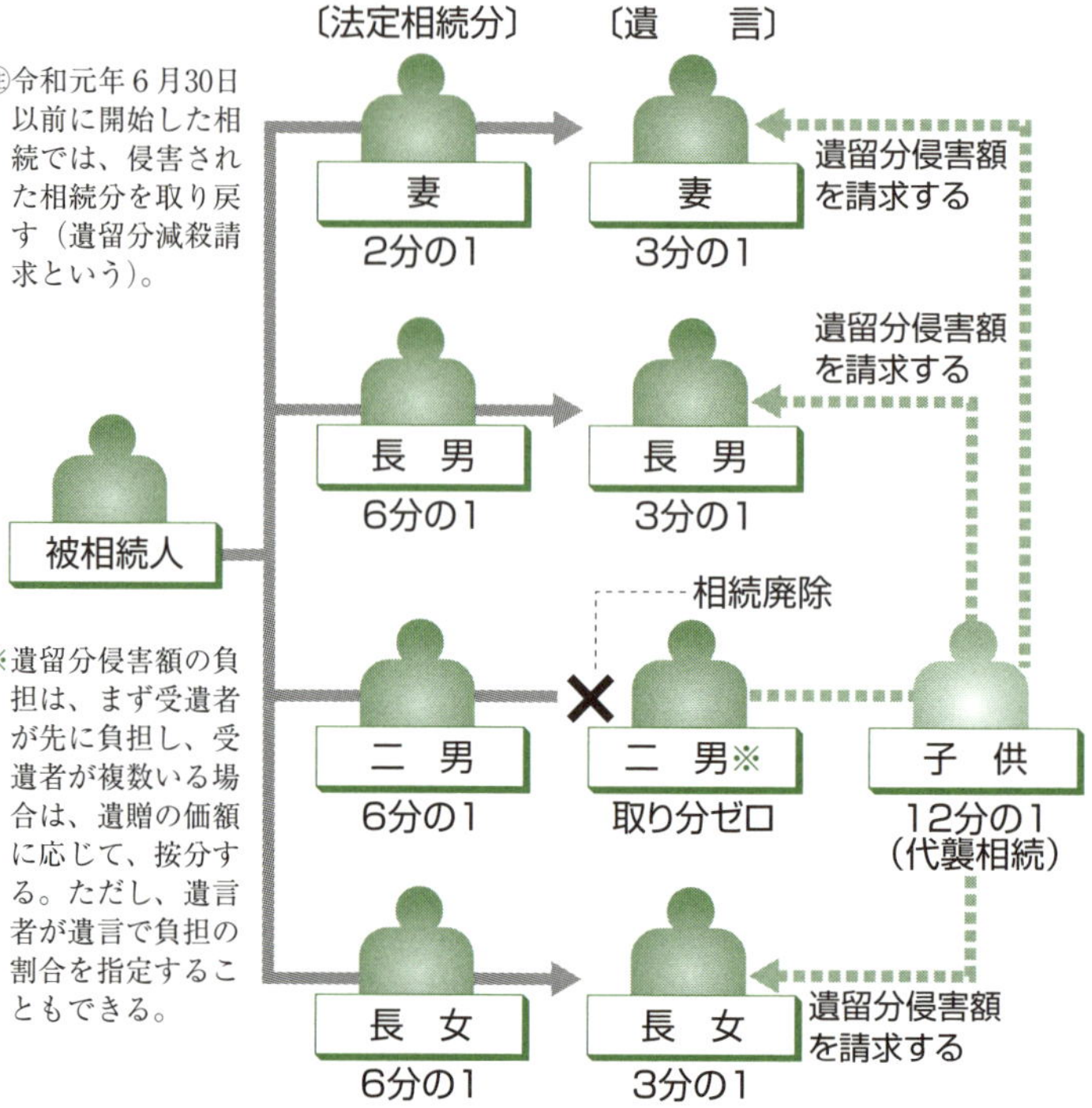

㊟令和元年６月30日以前に開始した相続では、侵害された相続分を取り戻す（遺留分減殺請求という）。

※遺留分侵害額の負担は、まず受遺者が先に負担し、受遺者が複数いる場合は、遺贈の価額に応じて、按分する。ただし、遺言者が遺言で負担の割合を指定することもできる。

※相続廃除された二男に子供がいると代襲相続ができるため、二男の取り分をゼロにしておくと、その子供から遺留分侵害額の請求を受ける。

★代襲相続と相続廃除

親が死ぬと、その子どもが第１順位の相続人です。子どもが親より先に死んだ場合には、孫（子どもの子ども）がいれば子どもに代わって相続人になれます。

このように直系卑属がどこまでも相続できる制度が代襲相続です。

代襲相続は、これ以外に相続廃除や相続欠格の場合にも適用されます。ですから、被相続人が遺言で、特定の子どもを相続廃除しても、その子どもに子や孫（直系卑属）がいると、子や孫は代襲相続により被相続人の遺産を相続できるわけです。この場合、相続廃除した相続人の取り分はゼロでも、代襲相続したその子や孫は、他の相続人に遺留分侵害額の請求ができます（上図参照）。

このように、直系卑属がいる限り、子どもは代襲相続で少なくとも遺留分侵害額に相当する金額だけは取り戻せるのです。相続廃除の制度の法律上の抜け穴と言えるでしょう。

上手な遺言のつくり方 7

■特別縁故者などへの遺言

法定相続人以外に遺産を渡したいが

▼遺言で遺贈をするしかない

この遺言による遺贈は、他にも、愛人や友人、あるいは学校など、法定相続人以外に遺産を残す場合に利用できます。なお、遺贈に当たって、法定相続人の遺留分を侵害しないような配慮をしなければならないのは言うまでもありません。

内縁の妻は遺産をもらえないことも

自分の財産は、生きている間は通常自由に処分できます。しかし、その死後、自分の遺産を内縁の妻や愛人にも残したいという場合、原則として遺言でその旨の意思表示をしておかなければなりません。法定相続人がいる場合、遺言がない限りは、内縁の妻も愛人も遺産を手にすることはできないのです。遺言がなければ、法定相続分に従って、正式な妻（配偶者）や子どもなど法定相続人が相続することになります。

ここで注意してほしいのは、いくら盛大な結婚式を上げても、また会社や友人に正式に妻として披露しても、婚姻届を提出して役所に受理されない限り、法律上は正式な配偶者ではないということです。この場合、いくら長く暮らしていても、その夫婦は内縁関係とみなされ、法律的には内縁の夫または内縁の妻でしかありません。死亡した人（たとえば内縁の夫）に法定相続人がいると、内縁の妻は一切の遺産を相続できないのです。

内縁の妻に遺産を残すには、婚姻届を出して正式に結婚するか、生前に財産を贈与するか、または、遺言で遺贈する旨を書き残しておくしかありません。

特別縁故者は遺産に対する権利がある

死亡した人（被相続人）が遺言も残さず、法定相続人もいないという場合、その遺産は債務（借金など）の清算を行った後、最終的な残余財産は、国のものになります（国庫帰属、民法959条）。

ただ、この残った相続財産は、いきなり国のものになるわけではありません。たとえば、内縁の妻のように、被相続人と特別の関係があった人（特別縁故者という）から申し出があれば、その全部または一部を特別縁故者に分与することになっているのです。

民法は、特別縁故者として、①被相続人と生計を同じくしていた者、②被相続人の療養看護に努めた者、③その他、被相続人と特別の縁故にあった者、を規定しています（民法958条の3）。

内縁の妻は①に該当しますから、遺言がなくても、自ら名乗り出ることにより遺産を手にすることができるのです。

この相続財産分与の請求は、相続人捜索期間満了後（法定相続人がいないことが確定した後）3か月以内に、家庭裁判所に申し立てることになっています（次ページ図参照）。

内縁の妻は特別縁故者として、相続財産の分与が受けられます。しかし、他に法定相続人がいる場合には、この制度は利用できません。ですから、自分の財産を法定相続人以外にも残したいというのであれば、やはり生前贈与をするか、遺言で遺贈をしておくのが安全で確実です（左の遺言サンプル参照）。

★相続人がいない場合、特別縁故者に遺産を残す遺言書のサンプル

遺　言　書

私は次の通り遺言する。

一　私には親もなく、子どもも孫もなく、また配偶者も生存していない。この他兄弟姉妹、甥、姪なども一切おらず、法律上相続人となるべき者はいない。

二　私の死後、私の全財産については、居住する自宅土地建物を除き、すべて換金処分し、次のように遺贈する。

1　東京都国分寺市・・・・在住の田中幸江さんは、長年家政婦として私の身の回りの世話をしてくれたので、金三五〇万円を感謝の気持ちとして遺贈する。

2　大阪府大阪市・・・・在住の下松行雄君は五〇年来の友人として公私ともに何かと相談に乗ってくれまた助言や援助をしてくれたので、金一五〇万円を遺贈する。

3　私の葬儀料、遺言執行者の報酬を差し引いた残余の財産は、私の自宅土地建物も含め、東京都・・・所在の学校法人東都学園に寄贈する。

三　遺言執行者には次の者を指名する。

神奈川県横浜市・・・・

弁護士　　甲野一郎

令和四年一月三日

遺言者　　久保村正二　㊞

◆遺言と特別縁故者への遺産の流れ

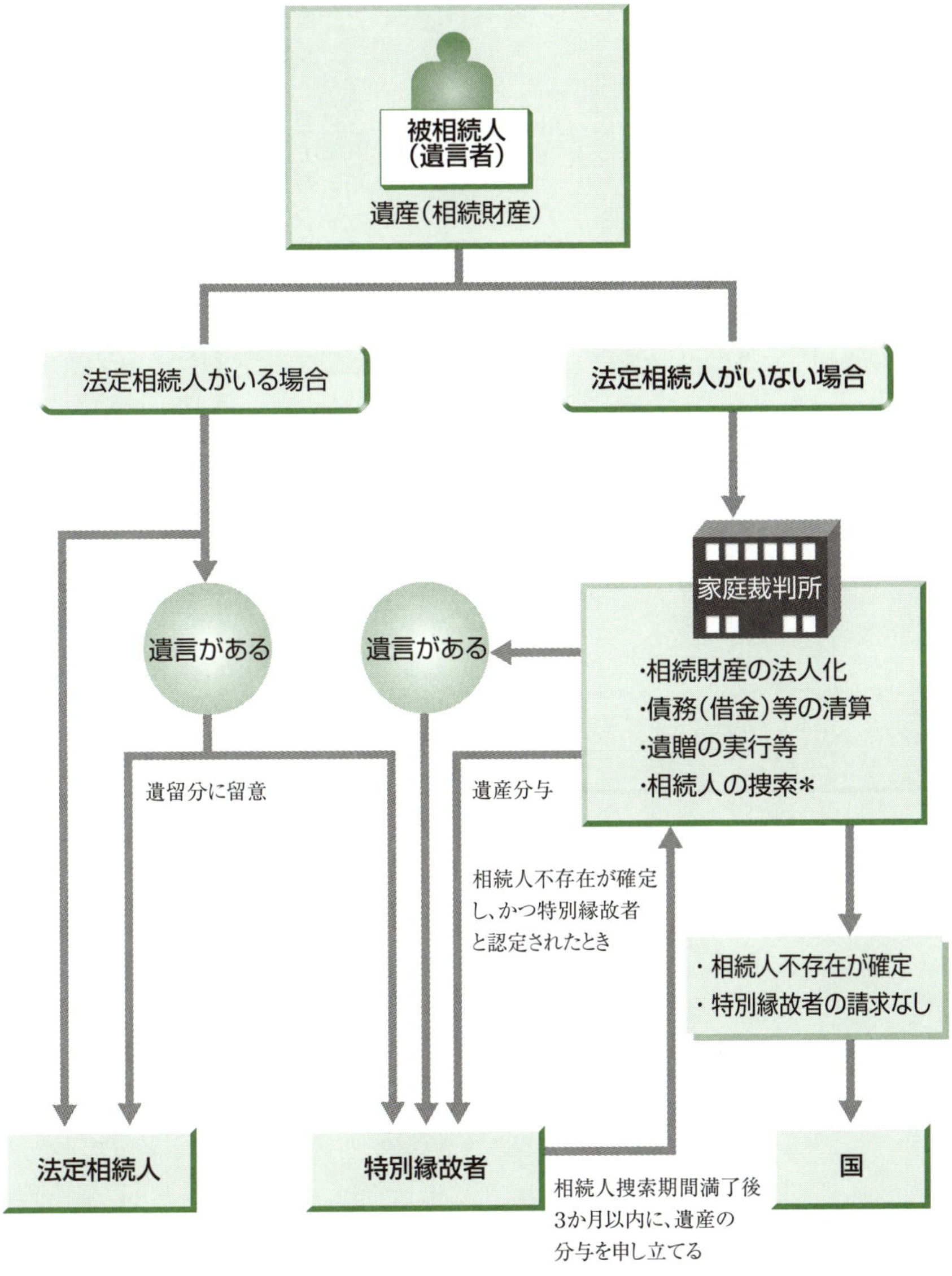

＊相続人捜索の公告後6か月を経ても、法定相続人が見つからない場合には、相続人不存在（相続人がいないということ）が確定することになります。

上手な遺言のつくり方
8

■相続人と遺言の執行

相続人が遺言を無視した場合にはどうしたらいいか

▼相続人が遺言と違う分割をすることは自由

相続人が遺言の内容を実現するとは限らない

遺言は、死亡した人（被相続人）の最後の意思表示です。その遺言内容は、原則として尊重されなければなりません。

しかし、その遺産（相続財産）を実際に活用するのは相続人です。どの遺産を誰が受け取るか、個々の相続分をどうするかなど、遺産の分配は遺言者の指定通りに行うのが原則ですが、相続人が話し合い、全員がその変更に合意すれば、遺言者の指定内容とは異なる相続分や遺産分割をすることもできます。

このように、いくら遺言書を残しても相続人の意思で、その遺言内容が実現しないこともあるのです。遺言者にできることといえば、遺言書に「自分の意思を尊重してほしい」と書き残して相続人の情に訴えるか、遺言執行者を指定しておくしかありません。遺言執行者は原則として、遺言内容通りの執行をする義務があるからです。しかし、相続人全員の合意による分割協議がまとまった場合など、遺言執行者も相続人の意思を尊重して、その合意を追認する場合もあります。特定の相続人により多くの遺産を分け与えたいという場合、やはり生前贈与をしておいた方が確実です。

なお、認知や遺贈、あるいは寄付行為などの指定がある場合には、その遺言内容が優先されます。相続人は全員の合意があっても、その執行による遺産の移動を妨害できません。

遺言書を勝手に開けると過料5万円

封印された遺言書（あるいは遺言書らしきもの）は、勝手に開けてはいけません。家庭裁判所で、相続人（代理人でもよい）が立ち会って開封する決まりです。また、公正証書遺言の他は、家庭裁判所で検認手続きをする必要があります。検認手続きとは、その遺言書が法律上の遺

◆遺言執行者による遺言の執行

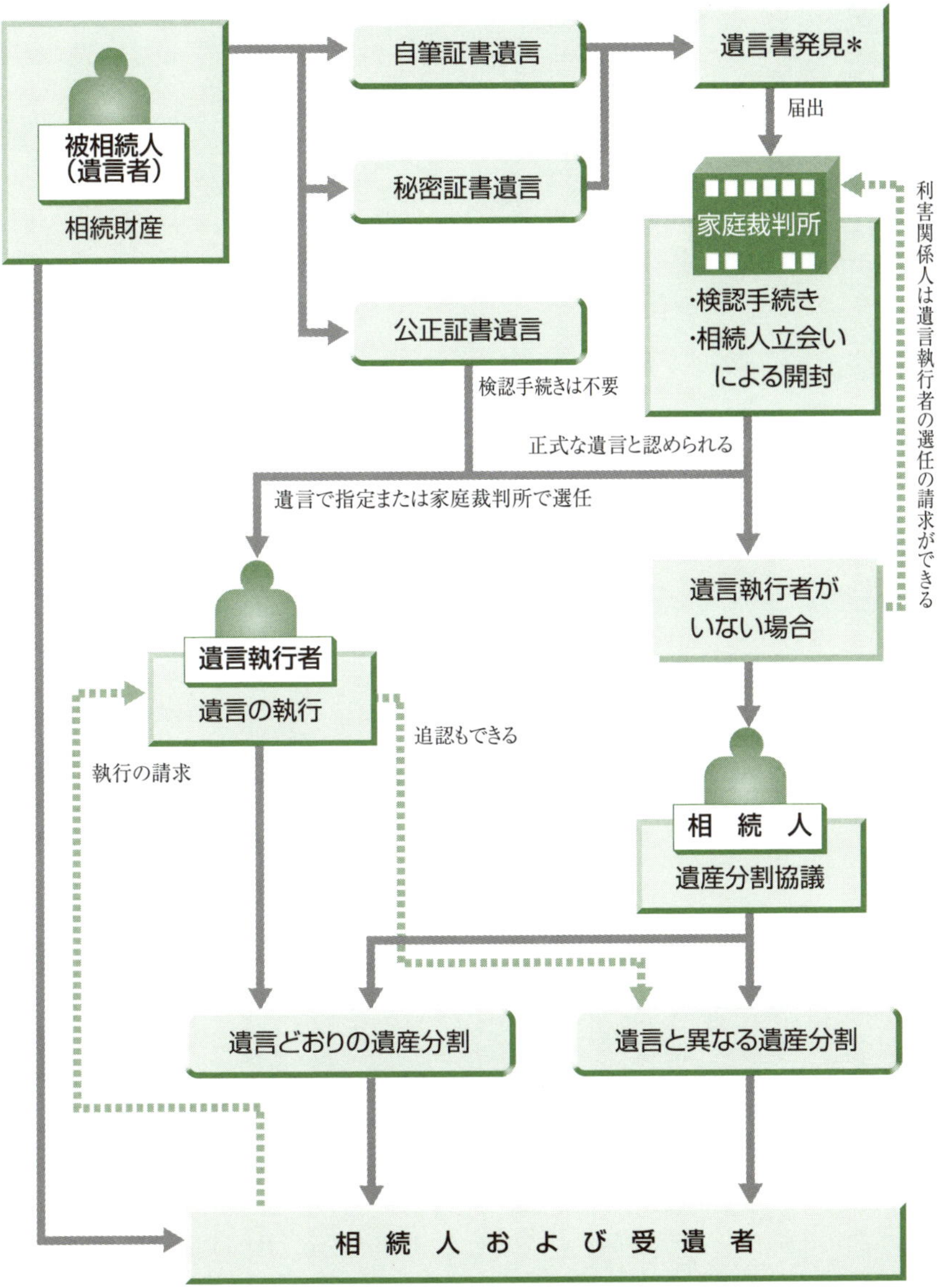

*遺言書の検認手続きを怠ると5万円以下の過料。また、遺言書を隠したり、変造したりした法定相続人は、相続人の地位を失うことになる。

言方式に従って作られているか、遺言者本人が作成したものかを確認し、その遺言書を証拠として保全する手続きです。遺言内容の有効無効を判断するものではありません。

なお、遺言書を家庭裁判所に提出しないで勝手に開けたり、また検認手続きを経ないで遺言を執行したりすると、5万円以下の過料です（民法1005条）。無断開封したり検認手続きを怠ったからといって、その遺言が無効になるわけではありませんが、相続人や受遺者が、その遺言書を隠したり、捨てたり、変造した場合は、相続欠格としてその地位を失う（相続できなくなる）こともあります。遺言者の死亡を知ったら、速やかに遺言書を家庭裁判所に届け出なければなりません。

遺言執行者は選任しなくてもよい

遺言執行者とは、遺言者の遺産処分や認知、相続廃除の手続きなど、その遺言内容を実現するために必要な事務手続きを行う人です。必ずしも遺言執行者を選任する必要はありませんが、遺言執行者が指定または選任された場合には、相続人は相続財産の処分その他遺言の執行を妨げるべき行為ができません（民法1013条）。相続人全員が合意しても、勝手にした執行行為は当然無効です。ただし、遺言執行者が追認した執行は有効です。なお、遺言の執行（遺産分割など）が行われない場合、相続人や受遺者はその執行妨害者（他の相続人や第三者など）ではなく、遺言執行者に対して遺言の執行を請求することになります。

遺言執行者は、遺言者が遺言で指定するか、指定の委託をする（委託された人物が遺言執行者を指定する）のが普通です。しかし、遺言による指定や委託がなくても、利害関係人の請求により、家庭裁判所が選任することがあります。遺言執行者は何人いてもかまいません。なお、遺言執行者の報酬額は遺言で指定されていなければ、家庭裁判所が金額を決めてくれます（民法1018条）。

★遺言書が遺産分割の後で見つかった時

遺言書が見つかった以上、遺言に反した遺産分割の部分は無効です。しかし、相続人全員で協議し、遺言と反する遺産分割（遺言発見前の状態）を、そのまま維持しようとする合意ができれば、改めて手続きを取る必要はありませんが、遺言執行者が指定されている場合、当初の分割を維持するには、この執行者の追認を受ける必要があります。

しかし、発見した遺言書に遺贈や認知の指示がある場合は、原則通り発見前の遺産分割協議を無効とし、再分割するしかありません。

上手な遺言のつくり方 9

■個人商店の相続と遺言

個人商店を跡取りだけに相続させるにはどうするか

▼すべてを跡取りに残す遺言内容でも良い

すべてを後継者だけが相続する遺言は不可能

個人商店や個人企業の場合、たとえ事業用（営業用）でも、その資産はすべて個人財産です。経営者が死亡した場合、事業用の資産も含めて遺産（相続財産）になります。相続人が後継者（跡取り）一人なら問題ありませんが、複数いる場合には注意が必要です。遺産の分割方法を誤ると、事業用資産が散逸してしまい、事業そのものの継続自体が困難になることも少なくありません。

資産を散逸させたくない個人商店にとって、遺言は相続対策の大きな柱です。ただ、後継者に充分な資産を残し、かつ他の相続人を納得させられる遺言内容にできればベストですが、現実にはそう上手くはいきません。そこで、遺言書は原則として、まず事業の継続に支障がでないよう、できる限りの資産を後継者に相続させるという内容でかまわないと思います（105ページサンプル参照）。

しかし、後継者に「全財産を譲る」というような内容では、当然、他の相続人の遺留分を侵害することになり、後継者が他の相続人から遺留分侵害額に相当する金額の支払いを請求される（民法1046条1項）おそれが出てきます。できれば、自分の資産をまず事業用資産と純粋な個人資産とに分け、事業用資産は後継者に単独相続させ、個人資産は相続人全員で分配するという内容にしておくことです（次ページ図参照）。後継者に個人資産も相続させるのは運転資金などを潤沢にしておく意図で、事業継続を図るにはこのような配慮も欠かせません。

屋号やノレンなども事業用資産となる

個人商店や個人企業の経営者の資産のうち、事業用資産に当たるものには、次のようなものがあります。

・土地建物（自宅兼店舗・事業所の場合には、店舗または事業所部分

のみが対象となる）
・借地権、借家権
・自動車、営業用設備、什器および
備品

◆個人商店・個人企業の資産を、その跡取りにだけ単独相続させたい場合の遺言

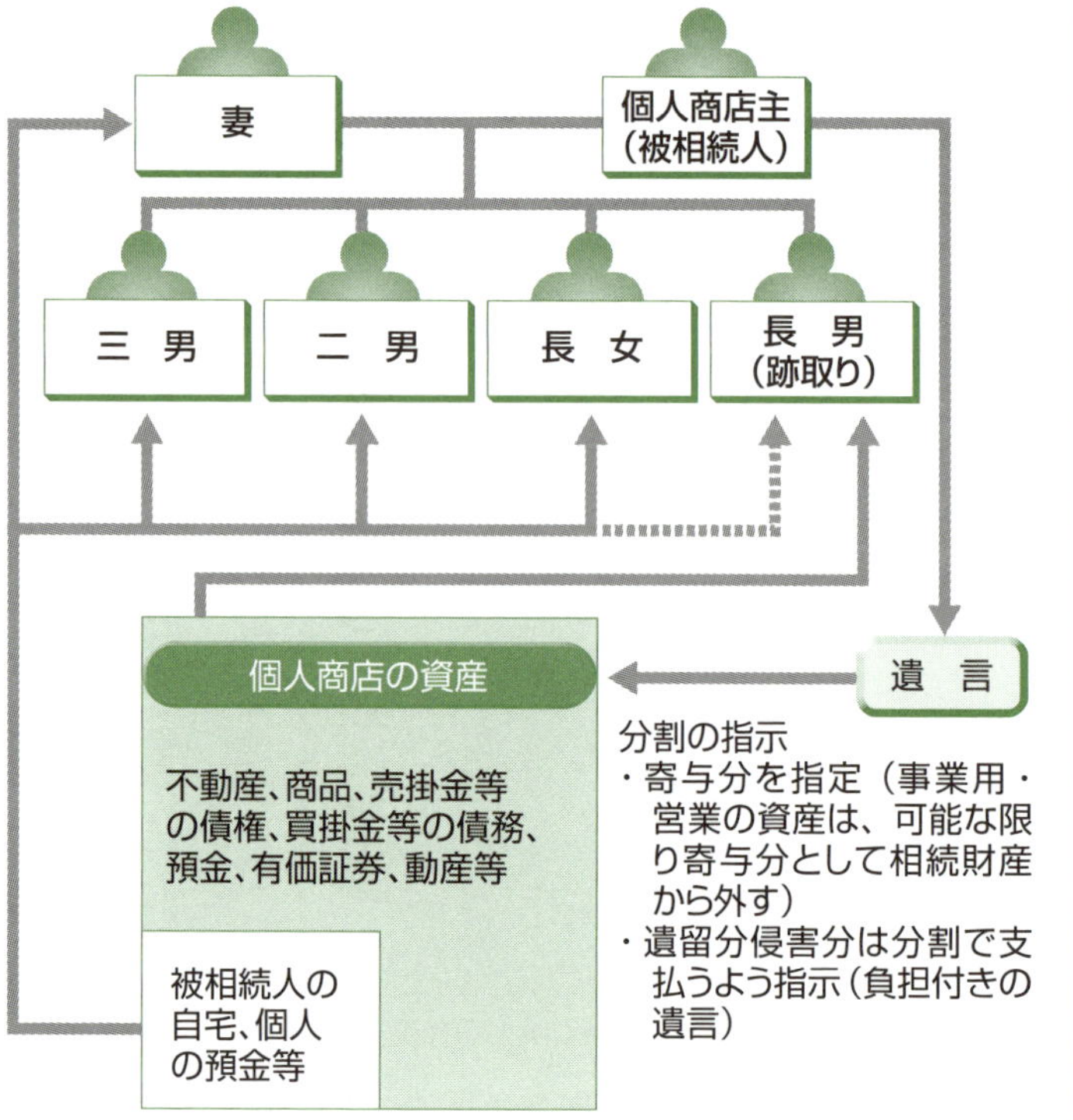

・商品、製品、半製品などの動産類
・売掛金債権、貸金債権、その他の
営業上の債権（賠償請求権なども
含む）

・特許権、実用新案権、意匠権、商
標権
・現金、預貯金、有価証券
・営業権（屋号・ノレン）
・買掛金、借入金、その他の営業上
の債務

個人商店の経営者が遺言書を作る場合には、その資産の中から、このような事業用資産を抜き出し、具体的かつ細かな資産リストを作成してください。これを遺言書に添付しておくと、遺言の執行などに際し便利です。

また、遺言書には資産分類の経緯や趣旨を書いておくことも必要だと思います。事業を継続させたいという意図がわかれば、相続分の少ない後継者以外の相続人も納得し、たとえ遺留分の侵害があっても、その侵害額を請求するのを思い止まってくれるかもしれないからです。

なお、個人商店や個人企業の場合、すべての資産は経営者の個人資産で

★自分の仕事を継ぐ跡取りに、より多く資産を譲る場合の遺言書のサンプル

遺言書

私は、次の通り遺言する。

一　私は「花岡商店」の後継者として、長男一郎を指名し、同商店の資産一切を一郎に相続させる。

二　右の資産一切とは、左記土地建物、その什器、備品、商品等の動産および「花岡商店」名義の預金、売掛金その他の営業上の債権全部、買掛金その他営業上の債務全部並びに「花岡商店」の名称および有形無形の一切のノレン権等である。

（土地建物の表示省略）

三　東都銀行にある私名義の預金すべてを、長男一郎に相続させる。

四　右以外の資産は妻陽子、長女月子、二男次郎、三男三郎の相続分とし、その割合は均等とする。

（以下省略）

遺言者　花岡太郎㊞

す。そのため、事業用の資産であっても一括の相続手続きはできません。個々の相続財産ごとに、別々の手続きが必要となります（具体的な手続きはPART4、相続資産の評価はPART3参照）。

法人化して跡取りに株式を生前贈与する

個人商店や個人企業の相続の場合、複数の相続人がいて、その資産を分割してしまうと、事業の継続ができなくなる場合もあります。しかし、被相続人の事業を引き継ぐ後継者が資産のほとんどを相続するような遺言をすると、今度は後継者以外の他の相続人の遺留分を侵害してしまいます。この場合、遺産額に不満の相続人から遺留分侵害額に相当する額の支払いを請求される可能性は少なくありません。そこで、遺留分を侵害しないと事業の継続が覚束ないという場合、その侵害分を後継者が分割して支払うというような負担付の遺言条項を入れる方法があります。

具体的には「事業の後継者は、他の相続人に対し、今後10年間にわたり、毎月各人当たり月額金10万円を支払うこととし、他の相続人は遺留分侵害額の請求を行わないものとする」というような内容です。

また、その後継者がすでに被相続人の仕事を手伝っていて、事業への貢献も充分あるという場合、事業資産の一部あるいは全部を後継者の寄与分として相続財産から外す旨、遺言で指示しておく方法もあります。

なお、相続対策としては、この他にも生前贈与や事業の法人化も考えられるでしょう。次項で解説しますが、会社組織にしておけば、その株式を相続人に分与しながら、遺言で後継者に過半数を相続させるだけで、後継者は事業資産すべてを実質的に引き継ぐことができるのです。

上手な遺言のつくり方 10

■会社を相続させる遺言

会社の事業を引き継ぐ人にだけ相続させるにはどうするか

▼株式会社なら全株式を譲渡するだけでよい

遺言で株式や出資金の全持分を相続させる

株式会社や有限会社（平成18年5月1日施行の会社法により新しく有限会社を設立することはできなくなり、従来の有限会社は、株式会社に移行するか、株式会社の一種である特例有限会社となる）は、個人と同じように、それ自体が人格（個人に対して法人と呼ぶ）を持ち、権利を有し、また義務も負います。

ところで、相続人が法人化した会社を相続するという場合、個人事業のように会社の全資産を相続するわけではありません。また、個人事業なら、相続した人は経営者（個人事業主）になって直接事業を引き継ぐわけですが、会社、たとえば株式会社の場合は、事業そのものや経営権の相続というものはないのです。

あくまでも、被相続人所有の株式や出資金の持分を相続するということに過ぎません（会社の取締役や社長になり、経営に参加するには、取締役会や株主総会の承認がいる）。

どういうことかと言うと、たとえ被相続人が会社の全株式を所有していて、個人企業のようにそのすべてを特定の相続人に相続させたとしても、会社そのものを渡したことにはならないということです。相続人は、株式の名義変更後、会社に対し株主としての権利（配当金の請求、株主総会の開催など）を主張できるにすぎません。

なお、株式会社や特例有限会社の他にも、合同会社や合資会社、合名会社などがありますが、これらは社員（出資者）同士の人的関係で成り立っていることも多く、社員としての地位の相続（社長になる）が認められない場合もあります。

全株式を相続しても社長にはなれない

株式会社や特例有限会社の資産は、個人商店や個人事業の資産とは異なり、それ自体会社の資産として独立

◆相続と遺言の効果—個人事業と株式会社—

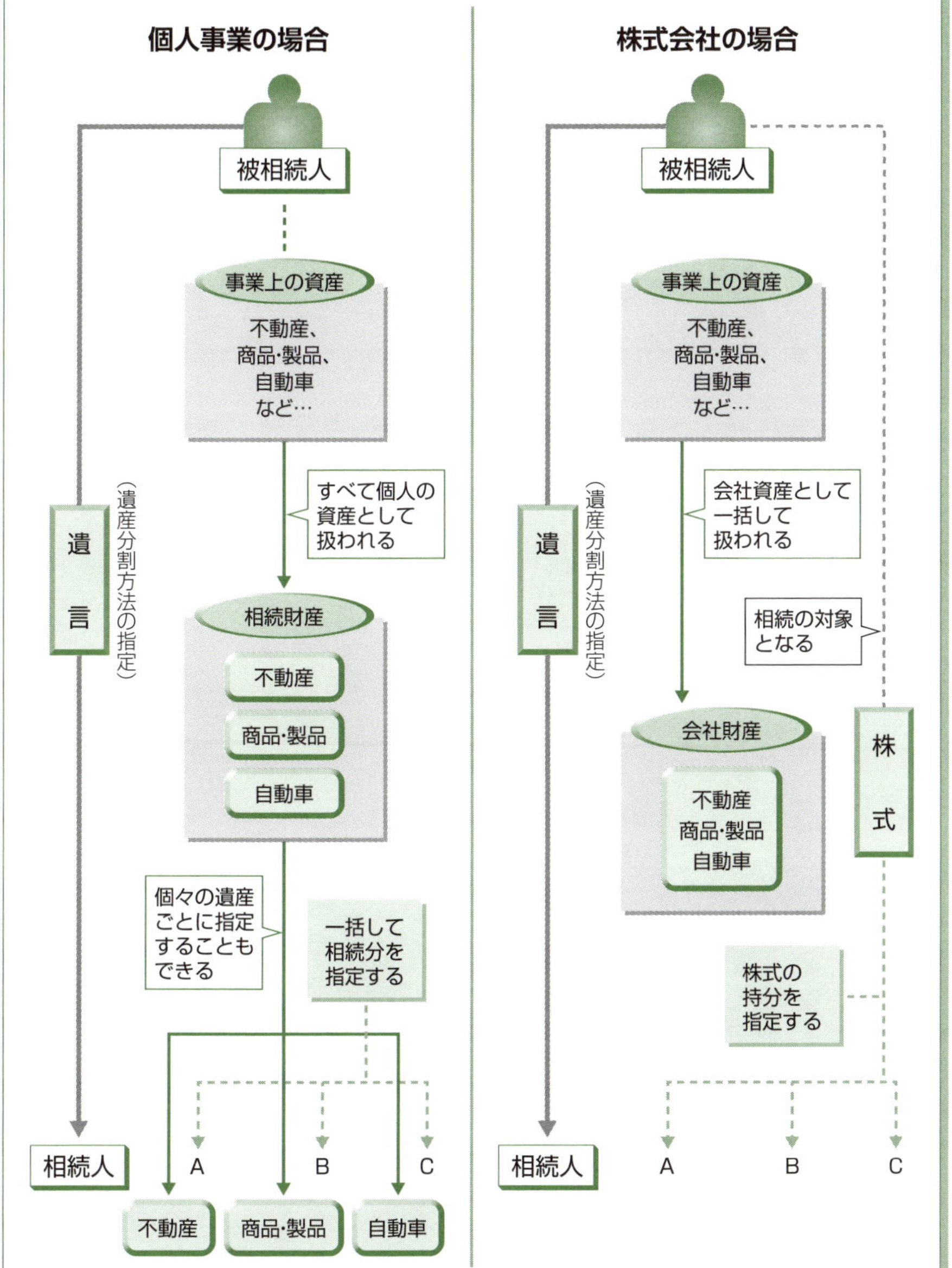

★会社を1人に相続させる遺言書のサンプル

遺言書

私は、次の通り遺言する。

一　私は、株式会社山田のすべてを長男太郎に譲ることとする。

二　株式会社山田の株式六万株のうち、私名義の五万株全部を長男太郎に相続させる。

三　株式会社山田の本社が入居している左記ビルの土地建物および什器と備品は、すべて長男太郎に相続させる。

―土地建物の表示省略―

四　私が現在居住する自宅の土地建物は妻裕子に相続させる。

―土地建物の表示省略―

五　右以外の私の資産および債務すべては、妻裕子、長男太郎、長女小百合、二男裕太、二女麻里江に、法定相続分により相続させる。

（以下省略）

遺言者　山田一太郎　㊞

しています。

相続により株式や出資金の所有者が代わることはあっても、会社の資産が個別に分割されることは、解散でもしない限りあり得ません（前ページ図参照）。

また、株式の持分と社長の地位とは、別の問題です。同族会社や法人化された個人会社の場合には、良く「息子に会社を継がせる」などと言いますが、会社の全株式を相続したからといって、それだけで直ちに社長になれるわけではありません。

その名称に関わらず会社の代表取締役に就任するためには、少なくとも取締役会と株主総会の選任が必要で、対外的には会社の変更登記（代表取締役就任に伴う変更登記）をしなければならないのです。

会社を相続させた人に全債務も相続させる

会社形態は株式会社にしてあるものの、実際は遺言者の個人事業で、事業を引き継ぐ特定の相続人１人（たとえば長男）に会社を譲りたいという場合には、遺言で「所有する

★保証人の地位は相続するのか

保証人には、借金など債務の連帯保証人と身元保証人とがあります。

相続人は、被相続人の債務の連帯保証人の地位を相続します。ただし、その範囲は原則として各自の相続分割合で、それを超す分まで支払う義務はありません。なお、相続人は相続放棄や限定承認も使えるので、多額の連帯保証がある場合には、遺言にその旨を明記しておくべきです。

一方、身元保証人の地位は一身専属的なもので、相続の対象にはなりません。相続人が被相続人のした身元保証の責任を負うことはないのです。ただし、相続開始以前（被相続人の生存中）に発生した保証債務については、相続人が債務を相続することもあり得ます。

株式全部を長男に相続させる」と指定しておけばよいでしょう（前ページ上段サンプル参照）。

会社の資産はその会社のもので、相続によりバラバラになることはありませんが、株式を複数の相続人に分けると、社内で権力抗争などが起こる危険もあります。今後とも、安定経営を図るには、やはり全株式をまとめて後継者に相続させる方が無難です。

ただ、遺産の大半が同社の株式という場合、全株式を一人に相続させると、他の相続人の遺留分を侵害する場合もあります。そこで、会社経営者としては、後継者に対し、存命中から株式を贈与しておく対策を取っておくか、株式の過半数（できれば4分の3）を相続させる遺言を残してほしいものです。

また、このような会社では、営業用の自動車や動産など事業用資産は会社所有ですが、会社の入っているビルやその敷地など不動産は経営者（株主）の個人資産というケースも少なくありません。その場合には、個人資産の不動産を他の相続人に相続させ、会社から他の相続人に賃料収入が入るようにしたり、前項で解説したように、後継者が侵害分を分割で支払うという内容の負担付遺言にして、相続分の減る相続人の不満を押さえる配慮が必要でしょう。

なお、これまで単独相続させる方法を紹介してきましたが、節税という面から言うと、個人商店にせよ、会社組織にせよ、一般的に、全株式を相続する相続人には多額の相続税が課せられます。そこで、株式の一部を死亡した人の配偶者（妻または夫）に相続させ、会社の後継者の相続税額を減らす工夫も必要です（配偶者は遺産の2分の1か、1億6000万円までなら相続税がかかりません。詳しくはPART5の相続税の項参照）。

★相続する会社の資産価値は

会社を特定の相続人に譲る場合、その会社の資産価値次第では、他の相続人の遺留分を侵害します。

個人事業（法人化していない）の場合、会社の資産、いわゆる営業用資産（店舗・事務所などの不動産、営業用設備、商品、製品、半製品、営業上の債権債務、営業用の預貯金、営業権など）も、相続法上はすべて被相続人の個人資産ですから、その価格は相続開始時の時価評価の合計と考えればいいでしょう。

一方、株式会社の場合、相続するのは会社の株式ですから、その株価の合計を相続価格として考えるしかありません。株価は、上場会社なら証券取引所での市場価格です。また、非上場の場合は、類似企業の株価を参考に、その会社の事情を考慮して決めるといいでしょう。

もっとも、どちらの形態にしろ、会社の資産価値の評価は容易ではありません。専門家に相談し、その評価を参考に遺言を作ることです。

上手な遺言のつくり方
11

■農地を単独相続させる遺言

農業を引き継ぐ人にだけ遺産を相続させるにはどうするか

▼農地を後継者に生前贈与しておくとよい

農業の後継者だけが農地を相続できる

農業従事者の相続にも、民法の規定が適用されるのは言うまでもありません。たとえば、被相続人に数人の嫡出子がいれば、その子らは相続人として、被相続人の遺産に対し平等の相続分があります。

被相続人が農業を引き継ぐ相続人に、農地を含めてより多くの遺産を相続させたいという場合、遺言でその旨を指定しておくのは自由ですが、他の相続人の遺留分を侵害しない配慮が必要です。

しかし、その遺産の大半が農地となると思われます。

いう場合、遺留分侵害の可能性が高いと思います。その上、農地法上も問題があります。というのは、農地は自ら耕作する者が所有することが原則だからです。もちろん、後継者以外の相続人も農業従事者なら、その農地を分割し、各自が遺留分だけ取り戻すということもできます（農地の細分化が農業経営上、どうかという問題は別として）が、従事者でなければ所有も売却も困難です（農地を売るには原則知事などの許可が必要）。後継者が遺留分の侵害分を買い取ることもできますが、相続農地が大都市部の市街化農地などの場合には価格も高く、相当重い負担になると思われます。

生前贈与するのが面倒がない

農業従事者は、農地すべてを農業の後継者に相続させたいというのが本音でしょう。そのためには、①農地を後継者に生前贈与する、②遺言で農地全部を後継者に相続させる指定をする、③後継者以外の相続人にあらかじめ遺留分を放棄をさせておく、などの方法があります。

①の生前贈与は、他の相続人が遺留分侵害を主張する場合、被相続人の死後、裁判になる可能性もあります。裁判となると、その手間や費用も大変ですので、たとえ金額的には

◆被相続人の生前、あらかじめ遺留分を放棄する手続きと遺言

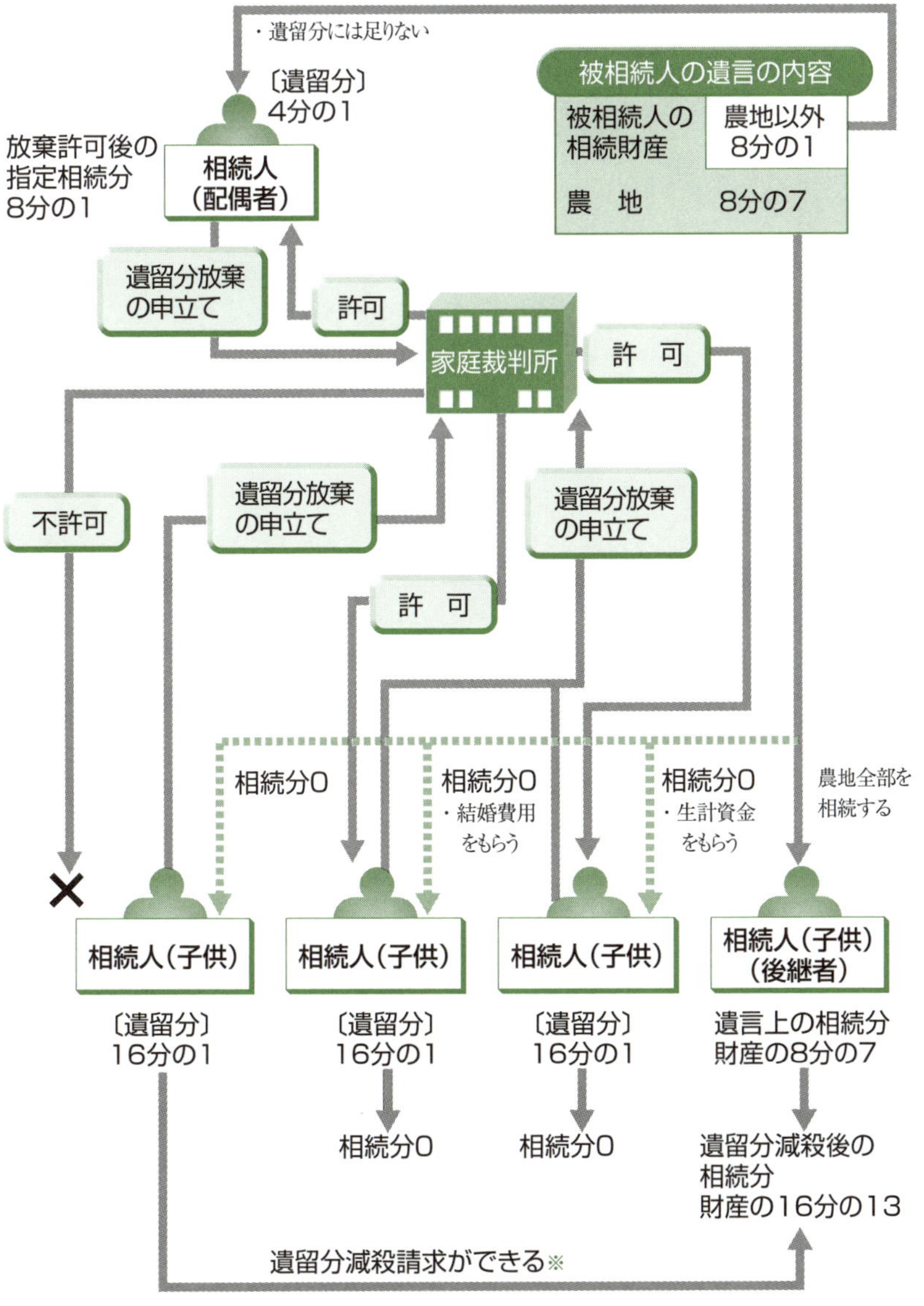

※相続法の改正により、令和元年7月1日以降に開始する相続の場合、遺留分を侵害された相続人は減殺請求ではなく、遺留分侵害額に相当する金額の支払いを請求することになりました（民法1046条1項）。

少なくても、農地以外の遺産を残しておくことです。ただし、この方法を選んだ場合には、後継者が被相続人よりも先に死亡すると面倒な結果になりかねません。

②の遺言は、やはり公正証書遺言が確実だと思います。また、仮に遺留分侵害があっても、被相続人が生前、他の相続人に結婚費用や進学費用、あるいは生計の資本などを出している場合、そのことも明記しておけば、他の相続人からの反撃をある程度かわすことができるでしょう。

③の相続開始前の遺留分の放棄は、被相続人の死後行う相続放棄とは異なり、家庭裁判所の許可が必要です（民法1049条、前ページ図参照）。この手続きは①や②と違い、被相続人の一存ではできず、あくまでも遺留分権者である推定相続人自身が自分の意思で、放棄の申立てをしなければなりません。しかも、相続人自身が真実遺留分の放棄を望んでいたとしても、必ずしも家庭裁判所の許可が下りるとは限らないのです。

たとえば、長子に単独相続させたい被相続人が自分の死後、その長子が扶養する代わりに遺留分は放棄するという条件で後妻と再婚したケースでは、裁判所は後妻からの遺留分放棄の申立てを認めていません（東京家裁・昭和54年3月28日審判）。

相続人同士の話合いで解決する場合もある

個人商店や株式会社の相続もそうですが、特定の相続人に事業を単独相続させる場合、最大の問題は他の相続人に対する配慮と応分の経済的な手当です。その配慮と手当がないと、遺産相続をめぐってトラブルが起こり、時には泥沼の争いになりかねません。これは、農業の相続の場合も同じです。

後継者に農地全部を譲りたいという被相続人は、他の相続人に対し、たとえわずかずつでも農地以外の資産を残し、遺留分を侵害される相続人の気持ちを和らげる努力はしてほしいものです。絶対とは言えませんが、その配慮と手当があれば相続人の多くは納得してくれるのではないでしょうか。なお、単独相続する後継者が、それぞれの侵害分を分割で支払うなどの負担付遺言も、トラブル防止に役立つ方法の一つです。

もっとも、どんなに効果的な対策を講じても、被相続人の死後、遺産をめぐって相続人同士がモメることは少なくありません。その一方で、遺言などなくても、相続人が被相続人の意思を汲み、農業の後継者が農地全部を相続するという遺産分割協議ができることもあり得ます。その意味では、日頃から相続人をまじえ、自分の死後の財産処分や身分関係の処理について相談し、話し合っておくことが大事かもしれません。

◆遺言の書き方Q&A

Q1・遺言で永久に遺産分割を禁止したいが

残念ながら、法律上は相続開始後5年以内の範囲でしか、遺産の分割を禁止することはできません（民法908条）。それ以上の期間、または永久に禁止すると遺言しても、5年を経過した後はその遺言による禁止の効力はなくなります。

ただし、相続人が遺言者の意思を尊重してくれることもあるので、一応永久禁止の遺言をしておくといいでしょう。共有のまま5年ごとに相続人全員で分割禁止の合意を更新すれば、理論上は永久に禁止もできるからです。

Q2・遺言書の無効を主張したいが

遺言者の相続人や利害関係人は、遺言書の無効を主張する場合、裁判所に遺言無効確認の調停や訴訟（裁判）を起こさなければなりません。

ただし、遺言をめぐるトラブルは、家庭に関する事件（家事事件という）なので、いきなり裁判にすることはできません。裁判の前に、まず家庭裁判所に調停を申し立てることになっています（調停前置主義という）。

また、このトラブルは当然、遺言者の死後に起こるものなので、訴訟の相手は通常、相続人全員か、その遺言を有効と主張する人です。

なお、遺言の無効とは、ニセ物か本物かという争いだけでなく、遺言者本人が作成したものであっても、争われることがあります。

たとえば、遺言方式の違反とか、錯誤や強迫による遺言とか、あるいは遺言内容そのものが無効というような争いです。

当然、遺言の一部が無効という争いもあり、その場合には、遺言の他の部分は有効となります。

Q3・遺言で指定された財産がなくなっていたが

遺言書には「○○に××の土地を与える」とあるのに、相続開始時点では、その土地はすでに被相続人のものではなくなっていたということがあります。これは、大概の場合、遺言者が遺言書を作成した後で、その土地を処分してしまったということです。

この場合、遺言のその部分については、生前処分による遺言の撤回があったこととなり、その遺言は最初からなかったことになります（民法1023条2項）。

なお、その土地をもらえる予定だった相続人（または受遺者）は、代わりに他の財産を寄越せと請求することはできません。

ただし、金銭の遺贈については、

現金がなくても遺贈の効力があると認められることもあります。

Q4・指定した相続人が死んだが

遺言書が書かれた後で、相続人や受遺者が遺言者よりも先に死亡することがあります。この場合、第1順位の相続人が死亡しても、遺言書の相続分の指定は無効となりません。というのは、配偶者が死亡すれば血族がその相続分も相続しますし、血族の死亡では代襲相続や次順位の相続人が相続します。財産の受取人が変わるだけです。

しかし、遺贈の場合には、受遺者が遺言者より先に死亡すると、その効力はなくなってしまいます。そして、遺贈される予定だった相続財産については、他の相続人が相続分に応じて受け取れます。なお、遺言者は、相続人が死亡した場合の処理方法を別に定めることもできます。

Q5・遺言書の文字が読めないときは

遺言書の文字が墨で真っ黒に塗りつぶされ、まったく読めないという場合には、その遺言書は無効です。

しかし、癖字だったり、達筆過ぎて文字が読めないという場合もあります。この場合には、裁判所や専門家に鑑定を依頼して、文字を判読してもらえばいいでしょう。

Q6・ビデオの遺言書は有効か

法律上、遺言とは認められません。民法の遺言方式に違反するからです。

しかし、遺言内容に不明な点があれば確認し、直せるなど、ビデオを取っておくと役に立つことも少なくありません。また、本人の自由な意思で遺言が作られたかどうかもわかりますから、後日、相続人間で起きやすい遺言の真偽をめぐるトラブルを防ぐ材料にはなります。

Q7・遺言者の署名捺印のない遺言書が出てきたが

自筆証書遺言と秘密証書遺言は、遺言者の署名押印がないと無効です。

ただし、ハンが押してなくても、また遺言書にはハンは押されてないが入っていた封書にハンがあるという場合に、遺言を有効とした判例もあります。

なお、公正証書遺言も、署名押印がないと、原則、無効です。

Q8・無理やり書かされた遺言書は

遺言者の意思によらない遺言は無効です。この場合、遺言を無理やり書かせた相続人や受遺者は相続欠格となり、被相続人の遺産をもらう権利を失います（民法891条4号）。

なお、その後、別の遺言を書き直せば、無理やり書かされた遺言は撤回されたことになるのです。

PART 3

遺産の相続手続きとトラブル解決法

損をしないよう上手に相続財産を受け取ろう

◆イザ遺産を受け取るに際しては、いろいろ疑問点が出てきます。一口に財産といっても、現金、不動産の類から著作権のようなものまで様々で、それを現実にどう分けるかについても、遺族の間で一騒ぎです。

◆遺産分けをめぐり、遺族間で紛争が勃発するのは避けたいところ。上手な遺産分割の仕方、遺言状の取扱い…本章では、遺産を受け取る側の必須知識を解説します。

何を・どのように相続すればよいのか

相続財産の承継手続きと各種の問題点

◆遺産を相続する人（相続人）は、遺産のプラスとマイナス（借金など）を勘定して損のないように受け取ることができます。マイナスが多い場合は、相続放棄などの手段があります。

●遺産を相続するかどうかについての考え方

＊相続放棄・限定承認といった方法により、債務（借金）の相続を回避することができます。

相続財産

プラスの財産

現金・預貯金、不動産、宝石、絵画・彫刻等の美術品その他の動産、手形・小切手、株式、損害賠償請求権・貸金債権などの債権等

マイナスの財産

借金、保証人としての立場、売り主としての責任（契約不適合責任）、不動産の賃借人の立場等

いずれが多いかを調査する

プラスの財産が多い

相続放棄も限定承認もしなければ自動的に単純承認となる

どちらが多いか不明

マイナスの財産が多い

■相続財産はもらえば得するもの（プラス財産）だけではない

法律上の相続財産は得するものばかりではなく、もらえば損をするもの（マイナス財産）もあります。亡くなった方（被相続人）が借金をしていたり、他人の連帯保証人になっていたときには、相続人は、その借金や連帯保証人としての立場も引き継ぎます。

■相続が起こった場合

まず、故人の財産を調査し、もれているものはないか確認しなければなりません。預貯金などは、通帳で分かるでしょう。また不動産などは、故人名義であれば固定資産税が課税されますから、税務署からの通知書で確認できます。

そして、自分が相続して得する財産と、損をする財産とを計算して、損すると思ったら、自分に相続が開始したことを知ったときから3か月以内に家庭裁判所に相続放棄の申述をすることができます。それで初めから相続人ではなかったことになり、得もない代わりに損もありません。

■相続することが損か得か分からない

財産目録を作成して、相続が開始したことを知った日から3か月以内に相続人全員で家庭裁判所に限定承認の申述をします。この期間伸長することができます。限定承認は、引き継いだプラスの財産の範囲内で、借金返済などの義務を負うだけで、残りがあれば相続できます。

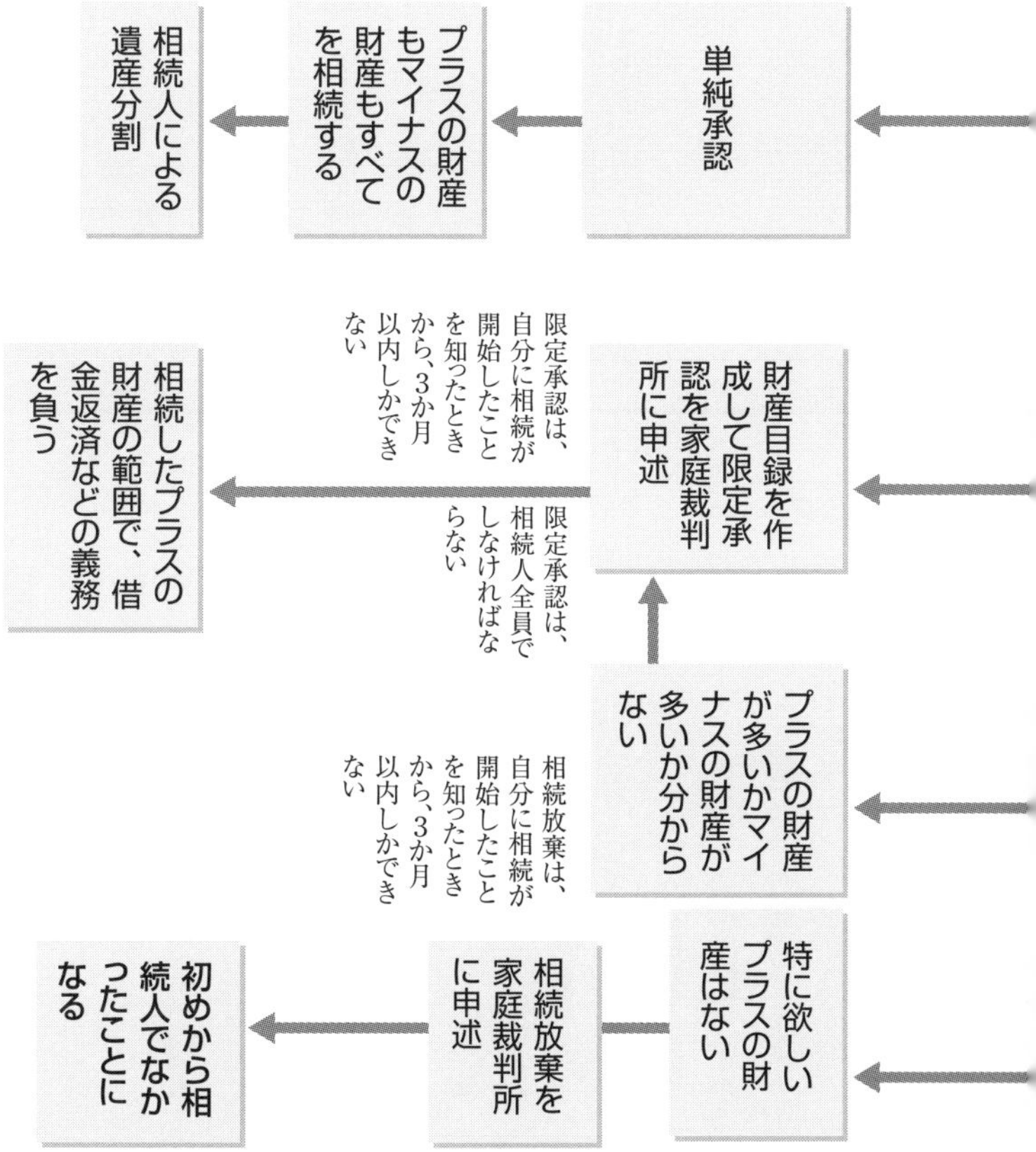

単純承認
プラスの財産もマイナスの財産もすべてを相続する
相続人による遺産分割
財産目録を作成して限定承認を家庭裁判所に申述
限定承認は、自分に相続が開始したことを知ったときから、3か月以内しかできない
限定承認は、相続人全員でしなければならない
相続したプラスの財産の範囲で、借金返済などの義務を負う
プラスの財産が多いかマイナスの財産が多いか分からない
相続放棄は、自分に相続が開始したことを知ったときから、3か月以内しかできない
特に欲しいプラスの財産はない
相続放棄を家庭裁判所に申述
初めから相続人でなかったことになる

■相続放棄も限定承認もしないで放っておくと、単純承認といって、故人が持っていたプラスの財産とともに、借金などのマイナスの財産も、そのすべてを引き継ぐことになってしまいます。

何も知らずに相続したことによって、多大な借金を背負うこともあり得るのです。このように、一口に相続といっても、その状況によっていくつかの方法を選択することが認められています。故人が残した財産の中身によって、自分に最も有利な方法を選択することができるのです。

相続財産の承継と問題点
1

■相続財産の評価

相続財産にはどんなものがありその評価はどうするか

▼遺産には、不動産・動産・債権などがある

相続財産となるものは

相続財産に含まれるのは、物や金銭に限りません。さまざまな権利や、借金などの債務も相続財産です。また、保証人としての地位・立場なども相続財産に含まれます。逆に亡くなった方たちの遺骨や、祭祀財産と呼ばれる仏壇仏具などは相続財産には含まれません。

相続財産は、一定額を超えた場合には相続税の課税額を決定するために、一定の評価がされますが、この税法上の評価とは別に、遺産分割に際しても一定の評価をすることになります。遺産分割協議の際には、相続人のうちの誰が、どれだけの遺産を相続するかが問題になります。その際に、個々の遺産をできるだけ正確に評価する必要があるのです。

この場合の評価には、一応の基準はありますが、相続人全員が認めればどのような評価をしてもかまいません（税務評価は別）。ここでは一応の評価の基準を示してみましょう。

不動産の評価はどうなっているか

不動産とは、土地とその土地上に建っている建物などをいいます。不動産が相続財産に含まれることは、説明の必要もないでしょう。そして土地と、その土地上に建っている建物とは別個の不動産であることに注意が必要です。また土地上の樹木などは土地の一部として相続財産になりますが、特別に登記などの手続をすることによって、土地とは別個の相続財産とすることもできます。

遺産分割の際には、土地・建物については時価で評価します。時価とは、その不動産の取引価額のことです。近所で同様の不動産が売買された場合には、その売買価額が参考になります。また、土地は国土庁が発表する公示価格から推測することもできます。なお、固定資産税の課税標準価額は、通常、時価に比べて低

主要な相続財産と評価

財産の種類	評価の方法	
土地・建物	時価（実際の取引価格）で評価する。ただし、農地や山林で、宅地に転用される可能性が高い場合は、宅地見込地として評価する	※118・150ページ参照
借地権	その土地の更地としての評価額に借地権割合を掛ける	※120・151ページ参照
上場株式	証券取引所の終値などによる	※120・157ページ参照
非上場株式	大会社は、類似業種比準価額方式 中会社は、類似業種比準価額方式と純資産価額方式の併用 小会社は、純資産価額方式	※120・157ページ参照
家具・什器	売却した場合の価格で評価	※120・156ページ参照
書画・骨董	市場取引価額	※120・156ページ参照
自動車・機械器具類・商品	売却した場合の価格で評価	※120・156ページ参照

くなりますし、相続税を算定する際の路線価（税務署所轄・公示価格の約八割）も、時価よりも低く参考程度でしょう。建物については、それほど高い評価はされません。中古の木造であればなおさらです。

相続人間で話合いがつかないときには、不動産鑑定士に鑑定を依頼することになりますが、鑑定士の判断も人によって違いがあることもあります。複数の鑑定士に依頼して平均値をとるなどの調整が必要な場合もあります。

これらのことは宅地に限らず、農地や山林でも同じです。ただし、農地や山林の場合には、宅地に転用される見込みが強いときは、宅地見込み地としての評価が必要になります。

なお、注意が必要なのは評価の際の面積です。登記簿に記載されている面積は実際の面積とは異なる場合がありますから、実測面積を調査して評価するべきです。

借地・借家の評価はどうなっているか

借地借家法上は、借地権とは建物を建てる目的の、賃借権か地上権のことを言います。そして借家権とは、建物の賃借権のことです。これらの権利は原則として相続財産に含まれます。相続人はこれらの権利を相続して借地人や借家人となるのです。

無償で土地などを借りている場合の権利は使用借権と言われ、通常、相続財産には含まれませんが、利用権の安定度（期間など）次第では、何割かで評価すべき場合もあります。

借地権の評価方法は、その借地権の目的となっている土地（更地）価格に借地権割合（都市部では土地の価格の70％とか80％）をかけた額が基準になります。借地権や借家権の評価は、その土地や建物が所在する地域によって違いますから、不動産鑑定士に鑑定を依頼するのもよいでしょう。なお、借地借家契約を解除すれば相続財産の対象から外れます（立退料などの収入があれば分割）。

動産の評価はどうなっているか

不動産以外のすべての物を動産といい、動産も相続財産です。

宝石や家財道具、時計、美術品などさまざまなものがあります。中には特殊な評価の対象となる物もありますが、一般的には遺産分割時に新品あるいは中古品として調達する際の金額で評価されることになります。

自動車や機械器具などは売却した場合の価額によるべきでしょう。

骨董品や書画などはその取引価格で評価します。ただし、美術品などの評価はかなり難しいものがありますから、もめるようなら専門家の鑑定を求めた方がよいでしょう。

株式その他有価証券の評価はどうなっているか

株式、手形、小切手、公社債なども相続財産です。

遺産分割における上場株式の評価は、分割時の証券取引所の株価によるとよいでしょう。相続税法上は、その株式が上場されている証券取引所が被相続人の死亡の日に公表した終値、相続開始日の月以前3か月中の平均株価のうち一番安い価額で評価します。

非上場の場合には、その株式を発行した会社の規模などによって評価が異なります。少々複雑ですから専門家に相談するべきです。

手形は、支払い期限の到来しているものや、6か月以内に期限が到来するものは券面額で評価し、これ以外のものついては銀行等で割引した際に回収できる金額で評価します。

相続財産の承継と問題点 2

不動産の相続に関する問題点とトラブル

▼相続では、不動産の扱いが最も重要で難しい

■不動産の相続

■相続に関するトラブルが最も多い資産は不動産です。金額的に、相続財産の中では大きな割合を占めています。また、相続財産の土地や建物に、相続人のうちの1人が居住しているなど、問題が複雑な場合も多く、トラブルの種は尽きません（相続法改正で、配偶者居住権や婚姻期間が20年を超える夫婦間の居住用建物の贈与の特例など配偶者に有利な制度ができた。66ページ参照）。

住宅ローン付不動産の相続

銀行の住宅ローンには通常、団体信用生命保険が付いていて、借主が死亡した場合には融資残高は保険金で決済され、ローンは終了します。そのため、相続人はローン残高の支払いに追われることはありません。

しかし、保険付でない場合には、相続人はローンの支払義務も他の相続財産とあわせて相続します。この場合には、名義書換をしてローンの返済を継続するか、残債務の返済をしなければなりません。

農地を相続人の1人だけに相続させる場合

農地の分割を防ぐために、農業を受け継ぐ者にだけ農地を譲りたいという場合には、生前贈与という方法があります。しかし、死亡前1年以内の生前贈与は、他の相続人の遺留分（49ページ参照）を侵害する場合、遺留分侵害額に相当する金額の支払いを請求されること（遺留分侵害額の請求）があります。

なお、贈与には通常、高率の贈与税がかかりますが、農地は評価額自体が低いので、あまり問題にならないでしょう。

農業従事者への農地の贈与には、納税猶予措置があります。他にも生前に会社を設立し、農地や農業機械などを現物出資して、農業生産法人とする方法があります。この場合は、その会社の出資持分が相続財産となり、農地自体の分割は避けられます。

もう一つ、遺言による方法もあります。遺言は被相続人の最後の意思ですから、相続人に対する心理的な圧迫はかなりあります。ただし、この場合でも各相続人には遺留分があり、遺留分を侵害すると、他の相続人は遺留分侵害額の請求ができます。

いずれの方法も、他の相続人の遺留分を侵害する場合には、あらかじめ他の相続人との間で交渉して、家庭裁判所から遺留分放棄の許可を受けておくべきでしょう。

抵当権付の土地建物の相続

相続した不動産に抵当権が設定されている場合には、以下の2つの場合が考えられます。

1つは、被相続人自身が借金をして、その担保として抵当権を設定した場合です。この場合には、相続人はその借金も引き継ぎますから、債務者として支払義務を負います。

もう1つは、他人の借金を担保するために被相続人が抵当権を設定していた場合です（物上保証人）。この場合には、相続人は物上保証人の立場を引き継ぐだけですから、借金を支払う義務はありません。ただし、債務者が債務を支払わない場合には、その不動産は競売にかけられます。

なお、債務者の地位を同時に相続する場合で、設定されているのが根抵当権だと要注意です。根抵当権は事業に関連して設定されることが多いのですが、相続と同時に被相続人の事業を継続して引き継ぐ場合に問題が起こります。

つまり根抵当権が設定されている不動産について相続が生じると、相続開始前の債務だけを担保するのか、相続人が事業を引き継いだ後に発生する債務も担保するのか決定しなければなりません。この問題に関して民法は、相続開始後の債務も担保するのなら、相続開始後6か月以内にその旨の合意および登記が必要としています（398条の8）。

借地権・借家権の相続

①相続と地主／家主からの明渡請求

借地権や借家権も相続財産に含まれます。したがって相続人は、借地権や借家権を引き継ぎ、借地人、借家人となります。

借地人や借家人が死亡した場合、地主や家主が、契約をした本人が死亡したことを理由に、相続人に対して土地や家屋が明渡しを求めてくることがあります。

しかし、相続には地主や家主の承諾などは不要ですから、地主や家主から明渡の請求がされた場合でも、その請求を拒否することができます。また、名義書換料の請求があっても支払う必要はありません。

②公営住宅の借家権の相続

公営住宅の場合は例外です。公営住宅の使用権は公法上のもので、その相続を認めると、入居資格を満たさない相続人が入居できることになるからです。最高裁は平成2年10月18日の判決で、公営住宅の使用権は相続財産には含まれないと判断しました。ただし、死亡した入居者の同居の親族は各地方自治体の条例に従って手続をすることで、使用権の承継が認められるのが普通です。

③内縁の妻／内縁の養子と借家権

内縁関係の妻や内縁関係の養子は相続人にはなれません。しかし、借地借家法の規定によって、内縁関係であっても一定の要件を満たせば、借家権を引き継ぐことになります。

その要件は、①借家が居住用のもので、②賃借人が相続人なしに死亡、③事実上の夫婦または養親子関係にあって同居していることです。

借家権は、内縁関係でも引き継ぐことが認められていますが、借地権では認められません。

相続財産に含まれる	相続財産ではない
土地	公営住宅の借家権
建物	一定範囲の墓の敷地
借地権	
民間の借家権	

★相続人の1人が、被相続人の土地を借りて家を建てて住んでいたが、他の相続人から明渡を請求された場合

この場合には、賃料を支払って借りていたか、無償で借りていたかによって結論は変わってきます。

賃料を支払って借りていた場合には、借りていた人は賃借権を取得しています。地域によって違いますが、東京地区では、住宅地の賃借権者は、その土地が更地である場合の約70%の権利を持っていると評価されます。したがって借りている土地の70%が賃借権者の権利と考えてよいのです。そして残りの30%が共同相続人全員に帰属し、遺産分割の対象となります。

これに対して無償で借りる契約を使用貸借契約といって、普通は貸主の好意によって締結される契約です。したがって借主にあまり強い権利は認められず、賃借権のように更地価格の何割という評価は決まっていません。また使用貸借における借主の権利は無償で得た権利ですから、被相続人からの贈与と同じに考えられ、この権利も相続財産の中に含めることになります。結果として土地は更地として評価され、相続人全員に帰属し、遺産分割がなされます。

そして使用借権者は、その土地の価額が自分の相続分を超える場合には、超える部分については他の相続人に金銭で支払って土地の所有権を取得するか、遺産分割協議で他の相続人を説得するかしかありません。

相続財産の承継と問題点 3

生命保険金・死亡退職金・損害賠償請求権の相続と問題点

■生命保険金・死亡退職金など

▼相続財産となるか、個人の財産になるのか要注意

■人の財産は、死亡したときに持っていた財産だけではありません。死亡によって得られる財産もあります。生命保険金や死亡退職金は、死亡という事実があってはじめて請求権が発生します。また事故によって死亡した場合には、加害者に対して損害賠償請求権が発生します。これらも相続財産です。

生命保険金の相続の問題点

生命保険に加入していれば、死亡によって保険金が支払われます。保険金は額が大きな場合が多く、これが相続財産に含まれるかどうかは、相続人にとっては大きな問題です。生命保険金が相続財産かどうかは、受取人が誰になっているかで変わってきます。

被相続人が自分を受取人として契約し、他の保険受取人を指定していなかった場合は、被相続人の死亡によって相続人は保険金請求権を取得します。この請求権は被相続人の相続財産に含まれ、相続人が、他の相続財産と併せて相続します。

被相続人が、相続人の誰かを受取人に指定していた場合は、生命保険金請求権は受取人に指定された者の固有の権利ですから、相続財産には含まれません。したがって相続とは無関係に、指定された者が請求し、受け取ることができます。ただし、生命保険金の受領が著しく不公平となる場合は特別受益（58ページ参照）となるというのが最高裁の判

〔生命保険と受取人の指定〕

受取人の指定	扱い
特定の誰かを受取人に指定した場合	受取人の固有の権利で相続財産にはならない
受取人をただ「相続人」と指定した場合	相続財産ではないが相続分に応じて分割
被相続人が受取人になっている場合	相続財産として遺産分割の対象となる
指定された受取人が死亡している場合	受取人の相続人が相続する。ただし、受取人の指定変更ができる

例です。

相続放棄をした者は生命保険金も受け取れないのかという問題もあります。前述のように受取人が誰かによって、生命保険金が相続財産に含まれるかどうかが違ってきます。相続財産に含まれる場合には、相続放棄をした者は、保険金を相続することはできません。しかし、相続財産ではなく、受取人固有の権利となる場合には、相続放棄とは無関係に受け取ることができます。

死亡退職金と相続の問題点

死亡退職金とは、労働者が在職中に死亡した場合に使用者から給付される金銭です。これは、死亡当時その者と生活を共にして、その収入によって生活を維持していた者の、その後の生活を保障するために支給されるものです。会社の就業規則などで定めがある場合や、慣行として支払われている場合には、労働者の遺族は支給を請求することができます。

死亡退職金に関して問題になるのは、内縁の妻など、法定相続人以外の者が、死亡退職金を受け取ることができるかどうかです。これは死亡退職金が相続財産に含まれるかどうかという問題に関係します。

死亡退職金が相続財産に含まれるかどうかは、受取人の指定があるかないかで違ってきます。

会社の就業規則などで受取人が定められていない場合には、退職金の請求権は死亡した本人が取得し、その請求権を相続財産として相続人が相続することになります。

これに対して就業規則などで受取人の指定がある場合には、相続財産には含まれず、指定された者が自分の権利として請求することができます。ただし、相続人の中の誰かが受取人として指定されている場合には、公平の見地から、指定によって受け取った退職金の額を特別受益分（58ページ参照）として考慮するという考え方もあります。

就業規則などで受取人の指定がある場合には、普通は第1順位の受取人を配偶者としています。この場合の配偶者に法律上の婚姻届を提出していない者、いわゆる内縁の妻が含まれるかどうかの問題があります。

国家公務員退職手当法は、配偶者に内縁関係も含むと定めています。民間の企業でも同様の定めをするところが増えています。このような定めがある場合には、内縁の妻も受取人になれます。したがって、この場合、死亡した者の子どもなどの相続人からの返還請求があっても応じる必要はありません。

事故死の損害賠償請求権と相続の問題点

事故による死亡で、相続が開始することがあります。

事故によって損害を被った被害者は、加害者に対して損害賠償請求権を取得します。これは被害者が死亡した場合も同じです。死亡と同時に被害者本人が損害賠償請求権を取得し、この請求権を相続人が相続することになります。

つまり事故死の場合には、被害者本人が持っていたさまざまな財産に加えて、事故によって故人が得た損害賠償請求権が遺産に加わることになるのです。

また、事故では、死者の親族に対してその精神的損害に対する賠償（慰謝料）として支払われる金銭があります。被相続人の慰謝料請求権は相続の対象ですが、相続人に対する固有の慰謝料は相続財産ではなく、遺産分割の対象とはなりません。

損害賠償の請求は、相続人が本人に代わって行うことになります。ただし、本人は死亡しているため、事故の状況がわからない上に、損害額も逸失利益（生きていたら得られたであろう将来の利益）や慰謝料が主です。その計算は複雑で、解決には長時間を要します。そこで、遺産分割の際は、他の部分の遺産分けを先に行い（一部分割）、損害賠償は後日の分割協議とするか、損害賠償額の分割を誰が何%と、各相続人の割合だけ定めておけばいいでしょう。

なお、事故などの不法行為による損害賠償請求権の消滅時効期間は、損害および加害者を知ったときから3年（人の生命・身体を害する行為は5年。民法724条の2）です。遺産分割協議に手間取り、時効を成立させないよう注意が必要です。

★死亡時間の違いで相続が変わる

【事例1】 祖父と父が交通事故で亡くなり、妻（配偶者）子一人が相続人の場合を考えてみましょう。

この場合、交通事故で祖父が1秒でも早く死亡したと判明すれば、祖父の遺産をその子（父）が相続分に応じて相続し、その遺産と併せて妻と子がそれぞれ2分の1ずつ相続します。

父が先に死亡したのであれば、父の遺産は妻と子がそれぞれ2分の1ずつ相続し、祖父の遺産は父に代わって子が相続（代襲相続）します。

同時死亡と推定された場合は、祖父と父との間には相続は起きないので、祖父が先に死亡したのと同じ結果です。つまり、父の遺産は妻と子がそれぞれ2分の1ずつ相続し、祖父の遺産は子が代襲相続します。妻には、祖父の遺産についての相続はないのです。

【事例2】 生命保険の受取人の方が、保険契約者よりも先に死亡することもあります。そのまま放っておいて、後に保険契約者が死亡したら、受取人として指定されていた者の相続人がその保険金請求権を相続することになります。それが嫌であれば、受取人の死亡を知ったら速やかに、受取人の指定の変更をするべきでしょう。

相続財産の承継と問題点 4

■事業の相続など

事業や特許権・著作権などその他の財産の相続と問題点

▼相続人間でもめるようなら、調停・審判の申立も考える

■これまでに述べたものだけではなく、他にも相続財産となるものがあります。ここではその他のさまざまな相続財産について、個別にトラブルと解決法をみてみましょう。

事業そのものを相続することはできないか

個人事業の場合には、その事業に使用している土地や建物が被相続人の所有であれば、その土地・建物は相続の対象になり、在庫品などの商品も相続の対象になります。また、商標を登録している場合には、その登録商標は相続財産に含まれます。

この他にも、個人商店の場合などは、いわゆる「のれん」の相続の問題があります。「のれん」とは、営業を継続している間に自然に生まれてくる信用や評価をいいます。このれんも、経済的価値のあるものとして取引の対象となっており、相続財産に含まれます。これは営業権とでも考えるべきでしょう。

また、被相続人が会社を経営していた場合には、その株主（出資者）としての権利が相続の対象になります。ただし、合同・合名会社の社員の地位や、合資会社の無限責任社員の地位は、定款に定めがない限り相続の対象にはなりません。地位の相続ができない場合、持分（出資金）の払戻請求権を相続します。

遺族年金・遺族扶助料を他の相続人がよこせといってきた

会社員や公務員などで公的年金に加入している者が死亡したときは、遺族に対して遺族年金や遺族扶助料が支給されることがあります。また、労働者が業務上の災害や通勤災害によって死亡した場合には、労働者災害補償保険法や公務員災害補償法などにより、遺族補償給付が支給されることがあります。

遺族年金は、死亡した人が自分の財産の中から積み立てたものです。これに対して遺族扶助料は残された者の生活の保障としての意味があり、

その性質には違いがあります。しかし、これらの給付金を請求する権利は、それぞれの法律によって受取人が指定され、その受取人自身の権利として認められている点では同じです。両者とも相続財産とは別個の財産と考えるべきで、他の相続人が権利を主張しても、受取人自身の権利ですから拒絶することができます。

被相続人が特許権・著作権を持っていた場合の相続

被相続人が特許権や実用新案権、意匠権、商標権または、著作権などを持っていた場合には、これらの権利も相続財産です。

ただし、これらの権利を相続する場合には、一定の手続が必要です。特許権、実用新案権、意匠権、商標権を相続する場合には、特許庁長官への届出が必要です。出願手続中の権利も同じです。ただし、出願中の場合には、権利者の死亡で出願手続きが中断しますから、相続により手続きを受け継ぐ申立てが必要です。

これらの権利は存続期間が定められており、登録料の納付をしなければ消滅してしまいます。この点は調査が必要です。特許権等の専門家である弁理士に依頼すれば簡単です。

著作権は1人の相続人が相続する場合には届出は不要ですが、相続人が複数いると、法定相続分を超える部分は文化庁に移転登録していない場合、第三者に対抗できません。

被相続人が起こした裁判を相続できるのか

民事訴訟で原告や被告が死亡すると、裁判手続きは中断します。ただし、弁護士などの訴訟代理人を依頼して裁判を行っている場合には訴訟は継続します。いずれの場合でも訴訟を引き継ぐなら、死亡から3か月経過後に、相続人が裁判を引き継ぐことを申し立てなければなりません（受継の申立て）。受継の申立には裁判の事件番号、原告名、被告名と相続人の戸籍謄本（戸籍の全部事項証明書）が必要です。

なお、相続放棄をした場合には、裁判を引き継ぐことはありません。

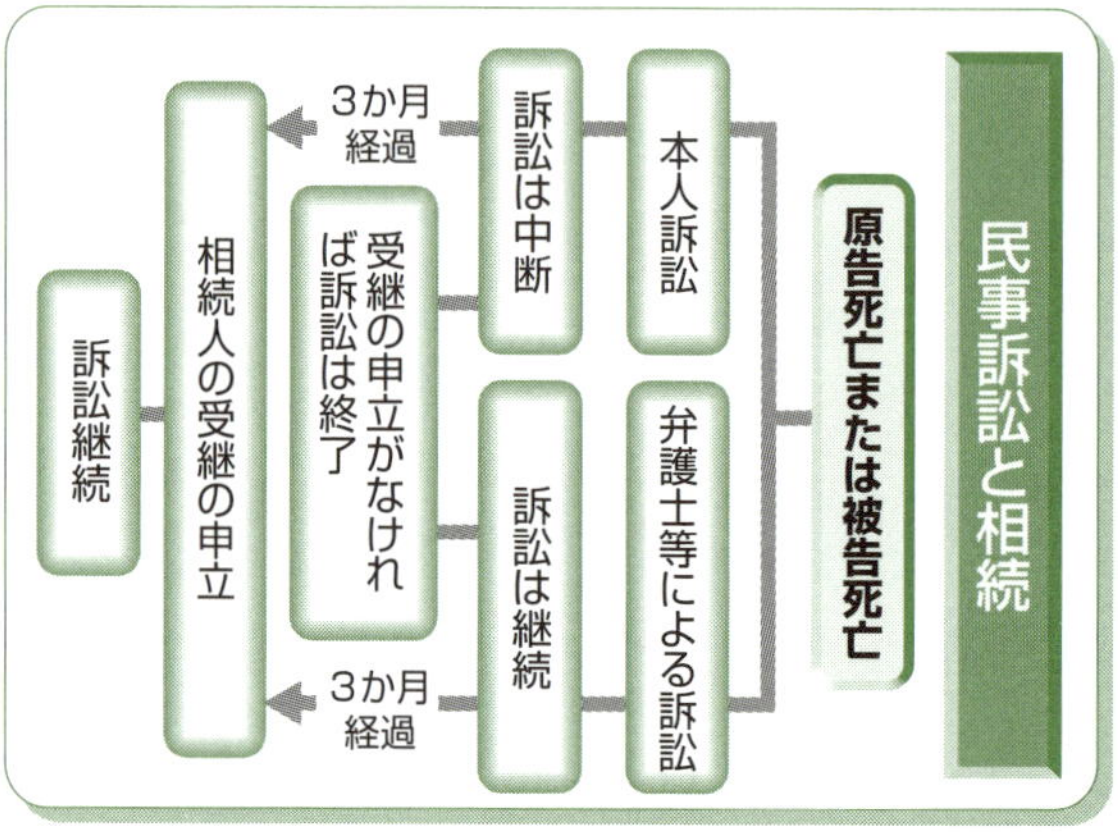

これに対して一般の民事訴訟ではなく、親子や夫婦間の家庭のトラブルに関する訴訟（身分訴訟）の場合で原告または被告が死亡したときには、扱いが違います。嫡出否認の訴えのように一定の者が引き継ぐ場合と、離婚訴訟のように死亡により訴訟が終了する場合、そして検察官が引き継ぐ場合があります。

自動車、衣類、装飾品など、身の回りの財産の相続

自動車も相続財産に含まれます。

自動車はすべて陸運局に登録されています。不動産の登記と同じで、売買や相続などで所有権が移転した場合には、移転の登録をしなければなりません。申請期間は道路運送車両法によって15日以内と定められています。相続によって移転の登録をする場合は、相続人の戸籍謄本（全部事項証明書）、被相続人の戸籍謄本（除籍謄本）、遺産分割協議書などが必要です。

亡くなった方の衣類なども相続財産です。取引の対象にならないような衣類については、相続財産というよりも思い出として「形見分け」の対象とすることが多いようです。形見分けであれば、相続人だけでなく他の血縁関係の者や友人などにも分けることがあります。しかし、価値が高く取引の対象となるような衣類の場合には相続財産に含まれ、形見分けの対象にならないとした判例がありますので注意が必要です。

★形見分けと遺産の処分

形見分けとは、死者の愛用していた衣類や所有品を、親族や友人に分けることで、慣習として行われているもので、法律上の根拠はなく相続の問題ではありません。

形見分けで争いになるのは、それが相続財産の処分なのか、単なる形見分けなのかの区別です。形見分けとして財産を処分したつもりでも、それが相続財産の処分とみなされてその後に相続放棄をしようとしても認められないことがあります。相続財産を処分した場合には、単純承認とみなされてしまうからです。

形見分けかどうかの区別は、判例ではその財産が市場取引の対象となる価値があるかどうかで判断されています。したがって、故人が愛用した衣類や万年筆、特別高価でない時計などで、親子や親族の情愛の発露といえるような主観的価値が主とみられるものであれば、財産の処分とはいえないでしょう。

しかし、美術品や骨董類、宝石などで市場取引の対象となりうるものは要注意です。このようなものは、いくら故人が生前に「自分が死んだら、誰々に形見としてやる」といっていたとしても、安易に分け与えるべきではありません。

判例にも、形見分けとして与えた衣類について、市場取引の対象となるものであれば、財産処分にあたるとしたものがあります。

相続財産の承継と問題点 5

借金がある場合の相続の問題点

■借金・連帯保証など

▼借金だけでなく、被相続人が保証人になっていた場合も注意する

■相続の対象となる財産は、引き継いで得をするものだけではありません。借金や保証人の立場のような、マイナスの財産も対象になります。

相続財産のうち、プラスの財産（資産）よりもマイナスの財産（負債）の方が多い場合には、相続を放棄して資産も負債も引き継がないとすることができます。また、限定承認という方法で、引き継いだ資産の範囲でしか負債を支払わないこともできます。なお、破産法には相続財産破産の規定もあります（解説省略）。

借金が多い時の相続はどうする

相続とは、強制的に相続人に遺産を引き継がせるものではありません。相続人が相続したくなければ、一切相続しない方法もあります。これが**相続放棄**です。また、相続したプラスの財産の範囲でだけ借金を支払う義務を負う**限定承認**という方法もあります。借金が多いことが明らかであれば、相続放棄をすればよいのです。相続放棄は、自分に相続が開始したことを知ったときから3か月以内（熟慮期間）に、家庭裁判所に申述して行います。この熟慮期間は家庭裁判所に申し出て延長してもらうこともできます。

なお、相続放棄は現実に相続が開始してからしかできません。被相続人の生前に、相続放棄をする旨を、他の相続人などに対して表示していてもこの意思表示は無効です。

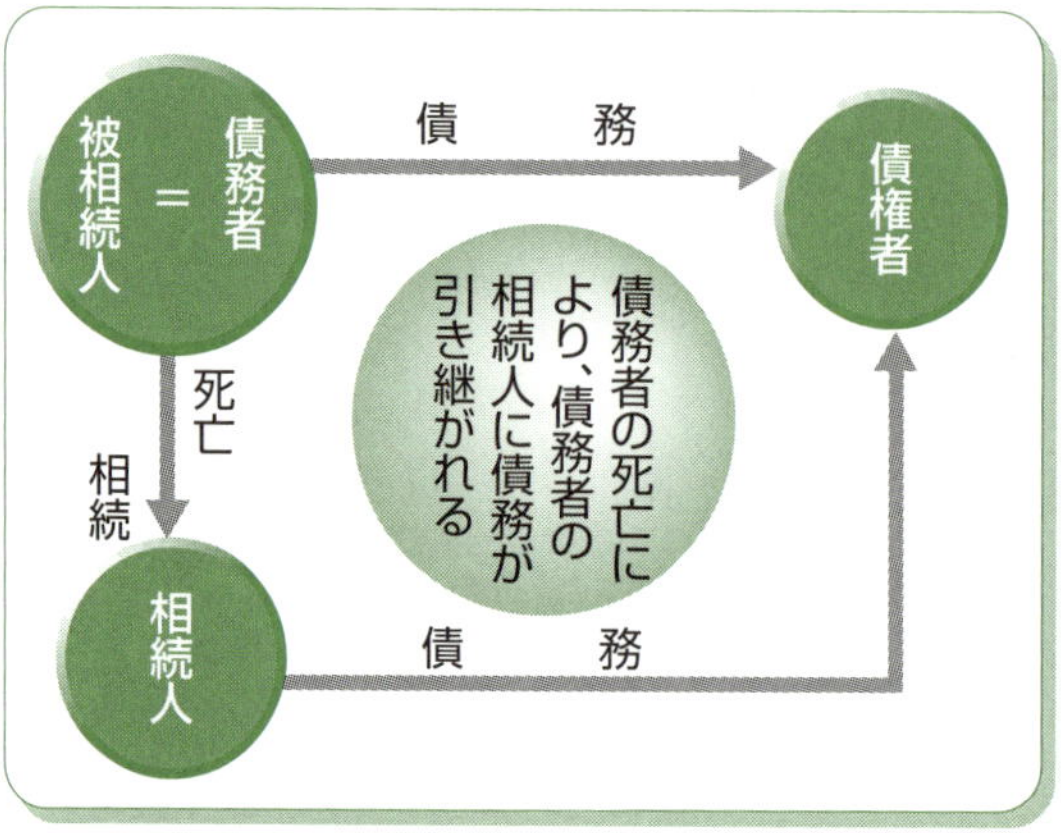

相続放棄をすると、相続人は借金を受け継がないで済むかわりに、プラスの財産も相続できません。プラスの財産は受け継ぎたいという場合には限定承認という方法があります。限定承認をすれば、プラスの財産と一緒に借金も受け継ぎますが、借金の支払いについてはプラスの財産の限度でしか支払義務を負いません（民法922条）。

限定承認をするには、自分に相続が開始したことを知ったときから3か月以内に財産目録を作成して、家庭裁判所に申述して行います。

ただし、共同相続人がいる場合の限定承認は共同相続人が全員で行わなければなりません（民法923条）。

相続を承認した後に分かった借金はどうなる

前述のように、借金の方が多いことが分かっていれば、相続放棄や限定承認をすればよいのですが、相続放棄や限定承認は自分のために相続の開始があったことを知ったときから3か月以内（熟慮期間）でなければできません。この期間内に相続放棄や限定承認の手続きをとらなければ、相続を承認したものとみなされてしまいます（単純承認）。ただし、この期間は家庭裁判所に申し立てて伸長してもらえます。

悪質な債権者の中には、債務者が死亡しても、熟慮期間が経過するまで待って、相続人に督促してくる者がいます。特に被相続人が保証人になっていた場合、相続人が気付かないことが多く、問題になりがちです。

このような場合に判例は、「自分のために相続の開始があったことを知ったとき」とは、被相続人の死亡を知ったときではなく、自分が法律上の相続人となったことを知ったときを言い、3か月以内に相続放棄をしなかったのが、被相続人に相続財産が全くないと信じたためであり、そう信じるについて相当の理由があると認められるときは、借金を含む相続財産の全部または一部の存在を認識したときから熟慮期間（3か月）は起算する、としています。したがってこのような場合には、借金の存在を知ったときから3か月の間は、相続放棄をすることができる可能性があります（申立書にその事情を書く）。

連帯保証人の地位は相続するのか

保証人とは、債務者が借金を払えない場合に、債務者に代わって支払義務を負うことを約束した者を言います。保証人は連帯保証人とされることがほとんどで、連帯保証人は普通の保証人と違って、債務者に支払の資力がある場合でも、債務者より先に支払の請求や強制執行をされても文句はいえません。

　亡くなった方が誰かの連帯保証人になっていたときは、相続人は、相続を承認したら連帯保証人の立場も引き継ぐことになります。したがって債権者から請求があったときは債務を支払わなければなりません。もちろん連帯保証人が債務者に代わって支払った場合には、その分を債務者に請求することができます（求償）。またその債務に抵当権などの担保権が付いていたときは、その担保権も債権者に代わって行使（代位行使）することができます。要するに連帯保証人が債権者に取って代わる形になるのです。

　相続人が複数いる場合には、最高裁の判例の考え方からすれば、各相続人は、法定相続分に応じて分割された額の債務を相続することになり、その額について、他の連帯保証人と連帯して責任を負うことになると思われます。

　なお、保証には、企業に入社する際に求められる身元保証という保証もあります。身元保証人の立場は、普通の保証や連帯保証とは違って、原則として相続されることはありません。ただし、亡くなった方の生前にトラブルがあり、すでに損害賠償義務が発生している場合には、その損害賠償義務が相続されます。

★根保証って何だ

　根保証とは、借金の保証をする際に極度額という枠を決めて、その極度額以内であれば次々に発生するすべての債務を保証するという特殊な保証契約です。主に事業者向けの貸付（借金）に利用されますが、一般にはその性質があまり知られてはいません。

根保証契約とは知らずに100万円の借金の保証人を知人に頼まれ、極度額1000万円の根保証人になったとします。この場合、100万円の借金の保証をしたつもりでも、その後債務者が借金を重ねると、根保証人は極度額1000万円までの範囲内で、借金を保証しなければならないのです。

かつて、大きな社会問題にもなった商工ローンの場合にも、この根保証の性質についてあまり説明せずに、保証契約を締結させていました。根保証人になった人は、普通の保証契約と同じと勘違いして契約していたのです。


現行法では、個人貸金等根保証契約について、極度額を定める、契約期間を5年以内とする(定めがなければ3年)、元本確定理由を明確化するなど規制を強化し、また根保証契約書の公正証書による作成を義務付けています。

なお、根保証人は極度額の範囲内で、継続的な取引により発生・消滅を繰り返す債務を保証するものです。根保証人が亡くなった後に発生した分の債務についても、相続人が保証しなければならないのでしょうか。

民法は、個人貸金等根保証契約について、主たる債務者または保証人が死亡したときには、相続人の承諾がなければ元本が確定するとして、保証人の死亡後に生じた保証債務については、相続人は保証する義務がないとしています（465条の4、1項3号）。

相続財産の承継と問題点 6

■祭祀財産の承継

祭祀財産の承継は誰がどのようにするのか

▼祭祀財産の承継は、被相続人の指定や慣習によって決まる場合が多い

■亡くなった方のお骨、お墓の永代使用権や永代供養権、そして仏壇仏具などは誰が引き継ぐのかという問題があります。他にも、葬式費用は誰が負担するか、また、会葬者から受け取った香典は誰のものかなどの問題もあります。

仏具、位牌、墓、お骨は誰が引き継ぐのか

先祖代々の家系図や、神体、仏像、仏壇、位牌、などの礼拝用に使用するもの、そして遺骨を埋葬する相当範囲の土地、墓碑、石碑などは祭祀財産と呼ばれます。

被相続人が持っていた財産は、原則として相続人に相続されます。しかし、例外として祭祀財産は相続財産には含まれず、慣習にしたがって祖先の祭祀を主宰する者が承継するとされています（民法897条）。

この祭祀を主宰する者は、被相続人の指定によって決まります。この指定は口頭でもでき、遺言でもすることができます。そして指定がない場合には、その地方の慣習によって決まり、慣習も明らかでない場合には、家庭裁判所の調停や審判で決定します。役所への届出は不要です。

祭祀を主宰する者は、相続人でなくてもなることができます。たとえば、内縁の妻や叔父や従兄弟、甥姪でもよく、被相続人と深い関係にある者であればよいのです。

昨今、正式には祭祀主宰者は決めずに、お墓の管理やお寺等への届をしているケースも多いようです。

祭祀財産は相続財産ではありませんから、相続人が祭祀の主宰者になった場合でも、その相続人の本来の相続分には影響しません。祭祀財産を受け取っても、相続分が減らされることもなく、逆に祭祀の費用がかかるからといって、相続分を増やせと請求する権利もありません。

香典や弔慰金は誰が受け取るのか

香典や弔慰金が相続財産に含まれ

◆祭祀継承のしくみ

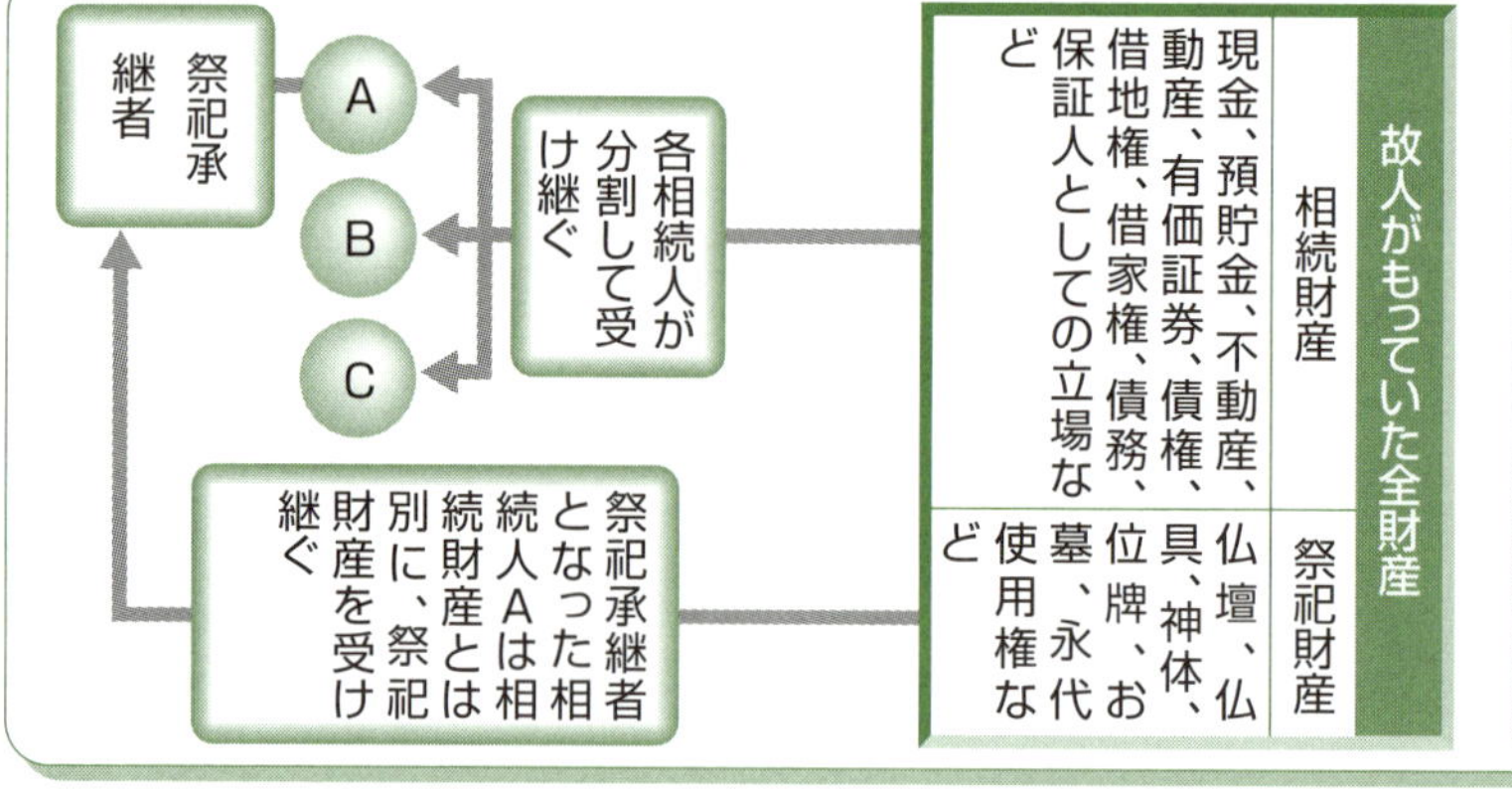

るとすると、遺産分割の対象として相続人全員で分けることになります。しかし、これらの金銭は、相続財産には含まれないと考えられています。

香典とは、葬儀などの際に故人の供養のために、または遺族を慰めるために社会的な儀礼として行われる金銭の贈与です。他にも遺族の葬儀費用の負担を軽くするための社会生活上の相互扶助という意味もあります。

香典は基本的には葬儀の主宰者である喪主に贈られたもので、葬式費用に充てるべきものと考えられます。ですから、葬式費用に充てた後、余りがあれば喪主が自分の裁量によってその使い方を決定すればよいでしょう。その性質から言って、たとえ多額の香典が余ったとしても、相続人が相続分に応じた分割を請求できるというものではありません。

弔慰金は、町内会からの弔慰金のように、金額もその性質も香典と変わらないものの場合には、香典と同じに扱えばよいでしょう。しかし、中には故人が勤めていた企業から、ある程度まとまった金額の弔慰金が支給されることもあります。これが、死亡退職金が単に弔慰金という名目で支給されるにすぎない場合には、退職金と同じに扱うことになります（125ページ参照）。

葬式代や供養料の負担は誰がする

葬式にかかった費用は、一般には喪主が負担することになります。前述のように香典は葬式費用の一部負担という意味を含んでいますから、香典が葬式費用に充てられるのが普通です。喪主に誰がなるのかが法律で定められていないのと同じで、葬式費用を誰が負担するかも特に法で定められているわけではありません。

供養料（祭祀費用）についても法

律上は特に定められていません。祖先の祭祀についてはいろいろな費用がかかりますが、通常は祭祀を承継する者が負担することになります。これは承継者となった者が実際に祭祀を営むかどうかを含めて、法律上の義務ではありません。そしてこれらの費用を支出するからといって、その分を相続分に上乗せすることを、他の相続人に請求することはできません（負担額を決めるのは自由）。

お骨をどこの墓にいれるかでのトラブル

故人の遺体や遺骨は祭祀財産とはいえませんが、礼拝や供養の対象となるものですから祭祀財産に準ずるものとみて、祭祀を承継する者が所有権者と考えられています（東京高裁・昭和62年10月8日判決）。そして、埋葬の場所は、遺族が話し合って決定するのが普通ですが、合意できない場合には、祭祀の承継者が最終的に決定する権限を持ちます。

分骨についても決定権は祭祀承継者にあります。したがって祭祀承継者は、他の相続人などが反対しても、分骨を自分の意思で決定することができます。これに対して祭祀承継者以外の者は、たとえ肉親であっても祭祀承継者の承諾なしに分骨などをすることはできません。

しかし、後日のトラブルを防止するためには、祭祀承継者であっても、埋葬場所の決定や分骨に際して、関係者とよく話し合った上で、合意を得てから決定することが必要でしょう。

★永代使用権と相続

墓地の分譲という広告を目にすることがあります。一般に分譲というと、土地の所有権を買って自分のものにすることを言います。しかし、墓地の場合には、宅地の分譲とは違って、普通は土地そのものを分譲するわけではありません。墓石は買って自分のものにすることができますが、墓地の場合はその土地の使用権を買うだけで、土地を自分のものにすることはできないのです。

墓地の使用権は、その土地にお墓を建てて、永代にわたって使用する権利という意味で永代使用権と呼ばれます。この権利は、法律上定められた権利ではありませんが、墓地の所有者との契約によって成立する権利です。

寺院などの墓地については、その寺院の壇家信徒になった上でなければ、永代使用権は認めないのが普通です。

お墓を引き継いだ場合には、その墓地の永代使用権も併せて引き継ぐことになります。お墓の承継については、特に手続きは必要ありませんが、永代使用権については、普通はその使用権を引き継いだことを届け出る必要があります。届け出がないと、墓地の所有者や管理者は、管理料を誰に請求すればよいか分からなくなるからです。

なお、永代使用権に関しては、その名のとおり永久の使用を予定していますから、契約の更新の問題は生じません。

実際上の遺産分割を手際よくやろう

遺産分割のしかたと各種の問題点

◆相続人は、全相続人の同意があれば遺産を原則自由に分配できます。したがって、必ずしも法定相続分や遺言に従う必要はありません。遺産分割は、相続人全員（相続放棄者等除く）の協議によって行われます。

●遺産分割の手続の流れ

※相続財産、相続人、相続分が確定し、具体的な遺産分割の協議をします。

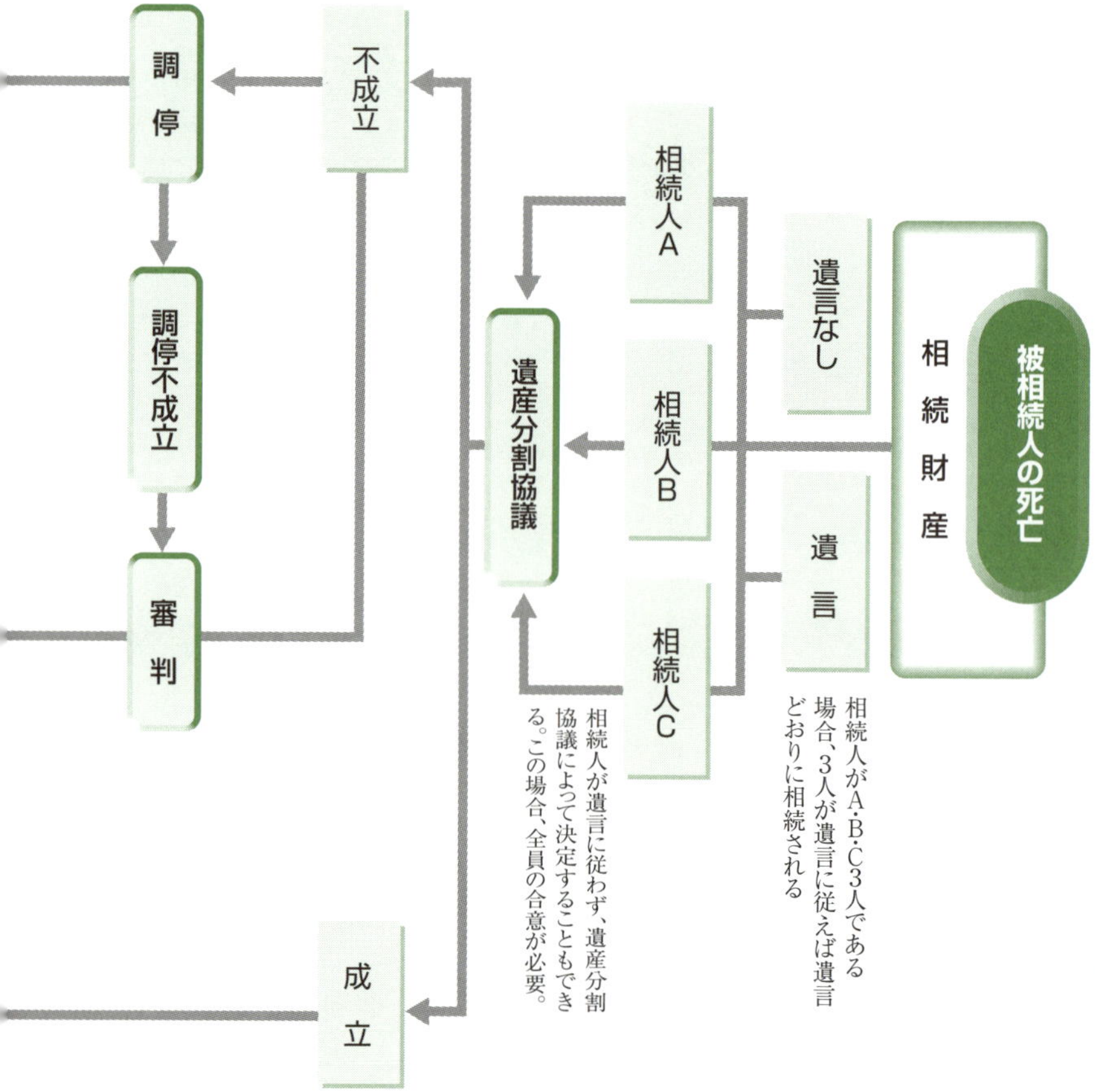

被相続人の死亡
相続財産
遺言なし
遺言
相続人A
相続人B
相続人C
遺産分割協議
不成立
成立
調停
調停不成立
審判
相続人がA・B・C3人である場合、3人が遺言に従えば遺言どおりに相続される
相続人が遺言に従わず、遺産分割協議によって決定することもできる。この場合、全員の合意が必要。

■誰が、どの相続財産を引き継ぐか

相続財産の分け方について民法は、まず、被相続人の最後の意思である遺言によるものとし、遺言がない場合には、法定相続分の定めによって相続財産の帰属が決まるとしています。

このように相続については、被相続人の意思である遺言は、できるだけ尊重することになっています。しかし、被相続人の遺言が絶対というわけではありません。引き継ぐ側、つまり相続する側の意思も尊重されなければならないからです。

たとえ遺言があっても、相続人全員の合意による遺産分割協議が成立すれば、この協議の決定は有効とされています。考え方としては、いったんは遺言どおりに相続し、相続人間で新たに分け合ったものとなるなどの説があります。

したがって、相続人は、全員の合意があれば、被相続人の意思も、法定相続分の定めにも反して、自由に各人が受け取る遺産を決定することができるのです。

■遺産分割と協議

相続財産、相続人が確定（相続分も同時に決まる）したら、具体的な個々の財産について遺産分割の協議を行うことになります（相続人の共有のままでも可）。

遺産分割協議では、誰がどの遺産を承継するかが最大の関心事ですが、不満が出るのもこのときです。話合いがまとまれば、遺産分割協議書を作成します。

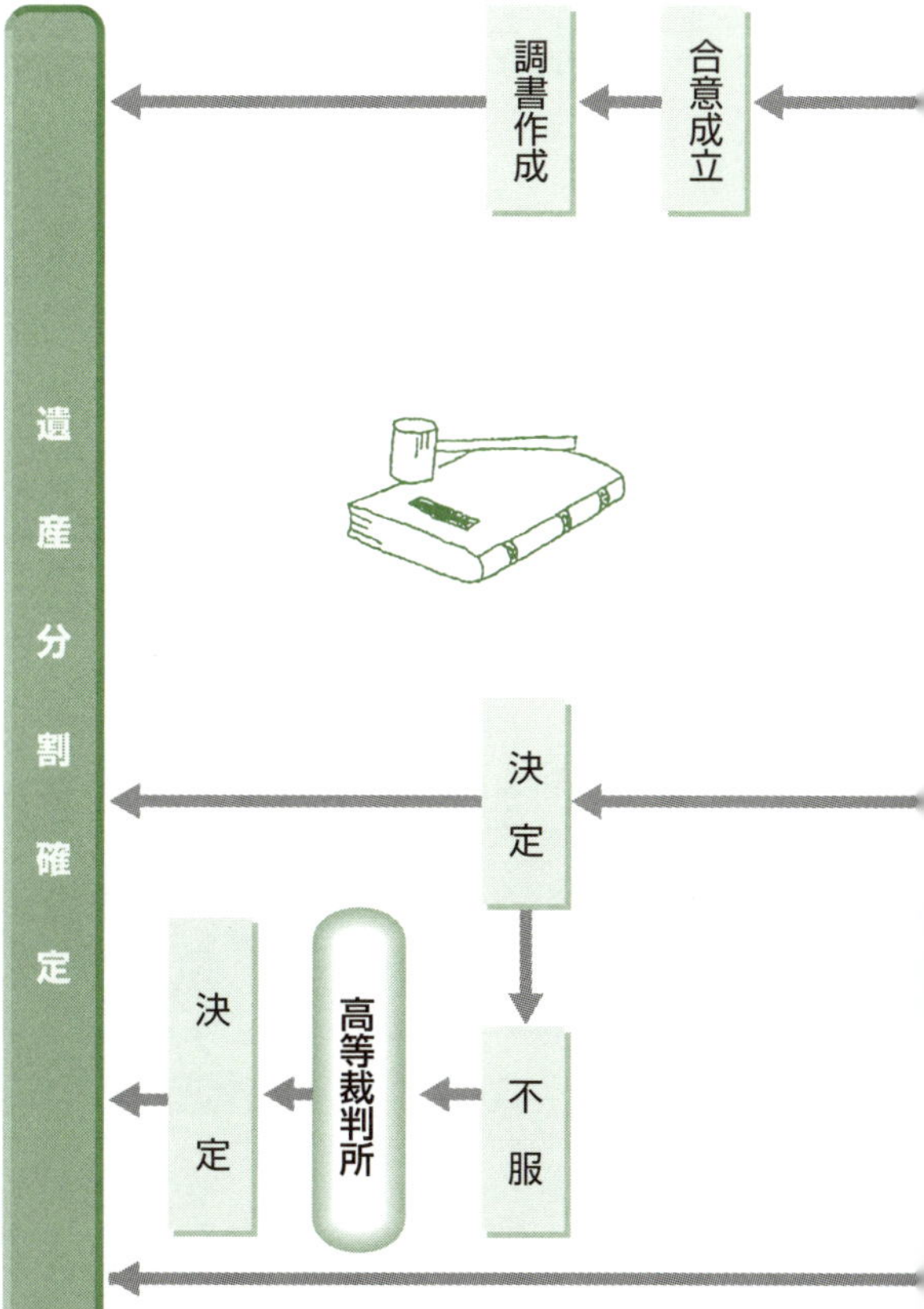

■遺産分割がまとまらないときは、普通はまず家庭裁判所に調停の申立てをすることになります。ただし、相続の放棄や限定承認の申述、財産分離の申立て、遺言の確認・取消し、遺言書の検認などについては、最初から審判を行うことになります。

調停は、調停委員2名と裁判官1名がついて、非公開で行われます。調停委員や審判官は法律にしたがって説得や調整はしますが、争いについての最終的な判断はしません。あくまで相続人同士の合意がなければ調停は成立しないのです。合意が成立すれば調停調書が作成され、これは判決と同じ効力を持ちます。

■調停が成立しなかった場合には、事件は審判の手続に移行します。審判では、相続人の範囲と遺産の範囲、遺産の評価を認定（問題があれば家裁や地裁の判決が必要な場合もある）し、遺産の種類・性質や各相続人の年齢、職業、心身の状態、生活の状況その他の事情を考慮して判断がなされます。

この審判が確定すれば、判決と同じ効力を持ちます。審判に不服ならば、高等裁判所に不服申立てができます。

遺産分割のしかた
1

■遺産分割に当たっての注意点

遺産分割に際しての基本的な心構えとは

▼自分の主張だけでなく、各相続人の事情も考慮する

■遺産分割とは、各相続人の相続分に応じて、相続人全員の合意により、相続財産を具体的に分割することを言います。ただし、被相続人（故人）の遺言によって、5年以内に限り、遺産の分割を禁止することができます。また、共同相続人の1人が行方不明の場合や故人の配偶者、たとえば、父親が死亡し、母親も病気で余命も長くないといった場合は、期間を定めて遺産の全部または一部の分割を禁止することができます。

遺産分割はどういう考え方でのぞめば上手くいくのか

遺産分割については、民法は906条から914条に規定があります。遺産分割についての基準は、民法906条に規定があり、それには「遺産の分割は、遺産に属する物又は権利の種類及び性質、各相続人の年齢、職業、心身の状態及び生活の状況その他一切の事情を考慮してこれをする」と定めているだけです。つまり、こういうことを考慮して遺産分割はしなさいという抽象的な規定です。

したがって、不動産は相続人Aに、株は相続人のBにといった分割が、各遺産と各相続人の事情を考慮して、自由にできるということです。しかし、遺産の内容も各相続人の事情もまちまちなので、遺産分割がこじれれば、泥沼の紛争となる要素もあるのです。紛争となれば、民法の規定（法定相続分など）で判断されます。

なお、遺産分割がなされると、相続の開始（被相続人の死亡）時にさかのぼって、分割された遺産を承継したことになります。

遺産分割の方法はどうなっているか

遺産分割の方法は、まず遺言による指定があればこれに従うことになります（遺言がある場合については140ページ参照）。

こうした遺言がない場合には、相続人全員で話し合って遺産分割を決めます（民法907条）。

　しかし、この話合い（遺産分割協議）は多数決では決められません。相続人の1人でも欠けた遺産分割は無効となります。ただし、法定相続分とは異なる遺産分割でも、各相続人の自由意思によりなされていれば、その分割も有効です。

　その理由としては、相続人が分割に際して自分の相続分を自発的に変更したという考え方や、分割協議には他の相続人への贈与を含むとする考え方などがあります。たとえば、実質的に1人が相続するという場合、後の考え方によれば、他の相続人が自分の相続分をその1人の者に贈与していると考えるのです。

　なお、共同相続人間には、担保責任があります。たとえば、相続人の1人が遺産分割で債権を承継したが支払ってもらえないという場合には、債権者の地位を引き継いだ相続人は、他の相続人から相続分に応じてその損失分を負担してもらえます。

　また、後の項で解説しますが、遺産分割の話し合いがつかないときには、家庭裁判所に遺産分割の調停・審判の申立てをすることができます。

遺産分割の心構えと注意点

　一口に遺産分割といっても、相続財産は1円も狂いなく厳密な評価額が出せるものでなく、また各相続人には個々の事情があり、そうした事情を言いだせばきりがありません。分割協議はお互いが各相続人の事情を理解し合い、ある程度譲歩するしかありません。

　たとえば、父親が亡くなり、母親と子ども3人が遺産を相続したとしましょう。子どものうち、長男が両親と同居していたという場合には、やはり家そのものは長男と母親が相続するのが道理でしょう。しかし、相続分を満たすだけの遺産が他にない場合、後述する代償分割によって、家を相続する人が他の相続人の相続分相当額のお金を他の相続人に支払う、という方法で遺産分割を考えるべきです。もちろん、これは考え方の一つで、話し合いがつけば、家を売却して相続分どおりに分けることもできます。

　このように、民法はこと細かく分割の方法を指定していませんので、そこは身内のこと、お互いの事情を考慮して分割はすべきなのです。ビタ一文も損はしたくないなどという考えでは、いたずらに分割が延び、泥沼の紛争に発展していくだけです。

　とくに兄弟間では、残された方の親と同居して面倒を見ていく人もいるでしょう。また、収入の多寡もあるでしょう。場合によっては、交通事故などで障害者となっている人もいるでしょう。法律はこうした人に多くの遺産を渡すようにとは定めてはいませんが、共同相続人全員の話し合いで、こうした人に遺産を多く分けるのも1つの方法でしょう。

遺言がある場合の遺産分割と注意点

遺言がある場合、遺産の相続は遺言どおりになされるのが原則ですから、遺産の分割協議は不要のように思われます。

確かに個々の財産の全部について誰に承継されるかが決めてあれば、その遺言の内容に従って承継すれば問題はありません。しかし、多くの場合（とくに自筆証書遺言の場合）、相続分（割合）の指定があるだけのものであったり、相続財産の一部についてだけのものだったりします。こうした場合、やはり遺産の承継や残余の財産の承継について遺産分割の協議が必要となります。そして、最ももめるのがこうしたケースなのです。遺言で相続分より少ない遺産相続の指定があった相続人は、感情的になりがちだからです。

遺言があっても、相続人全員の合意があれば、遺言と異なる遺産分割も可能ですが、話し合いがつかないようであれば、家庭裁判所に遺産分割の申立てをするしかありません。

遺産分割の紛争実例①

★農地の相続でのトラブル

農業に従事してきたXさんが死亡しました。残された財産のほとんどが自宅と農地で占められていました。

Xさんには、妻と3人の子どもがいます。長男のA男さんは実家を出て都会で家庭を持って暮らし、次男のB男さんが農家を継いでいます。長女のC子さんは嫁いでいます。

話し合いは最初からもめました。A男さんとC子さんが現金で相続分についてもらおうとしたのに対して、お母さんと次男のB男さんが猛反対し一銭も出せないと言ったのです。事実、農地などの不動産はありましたが、預貯金はなかったからです。これに対して、長男のA男さんと長女のC子さんは、農地の一部を売るか、相続した後に自分が売却すると言ったのです。これでは、次男のB男さんは農家を続けることはできません。

話し合いが数回持たれ、結局、A男さんとC子さんが現金200万円ずつを受け取るということで決着したのです。

農地の相続は現在ほとんどが後継者への生前贈与により、承継がなされているようです。贈与税は高率ですが、農地の課税上の評価は宅地に比べると安く、また納税の猶予を贈与者の死亡の日まで認めるという特別措置があるからです。

この例の場合も、生前に贈与しておくか、「自宅および農地の全部をB男に相続させる」旨の遺言を書いておけば問題はほとんどなかったのです（遺留分侵害の問題は残ります）。

遺産分割のしかた 2

■相続人についてのトラブル

遺産分割では相続人をめぐるトラブルもある

▼遺産分割は全員一致の手続き。相続人の確定が先決問題

■相続人が見つからない、または相続人であるかどうかについての争いがある場合、相続人の確定ができません。

こうした場合、遺産分割はできません。遺産の分割の協議は共同相続人の全員の同意が必要だからです。全員の同意のない遺産分割協議は無効となります。

相続人が行方不明のときの遺産分割

相続人の1人が行方不明のとき、残りの相続人が集まって遺産分割をしても、その分割は無効です。遺産分割は相続人の全員が集まってしなければなりませんので、その相続人を探す作業をまず行わなければなりません。

とくに、直系の子がおらず、兄弟もすでに死亡し、その相続権が日頃つきあいのない甥・姪にまで及ぶ場合には、相続人を探すのに苦労することがあります。こうした場合、興信所などに相続人探しの依頼をするのもよいでしょう。

なお、行方不明になってから7年を経過していれば、家庭裁判所に失踪宣告の申立てをし、失踪宣告が認められれば、その人は死亡したものとみなされ、相続人ではなくなることになります。そして、その相続人に子がいる場合にはその子が代襲相続することになり、遺産分割協議に加わることになります。しかし、失踪宣告を受けた人が生きていた場合には、失踪宣告は取り消され、相続権も復活します。

こうした場合、失踪宣告の申立てもせずに遺産分割をする方法があります。それは、家庭裁判所に申し立て、不在者のための財産管理人を選任してもらい、その管理人を参加させて分割協議をするという方法です。通常の財産管理人の権限は、不在者のために財産を保存、利用、改良する行為しか認められていませんから、遺産分割協議に参加し、同意するためには家庭裁判所の許可が必要となります（民法28条、103条）。

胎児がいるときの遺産分割

民法886条は「胎児は、相続については既に生まれたものとみなす」と定めています。この規定がわざわざ置かれているのは、相続人となるためには現実に生存していることが原則（同時存在の原則）ですが、胎児は出生の蓋然性が極めて高く、相続を認めないのは社会感情に反するという理由によるものです。

理論上は、相続開始の後に胎児が現実に出生したときに、相続を開始したときにさかのぼって相続したものとなります。したがって、胎児がいるのに、胎児を無視して遺産分割がなされても、胎児が無事に生まれた場合には、遺産分割のやり直しをしなければなりません（やり直しではなく金銭による支給でよいとする説もあります）。こうした無駄を避けるには、胎児が出生するのを待って遺産分割をするのがよいでしょう。

また、出生した子が死亡した人（被相続人）の本当の子かどうかが争われるケースがありますが、この場合はＤＮＡ鑑定によるしかないでしょう。

隠し子がいるときの遺産分割

子が相続人と言えるためには、被相続人と法律上の親子関係があることが必要です。そのためには、被相続人によって生前に認知されているか、被相続人の死後、認知の請求を家庭裁判所に対して行い、認知（強制認知）されることが必要です。なお、死後認知の請求は、父親が死亡してから3年以内です。

認知があれば非嫡出子として相続分を有することになります（嫡出子と同等）。また、被相続人の死後の認知の場合、遺産分割がすでに終わっていれば、その相続分に相当する価額を各相続人に請求することができますが、遺産分割のやり直しを求めることはできません（民法９１０条）。

なお、妻に連れ子があり、夫が死亡した場合には、その連れ子には相続権がないのは当然ですが、養子縁組をしていれば相続権があります。この相続分は嫡出子と同じです。

実子として届出されているが、本当は実子でない場合

何らかの事情で、嫡出子でないのに、戸籍上嫡出子となっている場合があります。戦後、兄弟の子を実子として届けたケースもあると聞いています。こうした場合、実子ではないのですから相続権はないことになりますが、そのためには、親子関係不存在確認の訴えを家庭裁判所に対

してしなければなりません。

親子関係不存在の認定は、鑑定などによりなされますが、死亡した親が自分の子でないことを知っていて、あえてそのままにしていた場合や、何らかのその他の事情で自分の子として育てていた場合などは、少なくとも養子以上に考えていたと思われるケースがあります。

こうした場合、養子として相続人の扱いをしてよい場合もあると考えられます。最高裁判所はこの種の事件で、特別の事実関係にある場合、親子関係の不存在確認請求をすることは権利の濫用に当たるとしています。難しい問題ですので、弁護士に相談・依頼するのがよいでしょう。

内縁の妻がいるときの遺産分割

内縁の妻には、相続権はありません。民法は法律婚主義をとっていて、婚姻届がなされていないと、法律上の夫婦とは認められないからです。ただし、内縁の妻へ遺言により遺贈でき、内縁の妻の子は非嫡出子として、相続権があります（相続分は嫡出子と同等）。

また、相続人がいない場合、内縁の妻は家庭裁判所に申し立てて、特別縁故者と認められれば、裁判所の判断で遺産が分与されます。

★相続人がいない場合、遺産はどうなるか？

相続人がいないというのは、法定相続人がいないことですから、これはまれなケースです。相続人が所在不明という場合、これは不在者の財産管理または失踪宣告の問題になるだけです。

相続人がいることが明らかでない場合、利害関係人または検察官の請求によって、家庭裁判所が相続財産管理人を選任し、選任の公告（第1の公告）をします。この相続財産管理人は相続財産の管理や弁済などの清算をします。債権者や受遺者に対する請求催告の公告（第2の公告）もします。また、不明の相続人を捜索し、最終的には公告（第3の公告）を行います。この第3の公告の内容は、相続人があるならば一定の期間内にその権利を主張せよ、というものです。この公告の期間が過ぎると、相続は終わったことになり、管理人に知れなかった相続人、相続債権者、受遺者はともにその権利を失います。

この手続きにより相続人の不存在が確定した場合、特別縁故者への相続財産の分与があります。特別縁故者というのは被相続人と一定の特別の縁故があった者で、内縁の妻などです。

相続人がいなくて贈与、死因贈与その他の債権者もなく遺贈もないとき、あるいはそれらの債務が弁済されて残余があるときは、遺産は国のもの（国庫）となります（共有物の持分は他の共有者のものとなります）。

遺産分割のしかた
3

どうやって遺産を探し相続財産を確定するか

■遺産分割と相続財産の確定

▼遺産にはマイナス（借金など）の財産もあるから要注意

■相続では、遺産を確定することが必要です。しかし、相続人が被相続人の財産を完全に知っているかと言えば、そうではないのです。だからといって、放っておくわけにもいきません。

遺産についての法的な処理の問題があるからです。たとえば、借金が多くて相続したくないという場合には、相続放棄の手続きがとれます。また、遺産分割の協議をする場合には、どういう遺産があるか分からなければ、話し合いもできません。

相続財産目録を作成する

遺産を明確にするには、遺産目録（相続財産目録）を作成するのが一番よい方法でしょう。この遺産目録は、相続税の申告が必要な場合にも活用できます。ただし、相続税の申告が必要な人は少数であり、それ以外の人は、必ず作らなくてはならないというものではありません。

遺産目録の作り方は、まず、遺産を、①**資産（積極財産）**——不動産、動産、債権、有価証券（株式や手形小切手など）のプラスの遺産、②**債務（消極財産）**——借金などのマイナスの遺産、に分けます。

こうした分類で、遺産を個別に書き出します。なお、自動車や船は登録してあっても動産であり、電話加入権は債権です。

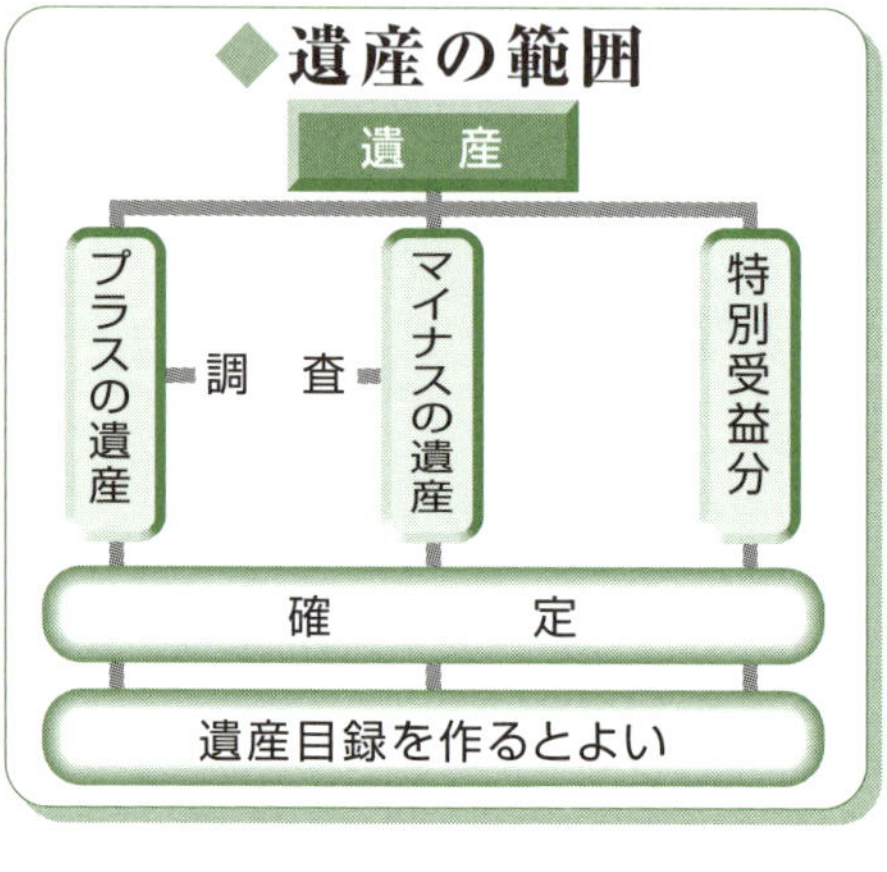

資産についての調査・記載

①不動産――不動産は、土地は所在、地番、地目、地積を調べて記載します。建物は所在、家屋番号、種類、床面積などを分かる限り（特に所在と番号）、個別に明記します。分からなければ調べることです。

こうした事項は、不動産については、登記済証（登記識別情報）または登記簿謄本（登記事項証明書）に載っています。権利証や登記簿謄本がなければ法務局で調べなければなりません。忙しかったり、手に負えないという場合には、司法書士に頼むとよいでしょう。

②債権――債権には、まず銀行預金があります。これは銀行に照会すれば判明します。

銀行名、支店、口座の種類、口座番号を遺産目録に書きます。

他の債権もこれに準じ特定できるように書くとよいでしょう。普通の（たとえば個人に対する）貸金であれば相手の住所（や電話番号）、氏名、貸付日、返済期限、利率、その他の特約や事情など、要するに実務上どのような債権か理解できるように書けばよいのです。

③株式――株式なども要領は同じです。ただし、株式は株券不発行が原則ですが、株券発行会社の場合には、株式の名義だけがあっても、株券は処分（たとえば借金の担保に友人に渡したなど）されていて、遺産としては存在していないこともありますから、確認が必要です。

債務についての調査・記載

債務には第三者からの借金、買掛金、立替えを受けた返済金債務などがあります。相続人からの債務（たとえば子から）もこれに入ります。これは債権の裏返しで、遺産目録に書く要領は債権の場合と同様です。

被相続人への子などからの生前の貸付はもとより、相続人が被相続人のためにした立替金、仮払い、その他の負担も被相続人の債務です。同じ趣旨で立て替えた入院費、交通費、治療費などはこれに入ります。

ただし、葬儀代、死後の墓の購入費、法事の費用などは死後に発生するものですから、被相続人の債務ではなく（死者に借金はできないから）、遺産ではありません。

資産の他にも調べなければならない財産

① 第三者へ贈与された財産

遺言で第三者へ贈与される財産についても調べておきましょう。

というのは、特定の人へ遺留分を超える額の贈与がなされていれば、遺留分が侵害されたとして、相続人は遺留分侵害部分の贈与に相当する金額を第三者に請求できるからです。

なお、被相続人が死亡前1年以内

になした贈与も、遺留分算定の遺産に加えます（民法1044条1項）。

② 相続人へ贈与された財産

想続人に対して生前に贈与された一定の財産は**特別受益**と言い、遺産分割に当たっては、遺産に算入されます。しかし、日常の細々した贈与が、すべて相続の前渡しとされるのではありません

特別受益に該当するのは、「遺贈を受けた場合」、「婚姻、養子縁組のため、または生計の資本として贈与を受けた場合」の2つです（贈与は10年以内のものが対象。同条3項）。

なお、生計の資本とは、商売の元手はもとより、住居を買ってもらったとか、まとまった財産分けを受けたとかを言います。学費も多額に上れば、これに当たるでしょう。

こうしたことも調べて、遺産目録に書いておくといいでしょう。

相続人は被相続人の紛争も引き継ぐ

相続財産には、被相続人が生前に争っていたものがある場合や、死後に争いになるものがあります。こうした事例を解説しましょう。

① 被相続人の生前からの争い

土地の売買の争いや、隣人との境界の紛争で訴訟が続いている場合は、相続が起こればその争いも引き継ぐことになります。債務についても、借金の有無、抵当権の無効、といった争いは多いでしょう。

② 被相続人の死後の争い

被相続人の死後、争いが起こることもあります。たとえば、交通事故で死亡した場合の損害賠償の紛争などですが、死人に口なし、相手方の立証が一方的になりがちですので、要注意です。

遺産分割の紛争実例②

★被相続人の財産か？ 相続人の個人の財産か？

遺産の範囲の争いは、第三者との間に起きるとは限りません。

遺産分割についての話し合いの席上で、「このバイオリンは親父のじゃない、はじめからボクのものだ」と次男が言い出したのです。すると、他の相続人も、「あの画は僕に親父がやるといった」などと、自分に都合のよいことを主張しはじめました。

こうした争いは多いもので、その物の価値が高くなければさして問題になりませんが、不動産などとなると、解決は困難になります。

こうした遺産であるか否かの争いがあれば、遺産の範囲が確定できず、遺産分割はできないことになります。とりあえず、協議で争いのない部分について分割をして、最終の分割（精算）は後日にするという方法もありますが、どうしても話し合いがつかないときには、家庭裁判所の調停や審判の申立てをするしかないでしょう。

遺産分割のしかた 4

■遺産分割の方法

遺産分割をする方法や基準はどうなっているか

▼相続人の全員の合意があれば、原則、遺産分割は自由にできる

■遺産の分割方法はいくつかあります。遺産分割協議に際しては、妥当な方法を選ぶことができます。

全部分割と一部分割

遺産分割の態様には、遺産全部を一度に分割する全部分割と遺産の一部だけを分割する一部分割とがあります。もちろん、全部分割で一挙に解決するのがよいに決まっていますが、そうはいかない場合があります。

たとえば、債務や相続税の支払いが迫り、やむを得ないから特定の土地だけを取りあえず売却して各人の相続税にあて、残りの遺産については後でじっくり話し合って分割する、といった事例もあります。

このように、遺産の一部を分割するのが一部分割です。

一部分割が有効かどうかについては問題がありますが、実務上は多く行われ、相続人全員が合意しているのであれば有効です。

とはいえ、一部分割は問題を後に残します。その間の事情によっては、かえって事を複雑にすることもありますから、遺産分割の根本的解決にはなりません。

現物分割・換価分割・代償分割

①現物分割――現物分割とは、遺産を、そのままの形で分割する方法です。あの土地は長男に、株式は次男に、というように分割します。一筆の土地を共有にすることも現物分割に入ります。遺産分割としては、原則的方法です。

ただし、現物分割では、相続分きっかりの分割は難しいといえます。土地の価格と株の価格がちょうど一致というわけにいかないからで、どうしても不公平となります。

しかし、当人たちが合意すれば構わないし、審判の場合は不足な側に対する代償（現金などで支払う）を付加するでしょうが、少しの誤差は、適法の範囲内でしょう。

②換価（価額）分割――換価分割とは、遺産を売却し、金銭にして分割する方法です。

現物分割が不可能であるか、または農地のように現物の分割が妥当でない場合、あるいは現物をバラバラにすると価値が下がる場合などは、この方法をとります。現物分割の補充方法ともなる場合もあります。

◆遺産分割の方法

全部分割――財産を分割する
一部分割――とりあえず、遺産の一部を分割する

現物分割――遺産の個々について、相続分に応じてその物を分ける
換価分割――売却・換価してお金に代えて、その金銭を分ける
代償分割――現物を相続分以上に相続した場合などに、他の相続人に対して、その人の相続分相当額を金銭で支払う

③代償分割――代償分割とは、遺産の現物を1人（または数人）が取り、その取得者が、相続分に相当する分を金銭で支払うという方法です。当面の金銭支払いができなければ、将来分割で支払うというような、債務の負担をする分割方法もあります。ただし、債務負担の方法は例外的なものであり、審判でこの方法をとるのは特別の事由がある場合に限られます（家事事件手続法195条）。

遺産分割協議で合意されるのであれば、自由意思によるのですから問題はありません。実務では、農地、商店など細分化が適当でないものについて、債務負担による代償分割がなされることが多くあります。

現実的な遺産分割の方法

前にも述べましたが、民法906条は「遺産の分割は、遺産に属する物または権利の種類および性質、各相続人の年齢、職業、心身の状態及び生活の状況その他一切の事情を考慮してこれをする」という**遺産分割についての基準**を定めています。この基準は、各相続人が成り立っていくように、相続分に応じて平等にやれ、ということに他ならないのです。

では、この遺産分割の基準のなかで、現実的には、どういう分割をすればよいのでしょうか。

一般的には遺産分割は、遺産そのものを現物で分けることが多いでしょう。これを前述のように現物分割といい、全部を共有にしてもよいし、あの土地は誰、絵と株式は誰、というように分けてもよいのです。

こうして、個々の遺産を分割する場合には多少の価値の多寡が生じますが、そこは身内のこと、さして問題にはならないのが普通です。また、

分割された遺産の価値の差が大きければ、その分の調整を金銭で支払ってもよいでしょう（代償分割）。

また、遺産を換価、つまり売り払って代金を分ける、というやり方もあります（換価分割）。ただし、この場合、処分するのに費用がかかったり、換価代金には原則として譲渡所得税がかかることになります。

具体的な遺産分割では、このように遺産の内容と各相続人の事情に応じて、こうしたやり方を使い分け、分割内容を決めるのがよいでしょう。家庭裁判所の調停、審判についても、こうした方法がとられています。

遺産分割の時期はいつまでにしなければならないという決まりはありません。被相続人の遺言や、共同相続人の協議、または家庭裁判所の審判で分割が禁止された場合を除き、いつでも分割できます（民法907条1項・907条3項・908条）。

また、遺産分割協議がいったん成立した場合でも、共同相続人全員の協議によって、その全部または一部を解除して、新たに遺産分割協議をやり直すこともできます。

遺産分割後の紛争実例

★遺産分割後に、ある日突然、消費者金融から請求が来た

相続人のA男のもとに、貸金業者から故人（A男の父）の借金の請求がきたのは、葬儀から4か月後のことでした。故人が住んでいた家はアパートでこれといった財産もなく、相続人間で遺産分割協議も行われませんでした。

請求書には、借金の総額が435万円と記されていました。漠然とあの親父のこと、借金はあるのではないかと危惧していたのですが、その予感が的中したのです。しかし、今になってと、A男は不審に思いました。

その日から、貸金業者の取立が始まりました。電話が頻繁にかかってきて、督促がなされたのです。たまには、暴言も吐かれ、A男はすっかり精神的に参ってしまいました。

ある日、たまりかねて「相続放棄をすればいいんでしょう」と言い返しました。すると、「相続放棄は死亡してから3か月以内でないとできない。民法で決まっているんだよ」と言われてしまいました。友人にこのことを話すと、法律相談所へ行くように勧めてくれました。相談に行くと、弁護士は「相続放棄はできますよ」と言いました。

民法915条は「相続人は、自己のために相続の開始があったことを知った時から3か月以内に、単純若しくは限定の承認又は放棄をしなければならない。…」と定めています。

つまり「相続開始のとき」からではなく、「相続人が相続の開始を知ったときから」3か月以内ということになっています。本例のように相続財産がまったくないと信じていたようなケースでは、貸金業者の請求を受けてから3か月以内なら相続放棄は可能です（最高裁判決）。

遺産分割のしかた
5

不動産の遺産分割はこうする

■不動産の遺産分割

▼相続人が住んでいる住宅の場合には、代償分割による場合が多い

■不動産には土地と建物があります。

相続が開始すると、不動産を含め、遺産のすべてはいったん相続人全員の共有となります（民法８９８条）。これを遺産分割前の共有と言います。

不動産の相続では登記が問題となる

遺産分割前でも各不動産について、相続を原因とする所有権移転の共有登記ができます。しかし、共有登記をしなくても共有物であることに変わりはなく、特別の事情がない場合、遺産分割を待って、その不動産を承継した人が登記をするのが通常です。

この共有登記手続きは、相続人の1人が単独で（相談なく）申請することができます。共有物の保存行為となるからです。相続人の債権者も債権者代位権により共有登記を申請することができます。また、この共有持分権は譲渡もできますし、債権者から差押えをすることもできます。

遺産のうち不動産は1個だけという場合に、遺産分割協議により、他の遺産は分割して、その不動産（たとえば実家の土地）だけ共有のままにしておく場合もあります。

遺産分割では不動産の評価額が問題となる

遺産の中で大きい割合を占めるのは不動産です。

不動産の評価は時価（実勢価格）ですが、これは売却してみないと分かりません。売却しない場合の不動産の評価方法には、原価法、比較法、収益法、の3つがあります。

家庭裁判所の鑑定では主として比較法をとります。東京では、東京都宅地建物取引業協会発行の「東京都地価図都市計画図」、大阪では大阪府宅地建物取引業協会発行の「大阪府宅地価格地点図」により、種々の比較を加えて評価しているようです。

しかし、素人同士の分割協議では、話合いで決めればよいし、不動産鑑定士の鑑定を頼んでもよいのですが、かなりの費用がかかります。手っと

り早い方法としては不動産の所在地の近くにある、不動産会社に聞くのもよいでしょう。また、バブル崩壊後は税務署の路線価額、または地方自治体による固定資産税課税台帳の評価額が実勢に近づいているので、これによることも多いようです。

① 宅地その他の土地の評価

税務方式で評価額を決める場合には、地域の税務署で調べれば扱いが分かります（ネットでも取れます）。これは、公表されていて、路線価方式と倍率方式とがあります。どちらをとり、いくらに評価するか、資料はできています。

地方自治体の固定資産税のための評価も当事者なら評価証明が取れますから、参考にするとよいでしょう。

② 農地、山林の評価

税務署でもそれぞれ特殊な評価方法がありますので、これについても、税務署でどういう評価になっているか確認してください。

③ 借地・（貸地）の評価

借地・貸地の評価額は、地域により異なります。借地権は更地価格の6～7割と見るのが普通で、その借地権分を差し引いた価格が貸地の評価額となります。

④ 家屋の評価

普通、固定資産税の評価によります。地方自治体（市区町村役場）で確認してください。

⑤ 貸家・（借家）の評価

更地価格に借家権割合をかけて算出する方法がありますが、地域により割合が異なり、古い家屋は評価が低くなります。

借家は、評価ゼロが通常でしょう。ただし、返還により権利金や敷金が戻ってくれれば、それは遺産です。

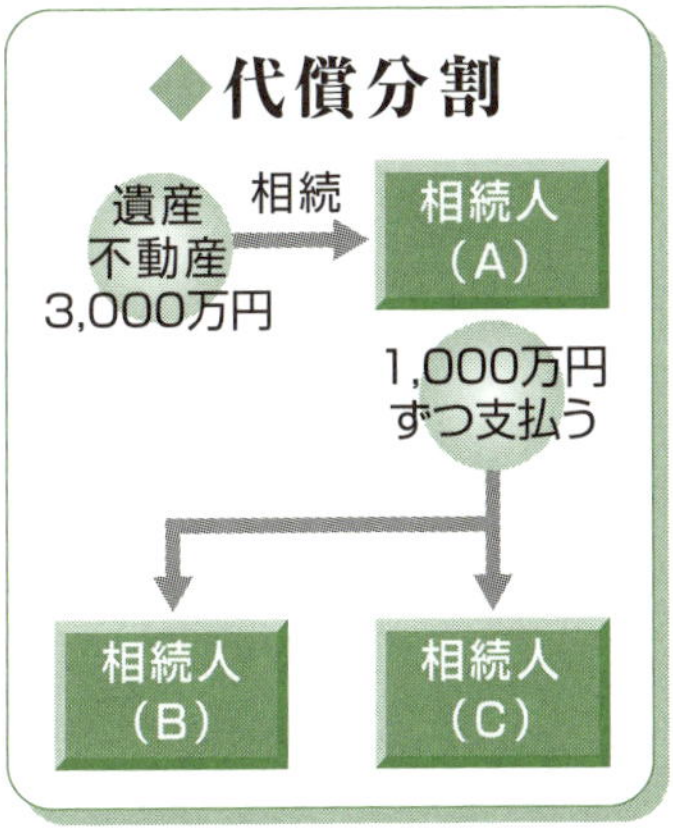

遺産分割とその後の登記

不動産の遺産分割で、特に問題となるのは、遺産が被相続人が住んでいた自宅しかない場合です。それも、そこに相続人が住んでいるという場合には深刻な問題となります。こうした場合、代償分割による方法も検討するとよいでしょう。なお、配偶者に居住権を認める法改正が成立、施行されました（66ページ参照）。

遺産分割協議が成立した場合は、その不動産を遺産分割により所有することになった人は、通常は、登記手続きをすることになります。こうして、遺産分割前の共有は解消し、単独所有または新しい共有となります。

なお、遺産分割前の共有については、対抗要件としての登記（登記があれば第三者に対して自分のものであると主張できる）は不要です。なぜなら被相続人が死後に不動産を処分することはあり得ないし、相続自体は法的に当然のことですから、対抗要件はいらないのです。

これに対して、遺産分割は人為的なものですから共有持分の二重処分などのトラブルの可能性があります。したがって、遺産分割による交換的な権利の得喪については対抗要件としての登記が必要です。

【判例】
共同相続人全員の合意によって、遺産分割前に、遺産に含まれる特定の不動産を第三者に売却した場合には、その不動産は遺産分割の対象から外されます。そして各相続人は買主に対して、それぞれの持分の割合に応じた代金額を請求することができます。（最高裁・昭和52年9月19日）

★ローン返済中の不動産の分割のしかた

住宅ローンも被相続人の債務として承継されます。しかし、旧住宅金融公庫や銀行などの金融機関からの借入金については、通常、保険がかけられていて、死亡保険金で住宅ローンの残額分が補てんされるしくみになっています。

しかし、こうした保険で補てんされた借入れでない場合（たとえば、知人から借りているとき）には、残額は債務（借金）ということになります。

こうした「ローン返済中の不動産」というのは、不動産代金のローン債務に対して、その不動産に抵当権が設定され登記がされているのが普通です。この抵当権付きのローン債務も、債務に変わりはありません。

ローンの債務もマイナスの遺産として、相続人全員が相続分に応じて承継します。おそらく遺産分割では、その不動産を取得した者がローン債務をも負担し、不動産価格からローン残高を差し引いた差額を相続分とすることが多いでしょう。

しかし、債務一般についていえば、法定相続分と異なる債務の分割は債権者に対抗できないとされています。債務だけを勝手に無資力者に配分して焦げ付かせ、他の者は支払いを逃れるというわけにはいかないのです。

でも、不動産という担保があるのだから勝手な分割ができてもよいではないか、と思っても、バブル崩壊後に値崩れした投機物件関連の不良債務の例を考えれば、債務超過となって取りはぐれが起きる危険があります。債務はやはり被相続人の責任であり、相続人全員が負わざるをえないというのが法律の規定です。

ただし、実際にはローンが不払いとなればまずローンの債権者によって抵当物件の処分があるでしょう（保証人が返済を迫られることもあります）。その処分でローンが完済になれば、法律の規定はさておき、他の相続人には波及しないのが普通です。

遺産分割のしかた 6

■債権・債務の遺産分割

預金や貸金・生命保険金・借金の遺産分割はこうする

▼債権・債務は、当然に相続分に応じて分割される

■金銭債権とは銀行預金や貸金などの金銭を対象とする債権です。

預貯金債権は数字で割り切れる性質のもの（可分債権）で、以前は相続分に応じて当然分割され、分割協議の手続きは不要とされていました。しかし、平成28年12月19日の最高裁決定は、遺産分割の対象となるとしました（詳細194ページ参照）。

金銭債権（預金など）の遺産分割

債権の相続でも、実際にはいろんな問題が起きます。金銭債権と他の遺産を交換的に分割することもあり得ますので、現実の分割が行われるまでは不安定です。

債権の評価は、銀行預金などは額面どおりとなりますが、貸金などで回収に不安があるものは協議または裁判所での鑑定によるほかないでしょう。ただし、遺産分割については、分割した債権についての担保を他の相続人がする規定があり（民法９１２条）、取り立てができなければ、他の遺産を受け取った者が補償をし、埋め合わせることになります。

預金と銀行に対する手続き

銀行など金融機関にある被相続人名義の預貯金は、それが家族の生活費の出し入れに利用している口座でも、被相続人が死亡すると、相続人全員の同意書または遺産分割協議書（相続人全員の実印押捺が必要）を提出しないと、銀行は払出しに原則応じません。払出しの手続きには、この他、戸籍謄本（全部事項証明）、除籍謄本や改製原戸籍、印鑑証明書などの書類も必要です。なお、他の相続人の同意が得られなかったり、協議がまとまらないため、払出しを請求できない場合は、家庭裁判所に審判を申し立てる方法もあります。

このように相続財産となった預金の払出し手続きは面倒ですが、銀行としては、遺産分割をめぐり相続人間で話合いがまとまらずにもめてい

たり、被相続人が預貯金についての遺言を残しているかも知れません。ただ、遺産の相続人、相続分や遺言の有無など、詳しい相続内容を知る機会もないのですから、やむを得ない措置でしょう。

相続開始後、被相続人の預金から葬儀費や生活費が出せずに困ったという話は時折聞きましたが、相続法改正で、現在は、相続人は被相続人の預貯金の3分の1について、遺産分割協議が済む前でも自分の相続分に相当する金額（1行150万円限度）を引き出すことができるようになっています（民法909条の2）。

生命保険金の相続のしかた

生命保険は保険会社との契約です。生命保険に加入し、被保険者が死亡（または一定期間の生存）すれば、契約により保険金の支払いが行われます。契約をした者を保険契約者といい、保険金を受け取る権利者を保険金受取人といいます。特に指定しなければ保険契約者が保険金受取人となります。

しかし、保険契約者は契約上、保険金受取人を自分以外に指定することができます。保険金受取人を子や妻にする場合がそうです。また、保険契約は自分以外を被保険者（保険の対象者）として締結することもできます。

被相続人が保険金契約者であれば、その保険契約上の権利は被相続人の財産です。保険金請求権は遺産となり、債権として相続の対象になります（保険金が支払われてしまえば遺産の中の現金となります）。

また、被相続人は保険契約者でなくても、被相続人が保険金受取人に指定されていれば、保険金請求権は被相続人の権利ですから、これも遺産であり相続の対象になります。

保険金請求権が遺産となる場合

保険金請求権があればそれは遺産であり、相続の対象となります。しかし、保険金は金銭債権ですから、相続分に応じて当然に分割され、分割協議の必要はなく、協議の対象にはならないのです。

被相続人が加入（契約締結）した生命保険であっても、保険金の受取人として（被相続人以外の）特定の者が指定してあれば、その者が保険金請求権を取得します。

受取人の指定として、単に「相続人」と記載してある事例もあります。この事例では相続人全体に対する遺産となるのですが、判例の大勢は、この場合も保険金請求権は相続財産ではなく、相続人である個人が保険契約上直接に権利を取得するものとしています。したがって、遺産に対する債権者はこれに対し請求することはできません。

なお、生命保険金の利益は（一部の相続人に与えられた場合）遺産分割の際に特別受益となるとする判例が大勢です。したがって、遺産総額の計算では、その生命保険金の額も入れて計算することになります。

また、保険金が多額でそれ以外の遺産が少なく、一部の相続人が受取ると他の相続人の遺留分を侵害する場合は、遺留分権利者からの侵害額請求の対象にもなると思われます。

債務（マイナスの財産）の遺産の分割のしかた

相続は被相続人の権利と義務の双方を引き継ぐことです。銀行預金は好きだが借金は嫌だ、というわけにはいきません。遺産に債務が多いときは相続放棄や限定承認の制度があります。遺産を相続した場合は、借金その他の債務も相続し、相続人が債権者に弁済をしなければならないのです。

債務といえば大抵は金銭債務（借金）でしょう。金銭債務は可分債務つまり数字で分けられる性質のもので、遺産のうちの借金の部分は遺産分割を待つまでもなく、相続分に応じて分けることができます。

判例は一貫して、金銭債務は相続開始と同時に相続分に応じて分割され、他の相続人は連帯責任を負うものではないとしています。

では後日、相続分と異なる遺産分割が行われた場合はどうでしょうか。これについても債務は相続分によって定まり、遺産分割によって勝手に配分されるものではないというのが判例の立場です。したがって、遺産分割審判の対象にもならないのです。

債権者としては、各相続人の資産の差により一部取りはぐれることもあるでしょうが、これに対しては、事前の担保権の設定、財産分離の申立て（180ページ参照）などで対処するほかはないのです。

★保証債務の相続と分割は？

保証債務とは、他人の債務について保証責任を負う（たとえば借金を返さなければ、保証人が支払う）という、保証人と債権者との契約です。

債務の一種であり、遺産を構成する権利義務のうちのもので、相続人は弁済の義務を（金銭債務なら相続分に応じて）負うことになります。

また、保証が一定の債務についてなされたのでなく、将来にわたる継続的取引による債務の連帯保証（いわゆる根保証）については、根保証人（被相続人）の死亡後（相続開始後）に生じたものについては保証債務を承継しない、とされています。

つまり、根保証人の死亡によって保証額が確定することになります。

遺産分割のしかた 7

動産・有価証券・その他の財産の遺産分割はこうする

▼いかに正当な評価額を出すかがポイント

■その他の財産の遺産分割

■遺産となる動産には、車や家財道具などがあります。被相続人がどのような人物であれ、遺産には必ず動産があります。しかし、現在は、家具や什器などの動産はほとんどの場合、交換価値が低く、場合によっては廃棄費用も「遺産持ち（遺産の中から経費を払う）」となります。

動産の遺産分割のしかた

①**衣類**——最も普通に存在するのは衣類で、リフォームやリサイクルが流行りとはいえ、大抵の古着は価値がありません。形見分けぐらいで処理されることが多く、遺産分割協議では省かれることが多いようです。

②**身辺の器具**——これには、書籍や家具などがあり、骨董品やブランド品など特殊な物以外は事実上まとめられ、遺産分割協議書の上では、動産一式として多くは処理されます。とはいえ、遺産には相違ないのですから、他の相続人に無断で処理がされると感情問題が生じ、肝心の遺産分割協議がこじれることがありますから、慎重にすることが必要です。

③**機械・器具**——交換価値が高いことが多く、遺産分割協議の対象となります。

④**自動車・船舶**——これも交換価値が高く、遺産分割の対象となります。

⑤**貴金属、書画骨董・美術品**——遺産分割協議の対象とすべきものです。値打ちがないと思っても、捨てたり人にあげたりしてはよくないのです。

⑥**書類**——交換価値があることは少ないのですが、法的な重要書類であったり、資料価値があることもあります。被相続人（したがって相続人全員に）に保管義務のある書類もあります。そのように、存在価値はあるのですから、必ず遺産分割協議の中で処理すべきです。その上で合意により廃棄することは第三者の権利を侵さない限り差し支えありません。

動産の評価のしかた

家具は骨董品として価値があるものを除けば、低い価額です。しかし、宝飾品・貴金属となると別で、その評価は重要です。過大評価をする者もいてモメては困りますから、評価の議論は十分しましょう。

金、プラチナなどの地金であれば、業界で一律の相場があります。しかし、宝石の評価は極めて困難です。宝石そのものの良し悪しは鑑定しやすくても、値段となると様々な変動要素があるから専門家も容易には決めかねるものです。デザインものの宝飾品も同様で、取引値段も、素人の買い値に比べずっと安く、デパートの売値の1割か2割が業者が引き取る値段、といってよいでしょう。有名ブランドの時計なども同様です。とはいえ、素人が買うときはうんと高くなりますから、欲しいという人がいれば別です。評価は希望者の有無など事情によるでしょう。

美術品の評価も難しいものです。業者に引き取らせるというのなら売れた値によります。売らない場合には協議で決まらないときは、鑑定を経るしかないでしょう。それでも引き取り手がなければ、割安に決めるほかはないでしょう。美術品は偽物も多いので注意が必要です。

株式などの有価証券の遺産分割のしかた

株式はもとより重要な遺産です。株式は、株券発行会社の場合には、株券（や株券の預託）があってはじめて財産です。株券は動産の扱いになります。会社に対する株主の名義だけあっても、株券がすでに譲渡してあれば譲受人の権利となっており、遺産ではありません。

株式が電子化されて株券が発行されていない会社では、名義が誰になっているかだけが問題です。

なお、株式は可分の権利ですから、可分債権と同様、相続分に応じて分割され、必ずしも遺産分割協議の対象にはなりません。

上場株は取引相場がありますから、分割時の特定の日（被相続人が死亡した日）、または一定期間を定めて平均を取る、といったやり方で算定できます。税務上は取引所における時価として、相続日、相続の月、前月、前々月の終値の月額平均うちの最低価額をとります（参考）。

気配相場のある株（店頭登録株）は、新聞に公表されている価額と類似業種比準価額の平均を取ることもできます。

取引相場のない非上場株式、これが問題です。家業・事業を株式会社にしてある事例は多いからです。非上場株の評価はかなり困難で、純資産評価方式、収益還元方式、配当還元方式、類似業種比準方式、などがありますが、正式には専門家（公認会計士など）の鑑定が必要です。ただし、相続人は身内なので、非上場株の対象となる資産や事業内容は互いにほぼ分かっていることが多いでしょう。その中身の評価が、つまりは総株式の価格です。その評価も協議で決めることが望ましいのですが、争いとなり審判手続きとなっても、一同が大方異論のないところの評価があれば、それを前提にした審判が下されることになるでしょう。

なお、その株式をだれが持っていた（ことになっている）かという、占有の状態により相続財産になったり、ならなかったりします。株式は転々と譲渡をすることができ、株主名簿（台帳）の記載だけで決まるものではなく、そのとき株式をだれが保有しているかが大事なのです（株券を発行している会社は株券の所持）。

被相続人の株券を誰かが保管していたとしても、被相続人の所有であることが明らかなら相続財産です。

その他の権利の評価のしかた

①ゴルフ会員権――取引相場の70％で評価するのが税務上の扱いですが、分割協議にあたっては相場（またはその一割引き）から名義書換手数料を差し引いた額で分割することが多いようです。

②電話加入権――現在では、実勢上価額は付きません。ただし、電話番号に値打ちがあれば売りに出してみるのもよいでしょう。

★内縁の妻には建物賃借権の相続権はあるか？

建物賃借権も財産であり、遺産として相続の対象になります。したがって、従前から相続人が居住していた場合、たとえば同居していた妻と子が相続した場合は、賃借権は問題なく相続人に承継されます。相続は地位の承継であり、賃借権の譲渡ではないため家主の承諾は不要で、承諾料や名義書換料、更新料の支払いの必要もありません。問題が生じるのは、内縁の妻や内縁の養子が居住している場合です。内縁の場合は相続権がないからです。しかし、建物が住居用建物であれば、他に相続人がいない場合は、借地借家法36条（または借家法7条の2）の規定により、内縁の妻などが家主に対する借家権を引き継ぐことができます。

賃借権を普通の財産と見れば相続人がこれを相続し、権利を取得します。したがって、相続人が賃借人となりますから、内縁の妻などには権利は行かず、追い立てられると考えることもできます。また、相続人が家主と結託して解約料を取って賃貸借契約を合意解除し、内縁の妻などが居住できなくするとも考えられます。

しかし、このような追い出しは認められません。判例の理論はさまざまですが、内縁の妻などの居住権を認める点では、ほぼ一致しています。

遺産分割のしかた 8

■寄与分と特別受益

寄与分・特別受益分はこう評価する

▼寄与分・特別受益の話し合いがつかないと遺産分割はできない

寄与分とはなにか

■寄与分については、民法904条の2で、「共同相続人中に、被相続人の事業に関する労務の提供又は財産上の給付、被相続人の療養看護その他の方法により被相続人の財産の維持又は財産の増加につき特別の寄与をしたものがあるときは、被相続人が相続開始の時において有した財産の価額から共同相続人の協議で定めたその分を控除したものを相続財産とみなし、（中略）相続分に寄与分を加えた額をもってその者の相続分とする」と定めています。

特別の寄与がある相続人には、相続分のほかに寄与分という取り分があり、これが相続分に加えられるということです。

特別の寄与とは、前条文で分かるように、「被相続人の財産の維持または増加につき、特別の寄与をした者がある」場合で、本来の相続分とは別に、その寄与した分を相続財産から取り除いて、寄与した者に与えることになります。これが寄与分の制度です。

ただし、「特別の寄与」という点が要注意で、妻として貢献したなどは、当然の寄与ですから「特別の寄与」にはなりません。

また、寄与の方法については、3つの方法が例示されています。

①被相続人の事業に関する労務の提供または財産の給付

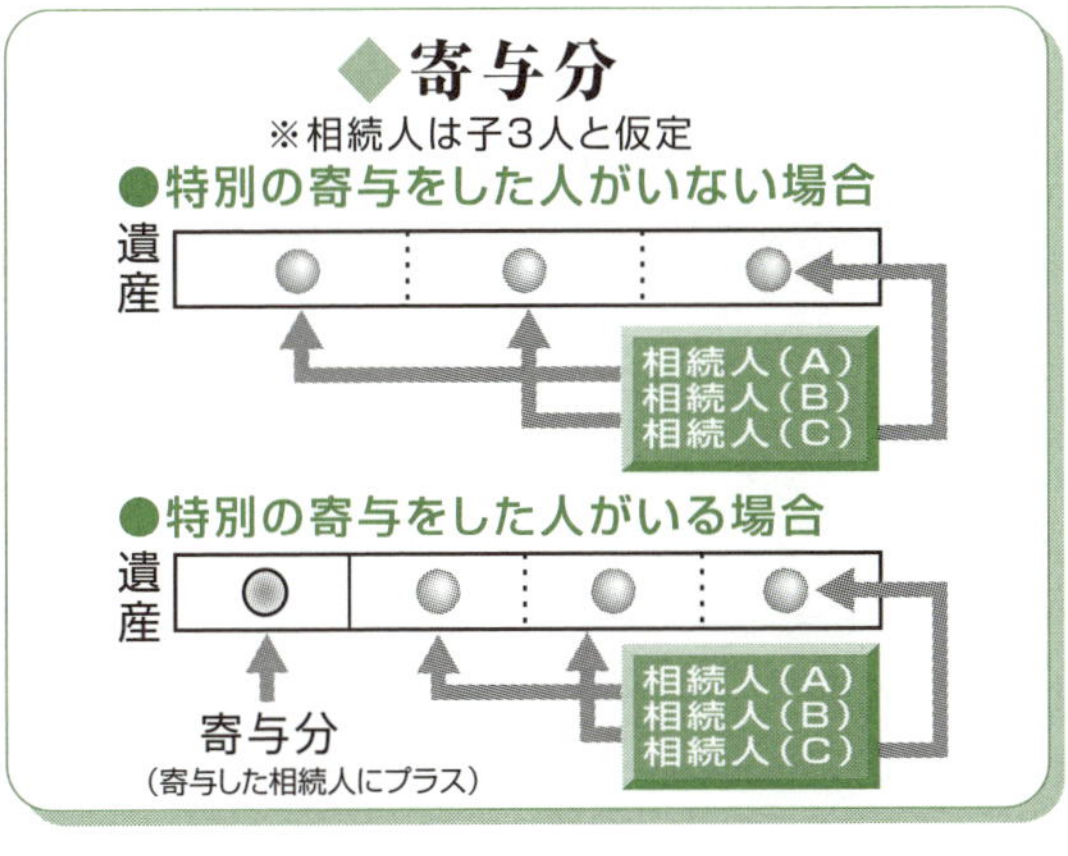

② 被相続人の療養看護
③ その他の方法
その他の方法とは、前の２つに匹敵するような方法でしょう。

この寄与分を差し引いたものを相続財産とみなして相続分を計算し（ゆえに相続分は全員が少なくなる）、寄与者はその相続分に寄与分を加えた額を相続します。

寄与分は相続人についてのみ認められる制度で、相続人でない者には、寄与分は認められません。たとえ、どれほど貢献をした者でも、相続人以外の者（たとえば被相続人の息子の妻）に寄与分はないのです。

ただし、この息子の妻のように、相続人以外の親族が、無償で被相続人の療養看護その他労力を提供して貢献した場合は特別の寄与として、貢献分相当の金額の支払いを相続人に請求できるよう法改正されました（民法１０５０条。66ページ参照）。

なお、寄与分をいくらにするかは相続人の協議によりますが、遺贈の価額を控除した額を超えることはできません。協議がまとまらない場合は、家庭裁判所に申し立てて決めてもらえます。裁判所で寄与分が認められたケースでは、遺産全体の１割程度が多いようです（下段表参照）。

特別受益がある場合はその分は差し引かれる

相続額の計算では、被相続人が生前、特定の相続人に対してした贈与も、相続分の前渡しとして勘定され、遺産額に足し入れた上で、相続分に応じて分割することになります。遺贈（48ページ参照）も同じに扱われます。この贈与分や遺贈分を「特別受益」といいます（民法９０３条）。
たとえば長男が３０００万円の贈与を受けていれば、これを現に残っている財産に加えたもの、つまり遺産プラス長男の３０００万円を全遺

遺産分割事件のうち認容・調停成立で寄与分の定めのあった事件数
――寄与分の遺産の価格に占める割合別寄与者別――　全家庭裁判所（令和2年）

寄与者	寄与分の遺産の価額に占める割合						
	総数	10%以下	20%以下	30%以下	50%以下	50%を超える	不詳
総　数	132	54	20	9	12	6	31
配偶者	8	1	1	1	2	1	2
子	110	46	15	8	9	5	27
その他	14	7	4	–	1	–	2

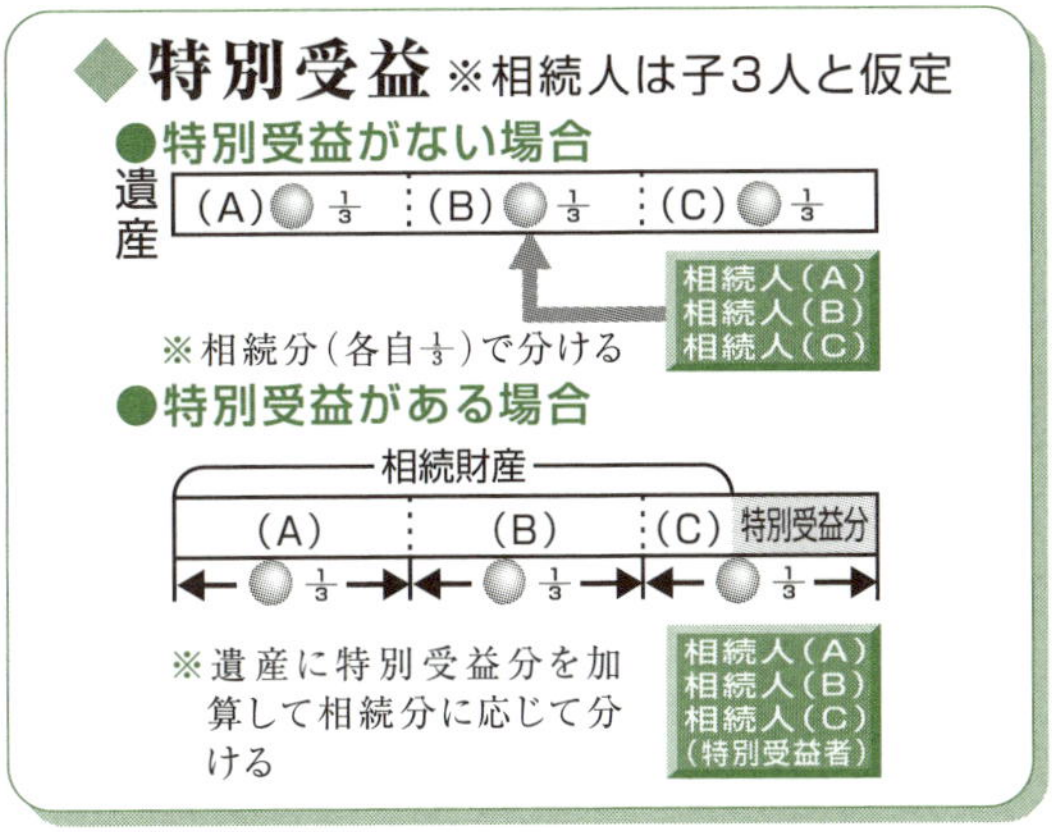

産として相続分の計算をします。他の相続人の相続額が増えることになります。ただし、贈与はどのような贈与でも特別受益となるというのではありません。

民法903条によれば、

①婚姻のため、
②養子縁組みのため、
③生計の資本として（特別な学費もこれに入るとされる）、

のどれかに当たる贈与に限られます。誕生日プレゼントなどは入りません。しかし、遺贈は相続時に遺言で与えられるものですから、贈与のような性質の制限（除外）はなく、常に特別受益です。

相続財産は、現に残っている財産に特別受益を加えたもので、これを相続分に応じて分けます。特別受益者の相続分から遺贈や贈与の分を前渡し分として差し引きますから、贈与や遺贈を受けても得にならず、相続人の平等が図られているのです。

ただし、被相続人（故人）が遺言などで特別受益として差し引かない旨を定めた場合、それに従うことになります（民法903条3項）。この場合も、遺留分の規定に反することはできません（婚姻期間20年以上の夫婦間で居住用不動産を贈与または遺贈する際に、特別受益に含めないことを意思表示している場合を除く。同条4項。66ページ参照）。

また、ある相続人の特別受益分が多くて、その相続人の相続分がマイナスとなる場合があります。この場合、各人の相続額の計算は特別受益分はなかったものとして計算する方法とマイナス部分を各相続人が相続分に応じて負担するものとして計算した裁判例などがあります。いずれにしろ、その相続人には相続する遺産はありません。

つぎに、**特別受益の価額をどう評価**するかという問題があります。

30年も前に贈与を受けた不動産はバブルの崩壊があっても、値上がりしていることは確実でしょう。現金についても、同様のことが言えます。

こうした過去の贈与では、物価上昇率を考慮して、現在の時価に引き直します。

話し合いがつかなければ、家庭裁判所に調停あるいは審判の申立てをすることになります。

遺産分割のしかた
9

■遺産分割のトラブル

遺産分割についてのトラブルは多くある

▼遺産分割に際しては、ある程度は譲歩することも大切

■前項までに、遺産分割で問題となる点を中心に解説してきましたが、この項では、遺産分割での一般的な注意点を中心に解説します。

遺産分割協議でのトラブル

遺産分割で問題が起きる場合の多くは、日頃から、相続人間の仲が悪い場合です。こうした場合、遺産分割の話し合いがつくまでに、多くの問題が発生します。

というのは、法律で法定相続分が決まっていても、具体的に誰がどの遺産を相続するかとなると、各相続人の思惑が異なるからです。

また、被相続人が生前に与えた金銭（特別受益）や寄与分をめぐる問題も、こと細かく主張すれば、際限のない問題となります。相続分に応じて、1円の単位まで厳密に分割するなどということは不可能だからです。

話し合いが何度も持たれ、解決の糸口さえつかめないというのであれば、家庭裁判所に調停、審判の申立てをする方がよいでしょう。客観的な専門家である調停委員の判断をあおぐことが重要な場合もあるのです。

相続人の一人が相続放棄をしたら

相続の放棄は、遺産分割と直接関係はありませんが、その相続分を特定の別の相続人に渡そうと思ってした場合などに問題が起こります。

というのは、相続を放棄すると、その者は、その相続に関しては初めから相続人とならなかったものとみなされます。したがって、血族の1人が相続を放棄すれば（相続人が減るから）、他の同順位の血族相続人の相続分が増え、同順位の者がいなければ、後順位の血族相続人が相続人となります。

自分の相続分を別の（特定の）相続人に譲るつもりで相続放棄をしても、必ずしも目当ての相続人に、うまく自分の相続分が回るとは限りません。

血族には、それまで知られていなかった者がいるかも知れません。次順位の相続人に誰がなるか不安です。隠し子などがいそうな場合です。「俺の親父には隠し子などいない」と思うかも知れませんが、自分の相続分を別の（特定の）相続人に譲るつもりで相続放棄をするなら、よく調査をしてからにすべきです。

兄弟姉妹が相続人となる場合は代襲で甥姪までが相続人となりますから、隠れた半血兄弟姉妹や甥姪がいないかを調べます。それには被相続人の親たちの幼時にまで遡って前婚や非嫡出関係（親たちについても、隠し子――つまり半血兄弟姉妹の有無）の調査をしなければなりません（次ページ囲み事例参照）。

なお、相続人全員が放棄した場合、裁判所により相続財産管理人が選任され、財産の管理・処分（破産手続きの場合もある）がなされます。

◆相続放棄のトラブル

・被相続人夫、相続人妻・子1人
・被相続人の直系尊属(夫の親など)なし
・兄弟姉妹は妹1人。すでに死亡しているがその子（甥と姪の2人）がいる

■子が相続放棄をしない場合の相続分

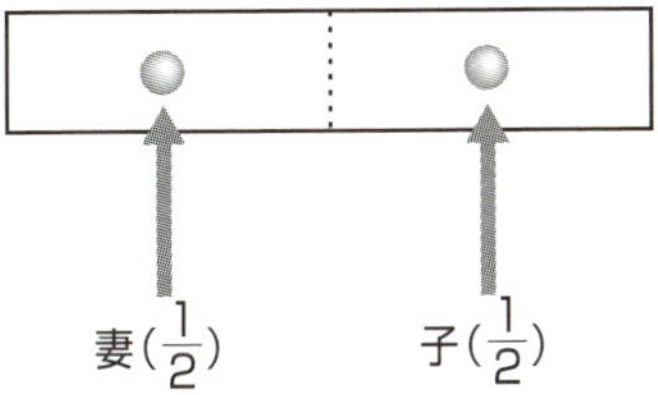

■子が相続放棄をした場合の相続分

子が相続放棄しても、その分の遺産の全部は妻には行かない

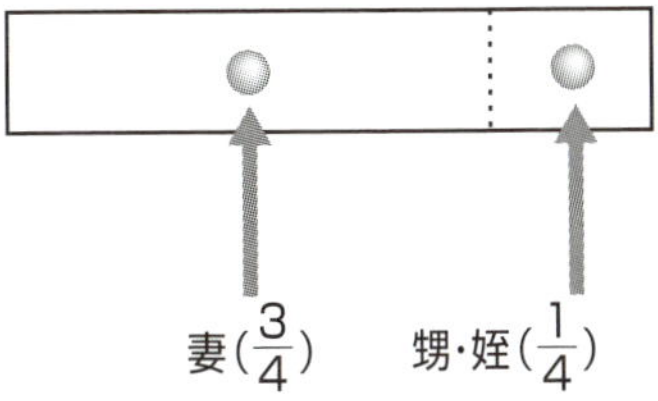

遺産分割までの相続財産の管理は

相続は被相続人の死亡したとき、すでに共同相続人がその持分に応じて相続していることは、前述（31ページ参照）したとおりです。

いずれは遺産分割協議により、この共同相続した財産を具体的に仕分けし、各人が相続します。相続により、各相続人は相続の開始時から相続していたことになりますが、その間に財産を売却されたり、1人占めにされたりするのではないかと、不安になる場合もあるでしょう。

事実、相続財産を相続人の1人が勝手に売却したなどの事例はあります。ただし、不動産の場合、売却するには共同相続人全員の印鑑証明および実印が必要ですから、むやみに要求に応じて、実印や印鑑証明書を渡さないことです。

こうした場合、遺産分割についての話し合いも難航しているのが通常ですから、家庭裁判所に調停あるいは審判の申立てをして、遺産を勝手に処分しないために仮処分あるいは仮差押えの決定をしてもらうこともできます（180ページ参照）。

預貯金や生命保険金などについても不安がある場合には、共同相続人全員の名義で口座をつくり、全員の印がないと引き出すことができないようにしておくのも手でしょう。

家庭裁判所に相続放棄の申述をしたら、3か月の熟慮期間内であっても、原則として放棄の取消しはできません。ただし、未成年者が法定代理人の同意なしに放棄したときや、詐欺または強迫によって放棄したときなどは取り消すことができます（民法919条）。これに対して債務超過であると誤信して放棄した場合などは、取消しは認められないと思われます。

この取消権は、詐欺や強迫などの事実を知ったときから6か月または放棄のときから10年で消滅します。

★相続放棄すると遺産は思いがけない人に行く

ある実業家が死亡し、後には妻と、息子である青年（成年者）1人が残りました。青年は、遺産を全部母（被相続人の配偶者）に継がせ、自分は母が死亡したときに相続すればいい、と思いました。そこで青年は家庭裁判所に相続の放棄の手続きをし、相続財産を放棄しました。

さて、不動産を母の名で相続登記する段になりました。登記手続きには他に相続人がいないことを証するため、戸籍謄本（全部事項証明書）や除籍謄本が必要です。司法書士に頼んでそれを揃えてもらったところ、意外な事実が判明しました。血族がいたのです。父（実業家）の母、つまり青年の祖母は祖父と結婚する前に別の結婚があり、離婚後、祖父と再婚していたのです。そして前婚による子が1人あったことが判明しました。

父も自分に兄弟（半血兄弟）がいることを知らなかったようです。その半血兄弟はすでに死亡していましたが、子が2人います。父から見ると甥と姪であり、青年からみるとイトコ、従兄と従姉です。となると、配偶者だけが相続することはできないのです。

配偶者相続と血族相続は別の流れです。子（青年）が相続放棄をしたので、血族相続人として後順位の相続人にすぎなかった甥姪が相続人となり、その相続分は配偶者4分の3、甥姪の分は合わせて4分の1ということになります。聞いたこともない他人に4分の1も行く、とあわてましたが、相続の放棄は取消しができず、甥姪の相続権を認めるほかなかったのです。

青年は相続放棄をすべきではなく、相続をした上で、後に述べる「相続分がないことの証明書（相続分皆無証明書）」を作成して、遺産を母の名義にすればよかったのです。

遺産分割のしかた 10

■遺産分割協議

遺産分割協議の成立と証書の作成はこうする

▼遺産分割協議のやり直しは、原則できないので、慎重にする

■遺産分割協議は相続人全員の意思の合致により成立します。いったん成立すれば効力が生じ、無効・取消しの原因（詐欺や強迫による場合など）がない限り、やり直しを主張することはできません。

各相続人は、その遺産分割協議の内容に則して、具体的に何を相続するかが決まり、不動産など名義変更が必要なものについては、その変更手続きをします。

遺産分割協議の問題点

遺産分割協議が成立すると、その後に協議内容の不履行があっても遺産分割協議の解除（白紙に戻すこと）は認められないというのが判例です。

成立した協議の内容に従って、調停や訴訟で実現を求めることができます。

協議から漏れていた遺産があった場合も、その漏れた遺産について別の協議をすることになり、従来の協議全部をやり直すことにはなりません。

ただし、漏れた遺産が重要なものであれば、錯誤による分割協議として取消しを主張することができる場合があり、取り消されれば、分割協議をやり直すことになります（詳細は171ページ囲み記事参照）。

相続人に未成年者がいるときの遺産分割協議

一般に未成年者については、親権者（親権者がいなければ後見人）が法定代理人として、未成年者の法律行為や財産管理を行います。

しかし、遺産分割の場合、未成年者と法定代理人の利益が相反する場合は、法定代理人が未成年者の代理をすることができず、未成年者の特別代理人の選任が必要となります。

遺産分割は利害を伴うものですから、利益の相反する者（たとえば、未成年者とその親が共に相続人になっているとき）が代理人になって、

自分の分と未成年者の子の両方の取り分の取り決めをすること（双方代理）は許されないのです。

遺産分割について、利益が相反する場合とは、①親権者（または後見人）も共同相続人であるとき、②複数の未成年者がいて親権者（または後見人）が共通であるとき、の２つがあります。

これらの場合、親権者（または後見人）は、利益が相反する未成年者のため、家庭裁判所に特別代理人の選任を請求しなければなりません。

具体的に考えてみましょう。夫の遺産の分割については、妻と２人の子それぞれの利害は相反します。したがって、２人の未成年の子については、各自の特別代理人の選任を家庭裁判所に申し立て、母親と２人の特別代理人の３人によって遺産分割の手続きをすることになります。

また、母親が相続人でなく（たとえば内縁の妻）、２人の子だけが相続人である場合も、親権者である母親は、利害の反する２人の子の両方の代理をすることはできません。子の一方については、特別代理人の選任が必要となります。

遺産分割協議書の作成

遺産分割の話し合いがつけば、通常は遺産分割協議書を作成しますが、この証書を作成しないからといって、その遺産分割協議が無効というものではありません。

しかし、遺産分割協議書が作成されていないと、相続により不動産を取得した人は名義変更の登記をすることはできませんし、また、被相続人の預貯金を下ろす場合にも、この遺産分割協議書が必要となる場合があります。

遺産分割協議書には、定型の方式があるわけではありません。したがって、相続人の誰が何を相続したかが明確に記載され、各相続人の署名・押印、作成日があればよいでしょう。

なお、遺産分割協議書の例を次ページに示しましたので、参照してください。

相続分皆無証明書による事実上の相続放棄

相続分皆無証明書とは、本来は、生前贈与（特別受益）などにより、相続分がない旨を書いた文書のことを言います。しかし、今日では、相続放棄するには家庭裁判所の審判が必要なことなどの理由から、相続放棄に代わる簡便な方法として利用されています。

しかし、この相続分皆無証明書は、トラブルもあります。というのは、遺産の内容も知らせずに、いきなり、相続分皆無証明書の内容を記

★遺産分割協議書作成と留意点

遺産分割協議書

令和□年□月□日○○○○の死亡により、共同相続人甲、乙、丙は、その相続財産について、次のとおり遺産分割の協議をした。

1．相続財産中、○○県○市○町○丁目○番○の宅地（地積○○平方米）は、甲の所有とすること。
2．相続財産中、○○県○市○町○丁目○番○の建物（木造瓦葺平屋建居宅床面積○平方米）および電話加入権１口は乙の所有とする。
3．相続財産中、丙は株式会社Ａ銀行の定期預金２口合計○○万円およびＢ株会社の株式（株券番号　□□）は、丙の所有とすること。

上記協議の真正を証するため、この協議書３通を作成し、各自１通宛保有する。

令和□年□月□日

○○県○市○町○丁目○番○
甲　㊞
○○県○市○町○丁目○番○
乙　㊞
○○県○市○町○丁目○番○
丙　㊞

〔注意事項〕

①誰がどの遺産を取得するのか、代償を支払うのか、遺贈を負担し執行するのかなど分割の内容を明記すること。
②住所の記載は、住民票や印鑑証明に記載されているとおりに記載すること。
③捺印は実印ですること。登記の際の添付書類として使用するために必要。同じ目的のため各通に印鑑証明書も添付。
④預金、預り金、株券等は、銀行、証券会社であらかじめ存在（金額・株数など）を確認し、必要があれば、協議書に対する捺印と同時に、銀行備え付けの請求書など専用書類への押印を済ませ、受領者を決定すること。
⑤作成する通数は、各相続人や包括受遺者など参加者が１通ずつ所持保管すること。
⑥書面が数ページになれば契印（割印）が必要。それ以外の、たとえば老母の看護についての精神規定や要望規定を書いても構わないが、後日の争いにならないよう、それが法的にどんな意味をもつのか明確にしておく。

載した文書を送り、これに署名押印するように求めるケースが多いからです。それだけでなく、親父の財産は借金だらけだからなどと、相続分皆無証明書に署名・押印を迫る悪質なケースもあります。

しかし、後で本当は多額の遺産があったという場合などにトラブルとなります。こうした場合の解決法は、話し合いでは困難なので、調停・訴訟を通して、遺産分割のやり直しを求めることになります。

遺産分割協議書を偽造されたら

遺産分割の話し合いがついていないのに、遺産分割協議書が偽造されて、相続財産が特定の相続人が独占する場合があります。遺産分割協議がなされていませんので、この場合、遺産を取り戻すことになります。相続回復請求権を行使して、相続財産を取り戻すことになります。

また、こうした偽造をした相続人は有印私文書偽造等（刑法159条）の罪にあたり、この罪で告訴することもできます。

★相続分皆無証明書のサンプル

相続分が無いことの証明書

私は被相続人○○○○の相続財産につき他の財産を取得したので、次の不動産については相続分はありません。

不動産の表示
1．所在地　東京都○○区○○町○丁目
　　地　番　○○番
　　地　積　○○平方メートル

以上

令和□□年□月□日

住所
氏名　　　　　　　　　　　　　　㊞

〔注〕相続人の1人から、相続分皆無証明書を書いてくれと言われても、納得しなければ応じないこと。印は実印で、登記のためには印鑑証明書が必要。

遺産分割のしかた 11

遺産分割協議成立後にトラブルとなるケースもある

■遺産分割協議成立後の紛争

▼遺産分割後のトラブルには、新たに相続人が現れた、などがある

■相続人であることを無視され遺産分割がなされたという場合は、共同相続人の1人をまったく除外して相続財産を分割してしまったことになり、こうした遺産分割は無効です。

相続人として無視されたとき

民法907条1項は「共同相続人は、……いつでも、その協議で、遺産の分割をすることができる」と規定しています。したがって、一部の相続人を無視してその人の合意なくなされた**遺産分割協議は無効**で、協議のやり直しができなければ、家庭裁判所に遺産分割の調停あるいは審判の申立てをすることになります。

分割協議が無効・取り消される場合には、本例の一部の相続人が参加しなかった場合、相続人以外の者を加えて行った場合、民法上の法律行為・意思表示の無効・取消し事由がある場合です。また、一度全員の協議で合意した遺産分割についても、全員の合意でやり直しができます。

なお、民法884条は、「相続回復の請求権は、相続人又はその法定代理人が相続権を侵害されたこと知ったときから5年間行わないときは、時効によって消滅する。相続開始のときから20年を経過したときも同様とする」と定めています。この規定は、「**相続回復請求権**」と言われ、本当の相続人（真正相続人）が表見相続人から相続財産を取り戻す権利を言います。表見相続人の例としては、間違って戸籍に載せられた他人や相続欠格者が間違って相続したケースなどがあります。

また、この規定は共同相続人にも適用があるとされています。すなわち、共同相続人の中の一人が、自分の相続分より多く受け取ったり、共同相続人の一人を除外して相続財産を分割した場合には、こうした行為は表見相続人と異なることはなく、相続回復請求権の対象です。

いずれにせよ、本例のような事態であれば、弁護士に相談あるいは依頼するのがよいでしょう。

遺産分割で取得した財産がなかったとき

遺産分割では、特にその物の存在を確認する必要があります。確認を怠ると、相続したはずの物がないという場合もあります。

こうした場合を想定して、民法911条は、「各共同相続人は、他の共同相続人に対して、売主と同じく、その相続分に応じて担保の責任を負う」として、共同相続人の担保責任の規定を置いています。

多少難しい規定なので解説しますと、要するに、民法の一般の担保責任（契約解除、代金の減額、損害賠償などの規定＝民法560条〜572条）が、遺産相続にも適用されるということです。

したがって、あると思っていた不動産がない場合には、他の相続人が相続分に応じて金銭賠償をすることになります。回収できない不良債権がある場合も同様です。しかし、遺産分割の協議を解除できるかということには、賛否両論があり、専門家に相談するほうがよいでしょう。

また、相続人でないのに間違って戸籍に載せられていた人や、相続人としての資格がなくなった人（表見相続人）が相続財産を管理・処分をした場合には、「知っていて放置していた」などの事情がなければ、本当の相続人は表見相続人あるいは相続財産を譲り受けた第三者に対して、相続回復の主張ができます。

たとえば、不動産の場合、善意の第三者（本当の相続人ではないことを知らずに譲り受けた第三者）に売却されていて登記簿の名義が代わっていても、本当の相続人は取り戻すことができます。しかし、動産の場合、取得した相手が善意の第三者の場合には、取り戻すことはできません（即時取得・善意占有者）。

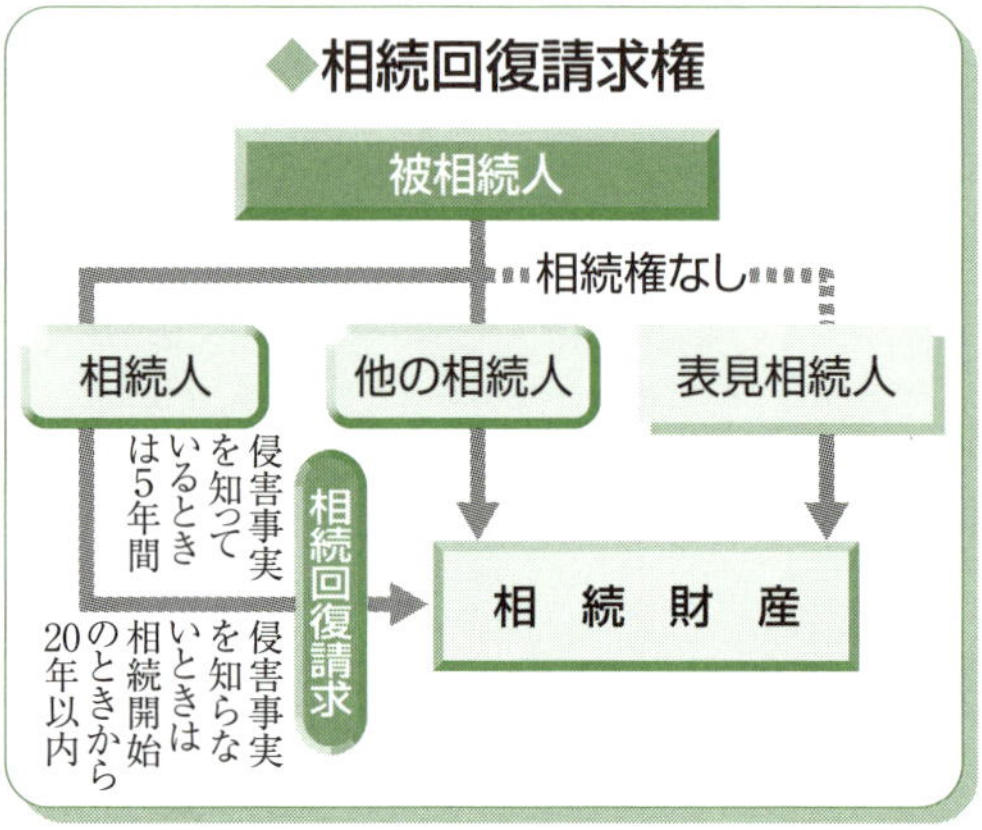

遺産分割協議後に相続人が現れたとき

遺産分割後に相続人と名乗る者が現れた場合、亡くなった人とどういう関係なのかをまず確認し、相続人に該当するかどうかを知る必要があります。

第1順位の相続では、被相続人（死

亡した人）の配偶者と子が相続人ですから、相続人の誰もが知らない間に再婚していたとか、愛人に子がいたなどの場合に問題となります。

前者の「被相続人に実は再婚した人があった」という場合には、その婚姻が法律上のものであるかどうかを確認する必要があります。戸籍上に配偶者としての記載があれば、妻としての相続権がありますので遺産分割協議をやり直すことになります。

また、後者の「愛人に子がいたとき」は、認知されているかどうかが問題です。認知されていれば当然相続権はありますので、遺産分割に参加することになります。認知されていなければ相続権はありませんが、被相続人の死後でも、家庭裁判所に認知の請求をして認められれば、相続権があることになります。

したがって、この場合も、遺産を承継することができますが、遺産分割がすでに終わっている場合には、金銭による支払いの請求しかできません。

なお、認知の請求は親が死亡してから3年以内にしなければなりません（民法787条）。

また、認知された子（非嫡出子）の相続分は、法改正により、改正前の嫡出子の2分の1から同等の相続分となっています（55ページ参照）。

★遺産分割後に新たな財産が出てきた

Xさんが亡くなり、Xさんの妻がすでに亡くなっていたことから、その遺産は3人の子が相続しました。

遺産分割も終わって3か月程たったある日、亡くなったXさんが親しくしていた親戚の叔父さんが、相続人であるAさんを尋ねて来ました。

そこで、その叔父さんは意外にも、亡くなったXさんの土地を自分が借りていることをAさんに告げたのです。また、その叔父さんがXさんより500万円の借金をしていることも告げました。

この場合、遺産分割後に発見された土地や債権（貸金）について、再度、

遺産分割協議をすることになります。

なお、「残余の財産の一切は○○が相続する」と遺産分割協議書に書かれていても、これは遺産分割時の財産を指し、遺産分割後にでてきた財産まで拘束するものではありません。ただし、未判明だっただけとして「財余の財産」に含まれる余地はあります。

では、「後日、他の遺産が発見されたときは、○○が相続する」と遺産分割協議書にあった場合はどうでしょうか。この場合は、原則として、その指定された者が相続することになりますが、新たに見つかった財産が膨大なものである場合は、問題となるでしょう。

表見相続人　相続人ではないのに、誤って相続人として戸籍に記載されていたり、被相続人に対して侮辱や虐待があって相続廃除とされた者を言います。

遺言書の扱いを間違うと大変なことになる

遺言書が出てきたときの上手な取扱い法

◆相続人の誰が、何を相続するかについて、大きな力を持つものが遺言書です。ところがこの遺言書、きちんと書かれた有効なものばかりではありません。あやふやな遺言書が相続争いに火をつけることも多く、あるいは、遺産分けが終わった後に出てきた遺言書に遺族が振り回されることもあります。

●遺言書の発見と検認と確認

遺言書（自筆証書遺言書 秘密証書遺言書）
・保管者
・発見者

→ 民法1004条 → 公正証書以外の遺言書 → 開封の禁止など → 検認の申立て → 家庭裁判所

（怠ると5万円以下の科料）

遺言書（危急時遺言）
・作成時の証人
・利害関係人

→ 民法976条 → 死亡直前に作成した死亡危急時遺言書 → 作成後20日以内（確認を得なければ効力がない） → 確認の申請 → 家庭裁判所

（公正証書以外の危急時遺言書は検認が必要）

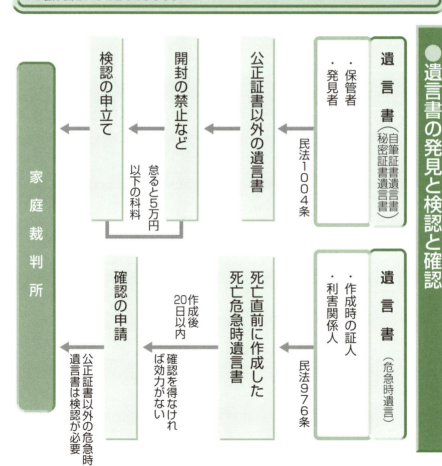

■**相続直後に遺言書の有無を調べよう**

相続人の誰が、どのような遺産を相続するかを決める遺産分割協議は、一筋縄ではいきません。相続人全員が揃うことも大変なことですし、お互いが譲歩して協議をまとめることも忍耐と根気を要するものです。

しかも、いったんまとまって、遺産分割協議書を作成した後になって、遺言書が発見された場合は大変です。相続人以外の者への遺贈が出てきたり、場合によっては遺言認知がなされ、新しい相続人の登場がないとも限りません。

せっかく苦労して作成した遺産分割協議書も、場合によってはやり直しの憂き目に合う場合もあるのです（詳細は本文を参照してください）。

ですから、相続が開始した場合にまずなすべきことは、遺言書が作成されていないかどうかを調べることです。被相続人の書斎などの捜索はもちろん、知り合いの弁護士さんや取引先の金融機関に問い合わせることも欠かせません。

■**遺言書の検認の効果は**

遺言書の保管者や発見者は、家庭裁判所に遺言検認の申立てをします。

検認手続きは、発見後の遺言書の偽造や変造を防ぐために行われる証拠保全の一種で、家庭裁判所は、遺言書の用紙、筆記用具、内容、日付、署名、捺印の実情を検証し、調書に記載します。

●遺言書をめぐる問題

複数の遺言書を発見 → 作成日付をチェック → 新しく作成された遺言が優先 → 内容が抵触しなければ前遺言の部分は有効 ＝ 民法1023条

遺言書を偽造・変造／遺言書を破棄・隠匿 → 相続欠格事由に該当 → なんの手続きも要せず相続人になれなくなる
その者に子がいれば子が代襲相続する
＝ 民法891条

▼詐欺又は強迫によって、被相続人が相続に関する遺言をし、撤回し、取り消し、又は変更することを妨げた者

▼詐欺又は強迫によって、被相続人に相続に関する遺言をさせ、撤回をさせ、取り消させ、又は変更させた者

▼相続に関する被相続人の遺言書を偽造し、変造し、破棄し、又は隠匿した者

*欠格を宥恕《ゆうじょ》して相続人に戻すことも可とする有力説がある

▼推定相続人に虐待等があれば、その者を遺言で廃除できる（893条）

遺言書の処理法 1

■遺言書と紛争

遺言書をめぐるトラブルと解決法

▼紛争予防のために作成する遺言書が紛争の種になる場合も

■公正証書遺言であれば、法律のプロである公証人が内容をチェックした上で作成しますので、遺言書をめぐるトラブルが発生する余地は少ないのですが、広く利用されている自筆証書遺言の場合は、法律の素人が作成するものですから何かと問題が起こりがちです。内容について問題が出てきても、そのことを遺言者に確かめることができないわけですから、解決が難航します。

遺言書に偽造・変造の疑いがあるときは

父親の筆跡に似てはいるが、どうもおかしい、また内容も普段から父が言っていたこととは違うなど、発見された遺言書に疑問がある場合、どうしたらよいでしょうか。

考えられるのは遺言書の偽造です。遺言書の偽造とは、遺言書を作成する権限のない者が、遺言書を作成した場合を言います。もちろん、偽造された遺言書は無効（最初から存在しなかった）と言えます。ですから、偽造の遺言書には何の効力もありません。

偽造に関連して説明しておきますが、遺言書を作成する権限のない者が、遺言書の一部を書き換えたり、抹消したり、訂正したりした場合が遺言書の変造です。

偽造の場合と違うのは、変造前の遺言書は効力を持つ遺言書ですから、変造されても本来の遺言書の字句が判読できれば、遺言書としての効力を持ちます。本来の遺言書が変造のために黒く塗りつぶしてあり、判読が不可能の場合には、その遺言書に従うわけにはいきません。

どこまでが変造であり、どこまでが本来の遺言の字句かについて争いがある場合には、裁判により決着をつけるしかありません。

遺言者の遺言を偽造（変造もそうですが）した者が相続人である場合には、相続欠格者として相続権を剥奪されますし、偽造した者が受遺者の場合には、受遺欠格者として遺贈を受けることはできないことになっ

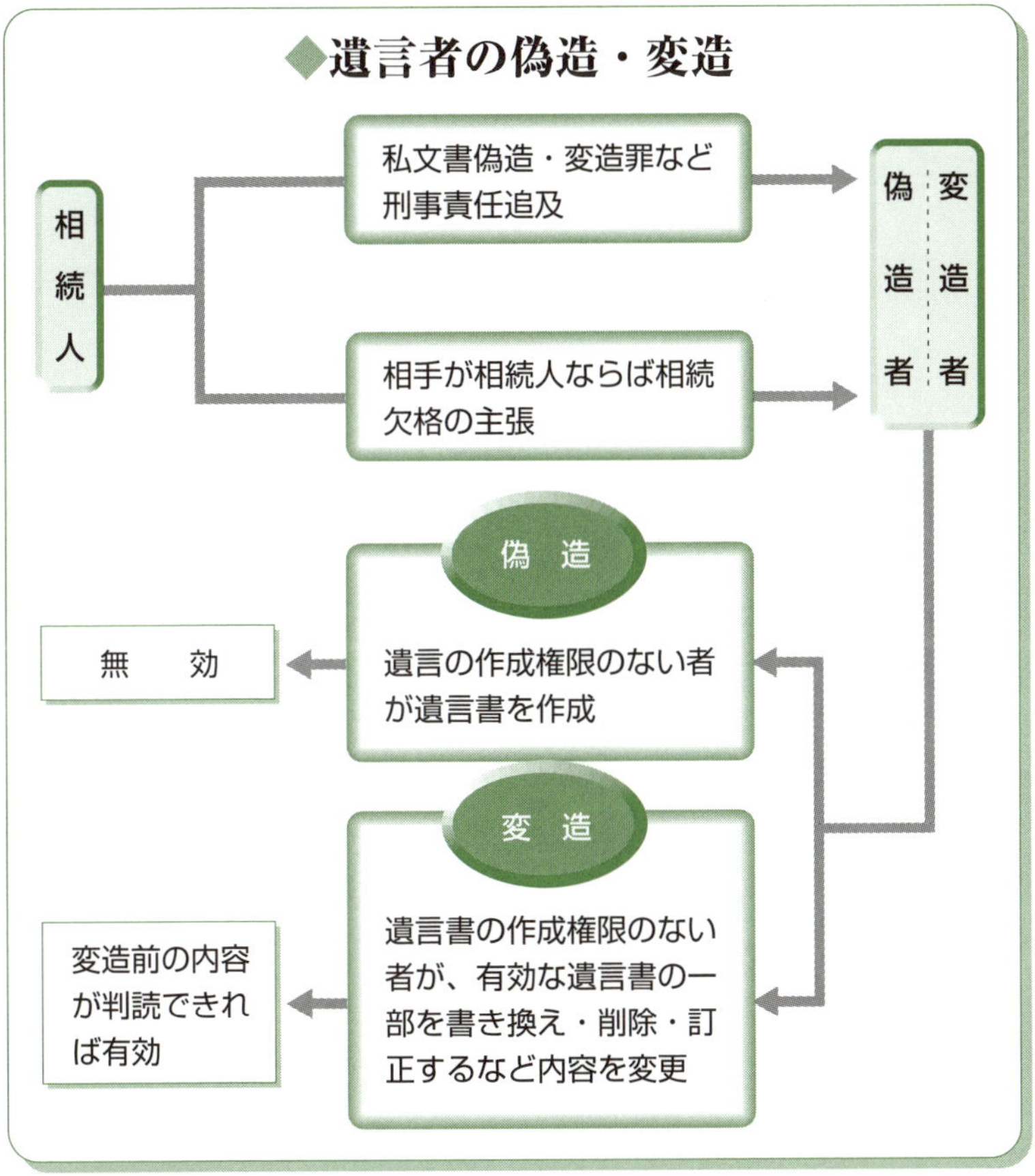

ています（民法965条、891条）。それ以外に、私文書偽造・変造罪（刑法159条）、偽造・変造私文書行使罪（同161条）で刑事告訴をすることもできます。

遺言書の内容に意味不明個所がある場合

遺言書の内容に意味不明の個所がある場合には、これを明らかにする必要があります。しかし、肝心の遺言書の作成者はすでに死亡しているわけですから、遺言者の真意を確認することができません。

書かれた遺言書から、何とか遺言者の真意を推し量るしかないわけですが、それをめぐってモメた場合には、結局、裁判所の判断を仰ぐしか方法はありません。

遺言書の中の特定の条項の解釈が問題になった事件で、最高裁は次のように解釈の基準を示しています。

①　遺言の解釈に当たっては、遺言書中の文言を形式的に判断するだけではなく、遺言者の真意を探究すべきである。

②　遺言書が多数の条項からなる場

合、そのうちの特定の条項を解釈するに当たっても、単に遺言書の中から当該条項のみを他から切り離して抽出し、その文言を形式的に解釈するだけでは十分ではなく、遺言書の全記載との関連、遺言書作成当時の事情および遺言者のおかれていた状況などを考慮して、遺言者の真意を探究し、当該条項の趣旨を確定すべきものである（昭和58年3月18日判決）。

また、遺言の内容に矛盾する個所がある場合、あるいは遺言者が誤解していたと思われる文言がある場合は、前記最高裁の示した解釈基準により、遺言作成時の事情や遺言者の置かれていた状況等を考慮し、遺言者の真意を判断するしかありません。

全遺産を宗教団体に寄付する遺言は有効か

相続人にしてみれば、自分が相続できると思っていた遺産が全部第三者へ遺贈されるのは許せないという気持ちになるでしょう。

しかし、被相続人（遺言者）が自分の財産をどのように処分するかは、生前であろうと死後であろうと自由なのです。ですから、法律に違反するような遺贈でないかぎり（たとえば、殺人を条件とした遺贈など）、誰に遺産を残すかも自由です。

ただし、すべての遺産が遺言の内容の通りに実行されるわけではありません。配偶者、子または孫、父母などの直系尊属が相続人の場合には、遺留分（49ページ参照）の権利がありますので、宗教団体に遺留分侵害額に相当する金額の支払いを請求できます（１０４６条）。

宗教団体は遺贈を受ける代わりに、遺留分侵害額に相当する金額を相続人に支払う義務があるのです。

もちろん、相続人が被相続人の意思を尊重して、遺留分侵害額を請求しなければ、全遺産は宗教団体に寄付されることになります。

もう一つ問題があります。遺産の全部または何分の1というような割合を決めて遺贈することを、包括遺贈といいますが、包括遺贈の場合には、法定相続の場合と扱いは同じですから、法定相続の場合の規定が準用されます（９９０条）。

学者の中には、包括受遺者は相続人と同じようにみられるから、法人（宗教団体など）が包括受遺者になれるとすると、法人が遺産分割協議に参加するなどいろいろな点で不都合があるとして、認めない人もいます。

しかし、現在の相続は財産の相続に限られていますし、たとえばマイナス財産の相続など法人にとって不都合な場合には、相続放棄をすればよいことですし、そのことをもって法人の遺贈を否定することはできません。

遺言書の処理法 2

■遺言の取消し

複数の遺言書が出てきた場合どうすればよいか

▼遺言書の内容が抵触する場合は最後の遺言書が優先

■遺言書は1通しか書いてはいけないものではありません。何通書いても、何度書き直しをしてもかまいません。問題になるのは、遺言者が死亡した後、複数の遺言書が発見されて、それぞれの遺言書の内容が抵触する場合です。抵触しなければ、それぞれの遺言書は有効な遺言書となります。

複数の遺言書が出てきたときは

同じことを何度も述べますが、どのように自分の財産を処分するかは、生前でも死後でも自由にできるのが、私有財産制度の原則です。もちろん、死後の財産処分は、遺言または死因贈与契約によることになりますが。

しかし、いったん遺言書を作成したものの、その後、気が変わることも人間であれば珍しいことではありません。

その結果、遺言者が死亡した後に、複数の遺言書が出てくることも稀ではありません。遺言者が死亡した後では、どの遺言書が本物かを確かめる術はありません。そこで、民法では、遺言書の内容が抵触する場合の優先順位を決めています。

古い遺言書と新しい遺言書が出てきて、内容が重なる場合は、新しい遺言によって古い遺言は撤回したものとみなされます（１０２３条）。

すなわち、平成28年の遺言書では、全遺産をA夫に相続させるとあったが、令和4年の遺言書では、全遺産をB子に相続させるとあった場合には、新しい遺言によってA夫に対する遺贈は撤回され、B子が全遺産を相続することになる（遺留分の問題はありますが）ということです。

遺言書が何通出てきても、一番最後に作成された遺言書、新しい遺言書が有効な遺言となるわけです。

ですから、遺言では、新しい遺言であることの資料として日付が重要な意味を持つわけです。

ただし、新旧の遺言書がでてきても、内容が抵触しない部分については、古い遺言に書かれたことも有効になります。

公正証書遺言の後に自筆証書遺言が出てきたら

公正証書遺言は、公証人に作成を依頼して作られた遺言書です（82ページ参照）。

公正証書遺言の特長は、法律の専門家が作成するものですから、文字の不鮮明、作成方式の不備、趣旨不明などがないこと、公正証書の原本が公証役場に保管されるので紛失したり、偽造、変造、滅失、破損の心配がないこと、口頭で内容を述べて作成してもらうので文字の書けない人でも作成できることなどが挙げられます。

このようにメリットの多い公正証書遺言ですが、だからといって自筆証書遺言など他の方式によって作成された遺言よりも、法律的に高い効果を与えられているわけではありません。

ですから、公正証書遺言の後に、新しい自筆証書遺言が作成され、その内容が抵触する場合には、新しい遺言の方が優先することに変わりはありません。

ただし、新しく作られた自筆証書遺言がキチンとした作成方式を踏み、有効な遺言であることが前提です。

遺言が撤回されたと見なされる場合は

遺言が撤回されたものとして扱われる場合は、次のとおりです。

① 後の遺言によって、前に作成し

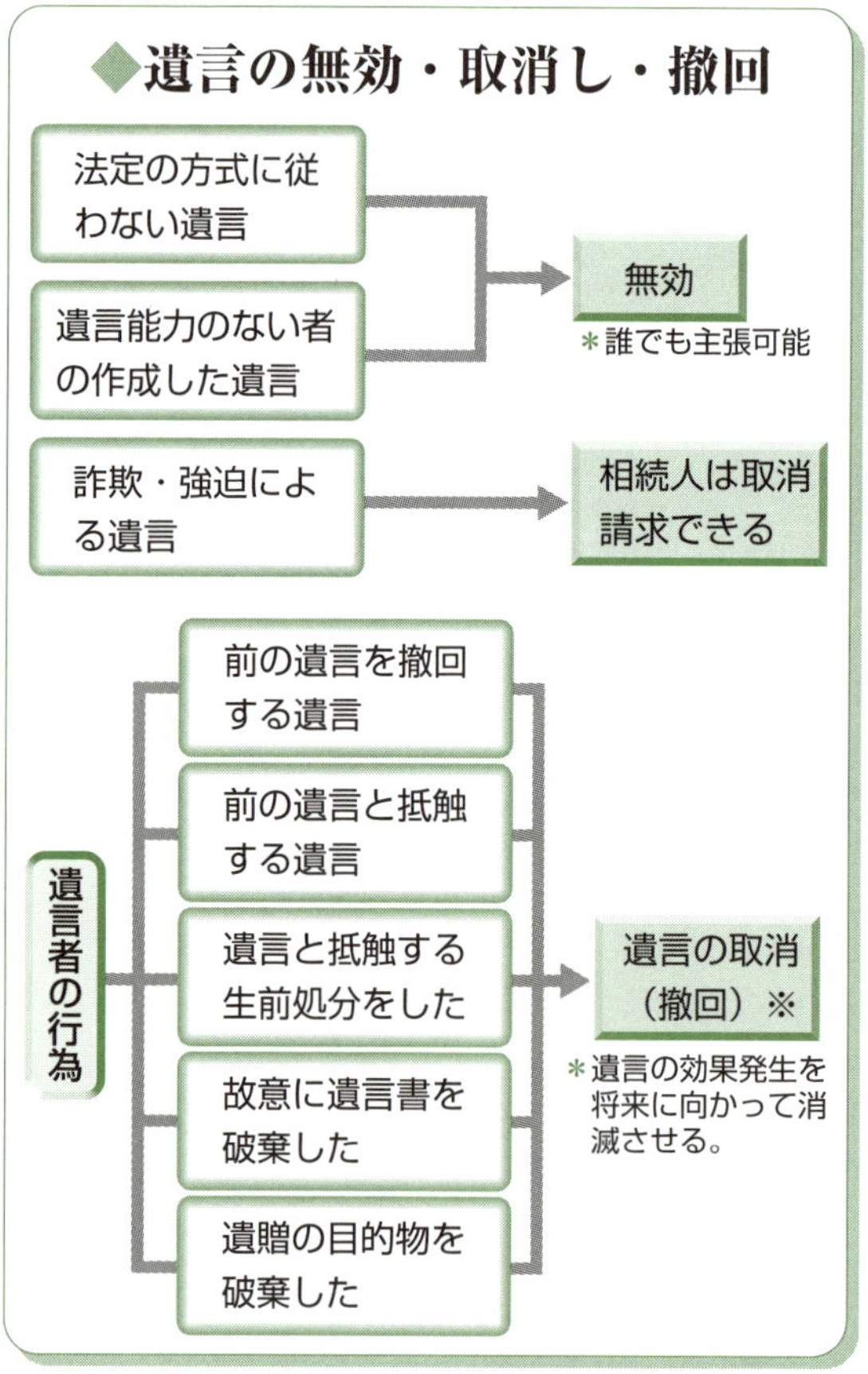

た遺言を、撤回する旨の遺言をする。

②後の遺言によって、前の遺言内容に反する遺言をする。

③遺言をした後に、生前に遺言内容に反する処分行為（遺言の目的物を売却するなど）をする。

④遺言者が故意に遺言書を破棄する。

⑤遺言者が遺贈の目的物を破棄する。

遺言書の破棄は、遺言書を破り捨てることの他に、遺言書の全部または一部を焼却したり、元の文字が判読できないほど塗りつぶしたり、抹消したりして、訂正の付記も押印もない場合も含まれます。

その他、詐欺または強迫によって遺言書が作成されたことが遺言者の死亡後に判明した場合には、遺言者の相続人は、その遺言の取消しを請求することができます。

遺産分割後に遺言書が出てきたら

遺言書は、遺言者の最終の意思表示ですから、尊重されなければなりません。

遺言による相続が法定相続よりも優先するのはこのためです。

では、遺言が残されていることを知らずに遺産分割の協議が成立した場合はどうでしょうか。

遺言に反する協議の部分は、無効となります。

しかし、相続人は遺言を承認する自由も拒否する自由もあります。すなわち、被相続人である遺言者の意思よりも、相続人の意思を優先させても問題はありません。ですから、相続人と受遺者の全員が納得すれば、遺言の内容と異なる遺産分割協議も有効と言えます。

ただし、相続人の１人でも異を唱える場合には、遺言に従う必要があります。

遺言によって、子を認知したり、特定の財産を相続人以外の第三者に遺贈する内容の遺言の場合には、再分割の協議が必要と思われます。ただし、すでに相続財産を処分した後に認知があった場合には、認知された子は価額のみ（金銭）による支払いを求めることになります（民法９１０条）。

また、遺言によって、遺産分割協議に参加した相続人の１人が廃除されたときは、無資格者の参加した遺産分割協議ですから、無効ということになります。この場合も、廃除を受けた者がすでに相続財産を処分していれば、価額返還するしかありません。

もし、財産が残っていれば、他の相続人は相続回復請求権を行使して、財産を取り戻すことができることになります。

◆調停などの申立てをする場合の保全処分

●調停前の処分（仮の措置）

調停が申し立てられてから成立するまで長期間となることは少なくありません。その間の必要に対して設けられたのが、調停前の処分（仮の措置）です。

調停前の仮の措置は、調停が申し立てられた後にのみ取られる措置で、申立て前には取られません。この点は一般の民事保全法による仮処分と異なります。つまり申立て後、調停成立前の間に取られる措置です。

また、この措置は「調停の為に必要」である時に取られるもので、この場合の他、調停内容の実現、または調停進行中必要な場合も含まれます。

この措置は、実務上は当事者の申立てによってなされることが多いのですが、法的には申立てを必要とせず、裁判所の職権で取られるものです。措置の内容については、制限はありません。

なお、この措置には執行力はありませんが、正当な理由なくこれに従わないときは、10万円以下の過料の制裁があります。

●審判前の保全処分

家事事件についての執行力のある処分としては、家庭裁判所の行う審判前の保全処分があります。審判事件も事案により審理が長期にわたることがあるため、その間の保全の必要がある場合に認められます。

この保全処分も調停前の処分(仮の措置)と同様、審判申立て以後になされるものであり、この点が訴訟提起前に申請できる民事保全法の仮処分と異なります。

家事審判事件（家事事件手続法別表）で審判・調停の申立てをした場合、あるいはいったん審判の申立てをしたが、その審判事件が裁判所により調停に付された場合には、審判事件としても存在しているのですから、保全処分を申し立てることができます。

審判前の保全処分は、すべての審判について行われるのではなく、保全処分ができる紛争は家事事件手続法、家事事件手続規則に規定があります。相続に関するものとしては、遺産分割について保全処分が認められています。

保全処分には、財産管理人の選任、遺産の管理に関する事項の指示、仮処分、仮差押え、その他の保全処分があります。

なお、審判前の保全処分には、民事保全法の担保に関する規定が準用されており、事案によってはかなり高額の保証金が必要になることがあります。

★財産分離の申立て

例えば被相続人Ａの遺産が1億円あって、相続人はＢのみで、Ｂが持っていた財産が５０００万円、そして被相続人Ａに対してＣが８０００万円の債権を持っていて、相続人Ｂに対してＤが８０００万円の債権を持っていたとします。

この場合、ＢがＡの遺産を相続することによってＢの資産は1億５０００万円になります。この1億５０００万円を債権者のＣとＤで債権者平等の原則にしたがって平等に分けると、Ｃは７５００万円しか支払を受けられません。相続がなければＡから全額の支払いを受けられたはずなのに、Ｂの相続後は、５００万円の損をすることになります。遺産の額によっては、逆に相続人の債権者が不利益を被ることもあります。

これを避けるために、相続開始後に被相続人の債権者や受遺者、または相続人の債権者の請求によって、相続財産から債権者への支払分を分離して、別個に清算させる手段を財産分離と呼びます（民法９４１条～９５０条）。

PART 4

相続財産の請求・移転の法律手続きとトラブル解決法

ケースごとの手続きを知って確実に財産を受け取ろう

◆遺産として受け取る財産には様々な種類があります。不動産をはじめとして、自動車や貴金属のような動産があり、借地権や貸金債権、著作権のように目に見えない財産権もあります。これらの資産の種類ごとに、必要となる手続きや、注意しなければいけない点があります。

◆財産相続は、財産を受け取っただけで一丁上がりとはいかない場合があります。ある額以上の価額の遺産を受け取った人には、相続税という税金がかかってくるのです。

相続財産を自分のものにするには手続が必要

各種資産の相続手続きの流れと必要書類

◆被相続人が死亡すると、その遺産は相続財産となり、原則、相続人がすべてを引き継ぐことになります。各相続人の相続分や受け取る具体的な資産は、被相続人の遺言や相続人同士の遺産分割協議、あるいは裁判所の調停・審判・訴訟により決められます。ただし、負の遺産（借金など）が多い場合には、相続人は相続を放棄することも原則自由です。

●各種資産の相続手続きの流れと必要書類

■相続財産には、土地建物などの不動産もあれば、銀行預金や動産、それにローンなど、様々な種類があります。相続人は、遺産分割により、その資産を相続することが決まっても、一定の法的手続きを取らないと、相続の効果が生じない資産も少なくありません。

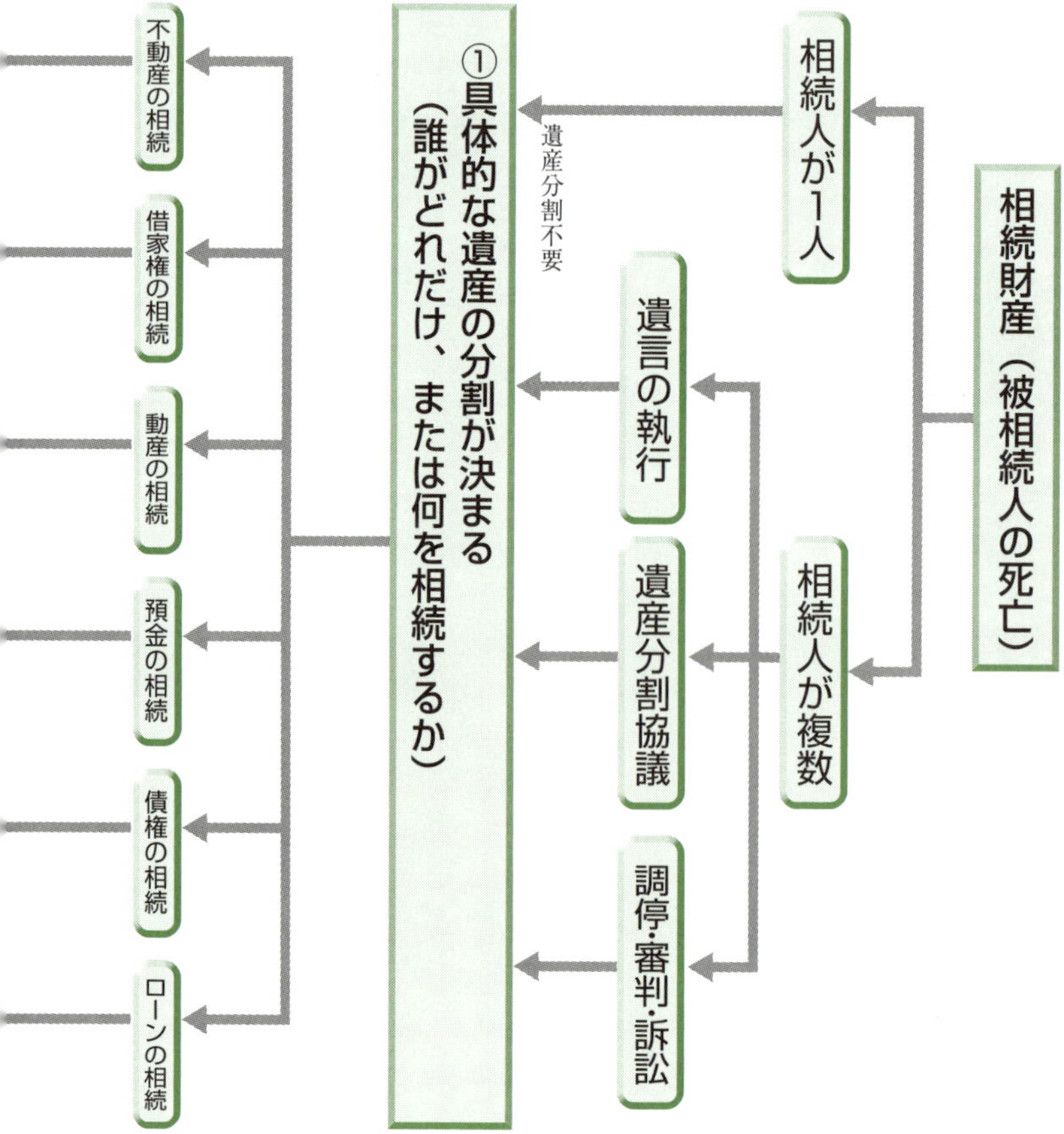

■相続と各種の手続き

被相続人の死亡では、遺産を相続人のものにするためには、手続きが必要です。法律上は、不動産は登記、動産は引渡しですが、預貯金や生命保険、株式などの相続では、該当の金融機関や保険会社・証券会社で手続きが必要となります。その場合、金融機関等の用意している書類に従い手続きをすることになりますが、多くの書類を添付しなければならず、結構、大変です。

■法定相続情報証明制度の運用の開始

亡くなった人（被相続人）の銀行預金を引き出したり、所有不動産の名義を書き替える場合には、相続人は、各金融機関や物件所在地を管轄する登記所（法務局）ごとに、被相続人の出生から死亡までの戸籍謄本や除籍謄本、改製原戸籍などの戸籍書類を提出し、他に相続人がいないことの証明が必要です。

「法定相続情報証明制度（平成29年5月29日から運用開始）」は、そんな面倒な手続きを簡素化するもので、登記所で一回手続をするだけですみます。

ただし、この証明があれば、金融機関等の手続きが不要というものではありません。したがって、手続先が少ない場合は、取引先ごとに戸籍書類を出す従来の方法の利用が面倒のないこともあります。

▼申立書式は237ページ参照。

	②相続人や受遺者は資産取得（または解約・名義変更）に必要な相続手続きを行う		③相続人や受遺者が法的に資産を取得する＊
・他の相続人の相続放棄申述受理証明書または遺産分割協議書等が必要となる	法務局（登記所）で所有権の移転登記を行う		不動産の所有権が相続人に移転する
・同居の妻子は無条件で相続可 ・内縁も居住用家屋は承継の可能性（事実上居住権は認められる）	家主に相続の通知を行う	・家主の承諾は不要 ・原則承諾料や更新料等は不要	賃借権・居住権取得（賃借人となる）
・遺産分割の指定に従って取得	占有の確保	・相続財産の管理者から引渡しを受けるだけでよい	占有を確保すれば相続は終了する
・遺産分割協議書、または相続人全員の実印と印鑑証明書が原則必要となる	銀行で解約・名義変更	・預金契約を解約し、相続人の指定口座に入金する方法が一般的	預金者としての権利を取得
	債務者に相続を通知	・借用書の訂正、または債務確認証を債務者から取る	債務者に対する請求権を取得
・被相続人の死亡を、債権者へ通知する	ローン契約を変更する	・債権者が応諾せず残金の一括返還を迫る場合もある	ローン残高の返済義務を負う

＊遺産分割協議等が調った時点で相続人間ではそれぞれの資産取得を主張できるが、必要な相続手続きを行わないと、第三者に対しては資産の取得を対抗できないこともある。

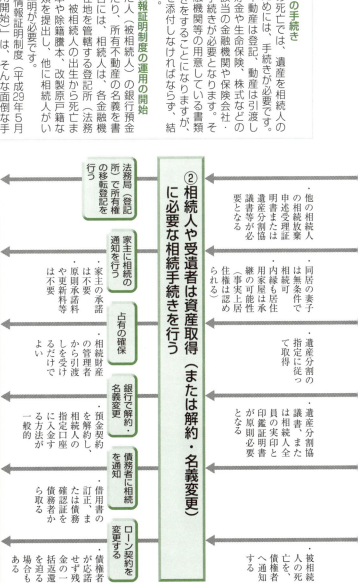

1 不動産（土地・家屋）を相続する場合の手続き

登記をしないと権利を第三者に対抗できない

土地・家屋などの不動産を相続する場合、その相続人は法務局（登記所ともいう）で「相続による所有権移転登記」の手続きをすればいいでしょう（必要書類は左下表参照）。

この登記手続きは、必ずしも強制というわけではありませんが、遺産分割をした不動産の所有権を第三者に主張するには、登記が必要です。

たとえば、いつまでも移転登記をしないで放っておくと、他の相続人が勝手に共有相続登記をしてしまったり、その相続持分を第三者に譲渡（売ってしまう）してしまうこともあります。

また、遺産分割を口頭で行い、キチンとした遺産分割協議書などを残してない場合、遺産分割のやり直しを請求されるおそれがないとはいえません。後々、このようなトラブルを起こさないためにも、遺産分割を終えたら、できるだけ早く登記手続きを済ます方が安全です。

相続の登記手続きは相続人本人でできる

不動産登記は一般的に、登記権利者（たとえば買主）と登記義務者（たとえば売主）が共同申請することになっています。

しかし、相続登記は、権利を失う登記義務者が被相続人ですから、登記権利者である相続人が単独で申請できるのです（自分の持分だけを登記することもできます）。登記手続きは、司法書士等の専門家に依頼することもできますが、本人が申請することも認められています。

なお、相続人の1人が当該不動産のすべてを相続する場合、最初から単独登記する方法と事情によっては、いったん共同相続登記を行い、その相続分を特定の1人に譲渡する方法とがあります。

登記に必要な費用は不動産評価額による

相続による所有権移転登記の手続きには、登録免許税（税率は左表参照）がかかりますが、この税額の算定基準となる不動産の価格（評価額）

は固定資産税評価額です。

なお、農地の相続の場合も、登記手続きが必要であることは原則変わりません。しかし、農地の所有者は自ら耕作する者という農地法の規制があり、農業委員会の所有権移転許可が必要になることもあります。

★相続人の1人が占有している不動産は

被相続人名義の不動産に特定相続人が現に居住している場合、その不動産を他の相続人が相続することになったら、所有権移転登記はできても、その占有者に不動産を明け渡させることは容易ではありません。

むろん、法律的に不動産の占有者が有利ということではありませんが、話し合いによりトラブルを避ける分割方法を選ぶことも必要です。

●不動産（土地・家屋）の相続手続き

★どんな手続きが必要か

相続による所有権移転登記

★手続きの届出先

法務局（本支局・出張所）

★必要な書類

・土地（建物）所有権移転登記申請書、添付書類（遺産分割協議書など）
・相続人の戸籍謄本（全部事項証明書）
・被相続人の除籍謄本（全部事項証明書）
・相続人の住民票
・固定資産課税台帳謄本

〔相続人が多数いる場合〕

・相続人の１人が単独相続するには他の相続人の「相続放棄申述受理証明書」または「印鑑証明書」を添付した「相続しない旨の証明書」もしくは「遺産分割協議書」のいずれかが必要となる。

★手続きに必要な費用

・登録免許税⇨不動産評価額の1000分の４（令和４年６月31日現在）
・司法書士等に登記を依頼する場合には、その費用など

＊「相続分皆無証明書」で事実上相続放棄する他の相続人は実印が必要ですが、相続により所有権を取得する相続人（登記権利者）は認印でもかまいません。

2 借地権・借家権を相続する場合の手続き

借地権・借家権も相続財産として相続できる

借地権も借家権も、財産上の権利です。被相続人が借地上に家を建てて住んでいたり、あるいは賃貸アパートやマンションを借りて住んでいた場合、その賃借権も被相続人の遺産に含まれ、当然、遺産相続の対象となります。

相続人の手続きは、賃借物件の貸主（賃貸人、地主あるいは家主）が被相続人と結んだ賃貸借契約の借主（賃借人、借地人あるいは借家人）の名義を自分名義に書き替えてもらえば完了です（次ページ表参照）。

この場合、相続は地位の承継で、賃借権の譲渡ではないため、貸主の承諾はいりません。貸主は原則として、借主の法定相続人がその賃借権を相続するのを拒否できないのです。また、相続を理由に、相続人に賃貸借契約の名義書換料などを請求することも、法律上はできないことになっています。

同居している相続人は無条件で相続できる

借地でも借家でも、その賃貸借契約の名義人である被相続人が世帯主だった場合、その物件に同居している相続人（たとえば、妻や子供など）は原則として無条件に、その権利を相続し、そのまま居住し続けることができます。

なお、被相続人と同居していなくても、その法定相続人なら被相続人が賃借する物件の賃借権を相続することができるとされています。

この賃借権も、相続人が複数いる場合には、それぞれの相続分割合に応じて、共有することも可能です。ただし、賃貸借契約上の名義を書き替える場合には、相続人の1人（たとえば、実際の居住者）を代表者として選出し、その者が貸主と名義変更契約を結ぶのが一般的で、簡単だと思います。

また、被相続人の死後、その同居人（相続人）がキチンと賃料を払ってさえいれば、相続人はその地位を引き継いでいるのですから、とくに名義変更をしなくてもかまわないような気もします。

しかし、その後のトラブルを避け

るためにも、やはり名義書換えをしておく方が無難です。

内縁の妻も居住権の承継が認められる場合がある

内縁の妻や内縁の養子には、原則として相続権がありません。しかし、被相続人が賃借する居住用建物に同居し、事実上の夫婦関係や親子関係が続いているような場合、借地借家法は他に相続人がいないことを条件に、内縁の妻などに借家権の承継を認めています。

ただし、他に相続人がいると、この借地借家法の規定は適用されません。借家権を承継したい人は、相続人と話し合うしかないのです。

もっとも、この場合には、裁判所が内縁の妻などの居住権を認めることも少なくありません。たとえば、同居もしていない相続人の恣意的な追い出しには、十分対抗できると思います。

なお、借地権の場合には、内縁の妻などの居住権を認める民法の例外規定がありません。

借地権を内縁の妻に承継させたいという場合、生前贈与や遺贈により借地上の建物を内縁の妻名義にしておくことです。こうすれば借地権を相続するのと同じ効果を得ることができるでしょう。

●借地権・借家権の相続手続き

★どんな手続きが必要か 借地または借家の賃貸借契約書の貸借人の名義を書き換えること
★手続きの届出先 地主または家主（その委任を受けた宅地建物取引業者が事務手続きを代行することも多い）
★必要な書類（地主・家主から次の書類を要求されることもある） ・相続人の戸籍謄本（全部事項証明書） ・被相続人（借地人または借家人）の除籍謄本（全部事項証明書）
★手続きに必要な費用 ・名義書換料などは原則不要

＊借地権者や借家権者の配偶者や子供など同居の家族は、無条件で借地権や借家権を相続します（法定相続人は別居してても、原則、相続ができる）。ただし、内縁の妻がその権利を承継するためには、いくつか条件が必要です。

3 住宅ローン・各種ローンを相続する場合の手続き

ローンも原則として相続人が相続する

被相続人の遺産（相続財産）には、借金や買掛金といったマイナスの資産も含まれます。相続人は、家庭裁判所で相続放棄や限定承認の手続きを取らない限り、住宅ローンやその他の借金も一切相続することになるのです。相続人が複数いる場合には、それぞれの相続分の割合についてのみ承継します。

たとえば、被相続人が金融業者から100万円を借りていた場合、相続人が妻と子供2人だとすると、連帯保証人になっていない限り、妻は50万円、子供はそれぞれ25万円についてのみ返済する義務を負うということです。

ところで、一口にローンと言っても、住宅ローンや消費者ローンなど様々な種類があり、相続が発生した場合の取扱いも分かれます。ただ、いずれの場合も、ローンを借り入れた銀行など金融機関（債権者、貸主）の窓口に相続する旨を届け出ることです（次ページ表参照）。相続手続きに必要な書類や、ローンの取扱いも、その窓口で教えてもらえます。

団体生保付ローンは死亡保険金で精算

銀行の住宅ローンまたは提携ローンを利用する場合、そのほとんどのケースで、借主はローン契約時に団体信用生命保険に加入しています。この団体信用生命保険というのは、銀行（債権者）を保険契約者（保険受取人）、ローンの借主（債務者）を被保険者、そして借入額を保険金額、また返済期間を保険期間とする団体生命保険です。

仮にローンの借主が死亡すると、銀行はこの保険契約に基づき、その死亡時点でのローン残高に見合う金額を保険会社から受け取り、借主の借入金に充当します（返済したことになります）。

この団体生保付ローンの場合には、相続人はローン対象の物件だけを取得（相続）し、その後のローン返済をしなくても、そのまま住み続けることができ、銀行が物件に付けていた抵当権なども抹消されます。

しかし、団体生保の付いてない住

●住宅ローン・各種ローンの相続手続き

★どんな手続きが必要か
・団体生保の付いている住宅ローン
死亡保険金の請求手続きと借入金との精算手続き
・団体生保なしの住宅ローン、その他の各種ローン
ローン契約の債務者の名義書換えの手続き、あるいは精算手続き

★手続きの届出先
銀行などローン契約の債権者

★必要な書類
・被相続人の死亡届または除籍謄本（全部事項証明書）
・相続人の戸籍謄本（全部事項証明書）
・相続人の住民票
・相続人の所得証明（源泉徴収票、確定申告書）など
※住宅ローンを相続する場合には対象不動産の名義変更手続きも必要になります（184ページ・不動産の相続手続きを参照のこと）

★手続きに必要な費用
・印紙税や郵便費用など
・住宅など、相続登記が必要な場合には、その費用（184ページ・不動産の相続手続きを参照のこと）

＊貸主（債権者）がローンの相続を認めず、相続人や連帯保証人にローン残高の一括返済を要求したり、担保物件の処分をすることもあります。

宅ローンの場合は、相続人がローンの返済義務も引き継ぐことになります。この場合には、相続人はローンの名義書換えをして、ローンの返済を続けなければ、被相続人から相続した物件に住み続けることはできません。相続人が返済できない場合、ローンの貸主は抵当権などを実行して貸金の回収を図ります。

なお、抵当権実行による競売では、その価格（競落価格）は時価より低くなるのが普通です。そこで、抵当権実行という最悪な事態になりそうな時は、すみやかに借入先の銀行などと相談し、任意売却によりローンを清算するという方法を取ることをお勧めします。

連帯保証人に返済を請求することもある

消費者ローンなど各種のローンについても、原則として、相続人が返済を引き継ぐことになります。この場合にも、貸主に相続する旨を届け出て、名義書換えなど必要な手続きを取ってください。

なお、被相続人が借り入れたローンに連帯保証人が付いている場合、団体生保付の住宅ローン以外では、貸主は相続人ではなく連帯保証人にローンの返済を直接求めることもできます。

4 自動車を相続する場合の手続き

自動車を相続するには登録が必要である

被相続人所有の自動車やバイクも、不動産や預貯金と同様、相続財産に入ります。この自動車等を、相続人の1人が単独で相続する場合でも、複数の相続人で共有する場合でも、不動産の相続と同様に、その所有権の移転を公示（自動車登録ファイルへの登録が対抗要件）しないと、第三者には対抗できません。

自動車は、道路運送車両法により、自動車登録ファイルに登録したものでないと公道を走ることはできません（米軍車輛など一部の例外を除けば、ナンバープレートのない車は公道を走れない）。また、相続や譲渡などで、その所有権が移転した時も、その旨の登録を受けないと、第三者に対抗できないのです。

もちろん、名義を変えなくても、登録済みの自動車であれば、運行（公道を走ること）には支障はありません（法律上は15日以内の変更登録が義務づけられている）。

しかし、所有名義が被相続人のままだと、他の相続人から自動車の相続権を主張されたり、第三者との間でその所有権をめぐってトラブルが起こる場合もないとは言えません。

また、その自動車を買換えなどで下取りに出す場合には、所有者の印鑑証明書が必要となり、結局、相続人としては、名義変更をしなければならないのです。

ですから、自動車を相続した場合

★形見分けは遺産相続ではない

日本には、亡くなった人が生前愛用していた文具や衣服など、いわゆる身の回りの品々を、近親者や友人・知人に分ける「形見分け」という風習があります。

これも、遺産分割と言えないこともありませんが、あくまでも故人を偲ぶ意味合いで分け与えるものです。その品が余りにも高額だと問題かもしれませんが、一般的に形見分けの品については、相続財産の処分とは言えません。法律上も、遺産相続には当たらないと考えていいと思います。

は、早めに相続による変更登録をしておいてください。登録の手続きは、管轄の陸運事務所にします（左表参照）。

なお、排気量125cc以下のバイク（原動機付自転車）については、市区町村の登録です。

原付バイクの所有者は軽自動車税の支払義務者ですから、相続人もまた税の支払義務を負います。この場合の相続手続きは、市区町村の窓口で行い、必要書類は原則として、①そのバイクのナンバープレート、②標識交付証明書、③本人確認書類などです。

共有の場合は相続人全員が書類を提出

相続人が複数いて、その自動車を共有するという場合も、手続きは同じです。ただし、共有する相続人全員が、それぞれに必要書類を揃え、陸運局に提出しなければなりません。カスタムカーなど特別なものを除けば、相続した自動車を売却しても、一般的に中古価格でしか売れませんから、面倒な手間をかけて共有登録する価値があるかどうか疑問です。

自動車の移転登録は、相続人本人でもできますが、ディーラーなど専門業者に手続きを頼んだ方が面倒はありません。

●自動車の相続手続き

★どんな手続きが必要か

所有権の移転登録

★手続きの届出先

・陸運事務所

・市区町村役場(125cc以下のバイク――原動機付自転車)

※軽自動車は軽自動車検査協会で名義変更などの手続きを行う

★必要な書類（陸運事務所に届出をする四輪自動車に関するもの）

・変更登録申請書

・自動車検査証（有効なもの）

・戸籍謄本〈全部事項証明書〉(相続人)

・住民票または印鑑証明書（個人）

・除籍謄本〈全部事項証明書〉（被相続人）

・新しい使用者の自動車保管場所証明書

・自動車損害賠償責任保険証明書（呈示のみ）

・遺産分割協議書　など

※届け出る陸運事務所で確認してください。

★126cc以上の車輌の手続きに必要な費用（登録手数料）

・１車両につき500円

・ナンバー変更の場合は、別に新しいナンバープレートの交付手数料が約1,500円かかる（地域により金額が異なる。希望ナンバー、図柄ナンバーにする場合は、かなり高額）

5 貸金債権・売掛金債権を相続する場合の手続き

債権が時効だと相続しても請求できない

被相続人が、第三者に貸している貸金も、また商売上の売掛金債権も相続財産であることに違いはありません。相続人は、この債権も、他の相続財産と同じように、相続できます。その相続手続きは、相続人となった人が貸金債権や売掛金債権の債務者に対し、その債権を相続した旨を通知し、債務者から債務確認書などをもらっておくといいと思います（次ページ表参照）。

とくに、口約束など正式な契約書を交わしてない場合や「出世払い」などの場合は、この手続きを忘れないでください。後から相続人が支払いを求めても「そんな借金などない」とツッパねる悪質債務者がいないとも限りません。

もっとも、債務確認書が取れなくても、債務者が相続人からの通知に従って、貸金や売掛金の一部でも相続人宛に支払ってくれれば、債務を確認（承認）したのと同じです。

注意しなければならないのは時効の問題です。時効が完成した債権を相続しても、債務者が時効を援用し、支払いを拒んだら、その債権は回収できません。そこで、遺産分割の前に個々の債権の時効の有無を調べておく必要があります。

債権の時効期間は、令和2年3月末までは、貸金債権の場合、個人間の貸し借りは10年、債権者・債務者の一方が法人だと5年で、また売掛債権の場合、商品の小売代金は2年、飲み屋の飲食代金は1年、自動車の修理代金や工事の請負代金は3年など、細かく分かれていました。

しかし、令和2年（2020年）4月1日から施行された改正民法で、債権の消滅時効期間は、給料の3年を除き、「権利を知ったときから5年（権利を行使できるときから10年）」に統一されています（民法166条。89ページ表参照）。

なお、相続財産の時効については、民法はその起算点を、①相続人が誰か確定したとき、②相続人の存在が不明な場合は家庭裁判所が相続財産の管理者を選任したとき、または③破産手続き開始の決定があったとき、のいずれかとし、その時から6か月間は時効は完成しないと決められています（民法１６０条）。

ところで、よく勘違いするのですが、時効期間が経過すれば、自動的に時効が完成し、債権者は支払いを請求できなくなると考えている人が少なくありません。しかし、これは間違いです。

時効は、債務者が「時効だから、支払いをしない」と、時効の援用をして初めて完成します。ですから、債権の相続人は、たとえ時効期間が過ぎていると気づいても、債務者に支払いを請求すべきです。

債務者が一部でも支払いをしたり、また債務を承認すれば、時効は更新します。更新により、その時点から再び時効期間のカウントが始まるのです（改正法施行前は、「更新」ではなく、「中断」と言いました）。

相続する債権は相続人全員で担保することに

時効完成までには間があっても、債務者に返済能力がない場合もあります。この場合、遺産分割で、その債務者に対する債権を相続分として割り当てられた相続人は、債権額と実際の回収額との不足分を他の相続人に請求することができます。このような場合、原則として相続人全員がその相続分に応じ、債務者の資力不足を引き受けなければならないのです（共同相続人の担保責任、民法９１２条）。

たとえば、父親の遺産（２０００万円）を兄弟２人で均等相続したが、弟が相続したのは貸金債権だけで、結局は半分の５００万円しか回収できなかったとします。この場合、回収できない５００万円は兄弟で均等に責任を負うことになりますので、弟は兄に対し、２５０万円を請求できるわけです。むろん、話合いで免除することもできます。

●貸金債権・売掛金債権の相続手続き

★どんな手続きが必要か
相続した旨を通知する

★手続きの届出先
債務者

★必要な書類
〔貸金債権〕
・金銭消費貸借契約書の訂正、または債務者から債務確認証を取る
〔売掛金債権〕
・債務者から債務の残高確認を取る

★手続きに必要な費用
なし

＊債権が時効にかかっていないか確認する。時効にかかっていても、債務者が時効を援用しない限り、返済を請求できる。
＊相続人の確定から6か月以内は貸金債権は時効にかからない。

6 預貯金・株式を相続する場合の手続き

預貯金の3分の1は法定相続分で分配可

被相続人の預貯金の相続手続きは、相続人がその口座のある銀行や郵便局で、解約払出しをするだけです。ただし、銀行から提出を求められる書類（左ページ表参照）が多いので、面倒と感じる人は多いでしょう。

そこで、銀行などに被相続人の死を隠して、葬儀費や生活費など当座必要な金額を下ろしてしまうという便法を使う遺族も少なくありません。銀行側に事情を話して預金の引出しを頼んでも、必ずしも応じてくれるとは限らないからです。

たとえば、遺産分割協議の成立前に、相続人の１人が、単独で自分の法定相続分の払出しを請求した場合、銀行は相続人全員の同意書の提出を要求し、出さなければ払出しに応じません。分割可能な債権（可分債権という）である預貯金は、法律上当然に分割され、各相続人は銀行に対し、単独で自分の法定相続分の払出しを請求できるはずですが、銀行は相続財産中の預貯金は遺産分割協議の対象と考えているようです。

裁判所も、従来は遺産分割の対象にならないという判断が原則でしたが、遺産分割の対象になるとする新判断も示されています（最高裁・平成28年12月19日決定）。

最高裁は、法定相続分により預貯金を分配すると、生前贈与を受けた遺族が有利になり、相続人間で不公平が生じること、また常時その残高が変動する預貯金は、相続開始時に相続額が確定、分配できる性質のものではないとして、預貯金も「遺産分割」の対象になるとの初判断を示したのです。預貯金は、法定相続分に応じて自動的に分配されるとの従来の判例を、より柔軟かつ公平な分配をするように変更しています。

なお、相続法改正で、今日では、相続人は被相続人の預貯金の３分の１について、遺産分割協議が済む前でも、自分の相続分に相当する金額（１行１５０万円限度）を引き出すことができます（民法９０９条の２。１５３ページ参照）。

共同相続した株式でも代表者の名義となる

●預貯金・株式の相続手続き

★どんな手続きが必要か
名義変更する（預貯金、保護預かりや名簿方式の株式などの有価証券類）
※株券および無記名の債券現物は引渡し（占有）でよい

★手続きの届出先
・銀行・郵便局など預貯金先
・株式は被相続人の取引証券会社、信託銀行等の口座管理機関

★必要な書類
・依頼書（銀行や郵便局、証券会社などの窓口でもらえる）
・被相続人の預金通帳
・被相続人の除籍謄本（全部事項証明書）
・相続人の戸籍謄本（全部事項証明書）
・相続人全員の印鑑証明
※相続人のうちの１人が単独相続もできる。なお、遺産分割協議書なども用意しておくこと。

★手続きに必要な費用
なし

　株式、国債、社債など有価証券の相続も、預貯金同様に名義変更の手続きが必要です。ただ、有価証券は自由に売買できます（非上場株式は例外的に譲渡制限のあるものも）し、市場で流通するものなので、無記名の公社債や株券の現物がある非上場株式は、その証券の所持人が正当な権利者とみなされます。これらは、証券の引渡しを受ければ相続手続は終了です。

　もっとも、株券を所持するだけでは配当や増資を受けられません。相続した株券に名義書換請求書と株主票を添えて、会社指定の幹事証券会社などに提出する必要があります。

　なお、上場株式は電子化により、株券現物は現在発行されていません（それ以外に発行された現物は証券保管機構『ほふり』が預っていることになっている）。相続には被相続人の取引証券会社で証券口座の名義書換え（または口座開設）とともに、株式の名義書換えが必要です（現物を受け取った場合には、信託銀行など口座管理機関に請求する）。

　また、株式は会社法の規定で共有名義にはできません（会社の同意があれば別、法106条ただし書）。相続人の代表者を決めて名義人にするか、株式を各自の相続分に分割して相続するしかないのです。

＊普通預金、定期預金は、被相続人の通帳と届出印（キャッシュカードと暗証番号）さえあれば、死亡してないことにして払戻しが事実上可能（ただし、トラブルになることもある）

7 著作権や特許権を相続する場合の手続き

著作権の相続も移転登録が必要になった

小説や楽曲、絵画、写真など、被相続人の著作物についての権利（著作権）も、相続財産です。これらは、その著作物を制作した時点で自動的に権利が発生します。しかし、著作権の移転は、文化庁に著作権登録を申請し、著作権登録原簿に掲載されないと、第三者に対抗できません。

ただし、著作権の相続は、相続人同士の話合いさえつけば良く、複数の相続人が分割相続する場合を除き、移転登録など法律上の手続きは特に必要ないとされていました。

しかし、民法および家事事件手続法改正による相続の効力等の見直しに併せて著作権法も改正され、令和元年7月1日以降の遺産分割や相続分の指定などの相続による法定相続分を超える部分についての著作権移転は、移転登録しないと第三者に対抗できません（著作権法77条1号）。

特許権を相続したら届出が必要である

特許権や実用新案権、意匠権や商標権などを総称して、工業所有権と言います。この権利も、また相続財産に含まれます。

なお、出願手続き中の権利、発明直後や開発直後でまだ出願していない権利も、相続することができます（出願前の商標権など、相続財産にならないものもある）。

ところで、この工業所有権も著作権同様、相続による権利の移転は登録する必要はありません（特許法98条1項）。ただし、相続があったことを特許庁長官に対し遅滞なく届け出なければいけないことになっています（同条2項）。

なお、工業所有権は、その権利を分割して相続することも、また共有相続もできますが、例外的に分割移転ができない権利もあります（この場合には、全部の権利を同じ相続人が承継する）。

特許権や著作権には存続期間がある

著作権や特許権など工業所有権（これらを総称して、無体財産権または知的所有権ともいう）の相続手続きで、登録原簿への登録をしなければならない場合、その手続きに必要な主な書類は左表の通りです。

ただし、権利の内容や登録件数により、提出する必要書類や登録費用などが若干異なることもあります。

そこで、知的所有権を相続した場合は、その登録の有無も含めて、文化庁や特許庁に問い合わせてみることをお勧めします。

なお、相続による移転登録などの手続きは、相続人本人でもできますが、相続する権利の存続期間など事前に調査が必要なものもありますので、弁理士など専門家に依頼した方が安全で確実です。

ところで、この知的所有権は、永久に権利が続くというものではありません。それぞれ法律で、存続期間（保護される期間）が決められています。たとえば、著作権のそれは、創作の日から原則著作者の死後70年（映画は公表後70年）です。また、特許権は出願の日から20年（5年限度の延長登録ができる場合もある）で、実用新案権は10年、意匠権は登録出願の日から25年、商標権（更新可能）は設定登録から10年、となっています。

●著作権や特許権の相続手続き

★どんな手続きが必要か

特許権・実用新案権・意匠権・商標権などの工業所有権は、相続したことを遅滞なく届け出る（相続による移転登録ができる）

※著作権は相続人同士の話し合いがつけばよく、移転登録・届出といった法律上の手続きは特にとる必要はないが、贈与や相続人が複数の場合、著作権登録制度による移転登記をしないと、第三者に対抗できない。

★手続きの届出先

・特許権・実用新案権・商標権などの工業所有権　特許庁

・著作権　文化庁

★必要な書類※

・移転登録申請書

・被相続人の除籍謄本（全部事項証明書）

・相続人の戸籍謄本（全部事項証明書）

※相続人が複数いる場合は、遺産分割協議書も用意すること。

★手続きに必要な費用

・工業所有権の権利の移転登録（相続）

1件につき　3,000円

・著作権の移転登録

1件につき　18,000円

＊詳しくは、特許庁や文化庁・弁理士などに確認してください。

8 動産を相続する場合の手続き

動産の相続手続きは占有を確保するだけ

相続財産には、被相続人所有の動産も入ります。動産とは、不動産以外の物を言い（民法86条2項）、具体的には、衣類などの身の回りの品やテレビ、洗濯機など電化製品、パソコン、デジカメ、自動車などがあげられます。当然、遺品の点数で言えば、この動産に該当するものが最も多いのが普通でしょう。

しかし、動産は不動産や預貯金などと違い、換金価値の低いものがほとんどだと思われます。

相続人間でその分割をめぐって争いになるようなものと言えば、貴金属、書画骨董、美術品、それに自動車ぐらいではないでしょうか（自動車の相続手続きについては、他の動産とは大きく異なるので別項で解説しました。190ページ参照）。

自動車以外の動産を相続する場合、届出や名義変更などといった法的手続きは、とくに要求されません。相続物件の占有を確保する（遺産の管理者から引渡しを受ける）だけでOKなのです。

ところで、被相続人の衣服やメガネ、靴、時計、文具や書籍など、日常生活で使われた身の回りの品々も、厳密にいえば動産で相続財産です。

しかし、よほどのブランド物か、骨董品でもない限り、その換金価値は低く、遺産分割協議でも、一括して動産一式として扱われたり、話し合われる対象の資産からは外されることも多いと思われます。

もっとも、そうは言っても、それらの品々は被相続人の大事な思い出として、遺族には愛着もあるはずです。そこで、特定の相続人がそれらの動産を1人占めしたり、あるいは勝手に処分すると、感情的な軋轢を生じることもあるかと思います。したがって身の回りの品であっても、一応は相続人全員に処分案を図って、他の相続人の意見も聞き、また同意も受けておくべきではないでしょうか。

なお、一般的に形見分けに使われる品は、これらが多いようです。

動産の価値は専門家の鑑定を受けた方がいい

相続財産の算定の際、動産をどう評価するかは難しい問題です。骨董品や美術品などの一部を除けば、そのほとんどは購入価格以下の評価しかできません。

とくに、衣服や時計など、いわゆる身の回り品は、良くても中古品価格、大半は価値がないもの（査定ゼロ）とするしかないのです（高額なブランド物の衣服や時計は、それなりの価値で査定することになります）。

ただし、同じ動産でも、貴金属、書画骨董、美術品などは、かなりの評価を受けるものも少なくありません。その査定の基準は、宝石や貴金属の場合、金やプラチナの地金（インゴット）やコインなどは相場がありますが、デザインされた宝飾品となると、その評価は困難です。

被相続人が買った店がわかれば、その店で現在の販売価格および引取価格などを確認した方がいいと思います。

また、入手経路がはっきりしない場合には、信頼できる宝石店でその真偽や良し悪しを含め、同様の価格を聞いてみることです。

いずれにしても、業者の引取価格は、売値より大幅に安くなるのが普通ですので、被相続人の購入価格をそのまま評価額とするのはトラブルの元です。

この他、骨董品や美術品の評価も、素人が聞きかじりでやるのは危険です。

もし高価なものと思ったら、専門家に鑑定を依頼し、その真偽も含めて判断をしてもらう必要があるでしょう。

動産の相続手続き

★どんな手続きが必要か

占有の確保（遺産の管理者から、引渡しを受ければいい）

★手続きの届出先

なし

★必要な書類（相続後のトラブルに備えて残しておきたいもの）

・鑑定書
・遺産分割協議書など

※貴金属、書画骨董など、換金が可能で高額なものは、遺産分割協議書などで各相続人の相続品を特定しておくといい。

★手続きに必要な費用

なし

＊貴金属、書画骨董などは、鑑定書などにより真偽と金銭的価値を確認することが必要です。

9 裁判上の地位を相続する場合の手続き

民事訴訟は相続人が相続することができる

被相続人が、貸金返還訴訟や交通事故損害賠償訴訟など財産上のトラブルに関する民事訴訟の当事者（原告または被告）で、その裁判の終結を待たずに死亡してしまった場合、その訴訟当事者としての地位は相続人が引き継がなければなりません（民事訴訟法１２４条１項１号。相続人の他、相続財産の管理人、その他法令により訴訟を続行すべき者が受け継ぐ）。

ただし、相続放棄をした場合には、最初から引き継がなかったことになります。

相続人は、裁判所に「訴訟手続きの受継《じゅけい》の申立て」をして、裁判所に相続人と認めてもらわないと、訴訟当事者の地位を相続したことにならないのです。

なお、この手続きは相続人が相続放棄ができる期間（相続開始を知った時から3か月間）はできません（同条3項）。

この間は、相続人は訴訟を受け継ぐことができませんから、その間は、原則として訴訟は中断されます。

この申立てが認められると、相続人が正式に被相続人の訴訟を引き継ぐことになります（その有利・不利な状況をそのまま受け継ぐ）。

相続人は離婚訴訟を引き継げない

被相続人の訴訟を引き継ぐといっても、他の相続財産とは違い、相続人は被相続人の裁判上の地位なら何でも引き継げるというわけではありません。

離婚訴訟や親子関係といった身分関係に関する裁判では、相続人が訴訟を引き継げる場合と、引き継げない場合（被相続人の死亡により訴訟終了、あるいは検察官が地位を受け継ぐ）とに分かれます。

たとえば、息子夫婦の離婚訴訟を、息子が死亡したからといって、その両親が受け継ぐことはできません。その訴訟は、当然に終了します。

しかし、息子が同時に戸籍上の子供（親から見れば孫）との親子関係を否定する訴訟を起こしていた場合には、両親は利害関係人ですから、

●裁判上の損害賠償請求権の相続手続き

★どんな手続きが必要か 訴訟受継の申立てをする（民事訴訟法124条）
※訴訟代理人（弁護士）を頼んでいると裁判手続きは原則としてそのまま進行する
★手続きの届出先 被相続人が訴訟提訴中の裁判所
★必要な書類 ・訴訟受継の申立書（民事裁判の事件番号、原告・被告の氏名などを調べておくこと） ・相続人の戸籍謄本（全部事項証明書）
★手続きに必要な費用 なし

＊被相続人の死亡から3か月経過後に裁判所に届け出ます（裁判上の地位を引き継がない場合には、必要ありません）。

こちらの裁判の地位は両親が受け継げます（手続きとしては、前述の受継の申立てをすればよい）。

というのは、第1順位の相続人となっている孫のために、両親は息子の相続財産の相続権を侵害されるからです。

なお、被相続人が刑事事件の裁判の被告人となっていた場合には、相続人はこの地位を受け継ぐことはありません。

刑事裁判は一身専続のものですから、起訴された被告人以外が裁かれることはなく、被告人の死亡により当然に終了します（公訴棄却、刑事訴訟法339条）。

★生命保険金を受け取る相続手続き

被相続人の生命保険契約の死亡保険金が相続財産となるケースは、①被相続人本人を受取人としていた場合、②受取人を単に相続人としていた場合、③遺贈となる場合です。それ以外の場合には、原則として、保険会社から支払われる保険金は、保険契約上の受取人のものとなり、相続財産とはみなされません。

なお、相続財産の場合、その相続手続きは、次の通りです。

〔手続きと届出先〕 相続人は生命保険契約をした保険会社に対し、生命保険金交付申請をしなければなりません。

〔必要書類〕 生命保険証書、生命保険金請求書、被相続人の死亡診断書、被相続人の除籍謄本（全部事項証明書）、相続人の戸籍謄本（全部事項証明書）と印鑑証明書などです。相続人が複数の場合は、遺産分割協議書も必要になると思われます。

◆遺産分割後にしなければならない手続き

遺産の種類	手続き	手続き先	必要な書類	費　用
預貯金	名義変更	預貯金先	依頼書（銀行等に備付のもの）・預金通帳・戸籍全部事項証明書（相続人）・除籍全部事項証明書（被相続人）・相続人全員の印鑑証明書	なし
不動産（家・土地）	相続による所有権移転登記	法務局・支局・出張所	土地（建物）所有権移転登記申請書・戸籍全部事項証明書（相続人）・除籍全部事項証明書（被相続人）・住民票（相続人）・固定資産税評価証明書・印鑑証明書・遺産分割協議書	〔登録免許税〕不動産評価額の1000分の4
借地・借家	名義変更	地主・家主	印鑑証明等を要求される場合がある	名義変更料を請求されても支払義務なし
生命保険金	生命保険金交付申請	生命保険会社	生命保険金請求書・生命保険証書・戸籍全部事項証明書（相続人）・除籍全部事項証明書（被相続人）・死亡診断書・印鑑証明書	なし
退職金	死亡退職金支払い請求	会社	戸籍全部事項証明書（相続人）・除籍全部事項証明書（被相続人）	なし
動産（家具・什器・書画骨董・貴金属）	占有の確保	なし	なし	なし
自動車	移転登録	陸運事務所	移転登録申請書・自動車検査証・自動車税申告書・戸籍全部事項証明書（相続人）、除籍全部事項証明書（被相続人）、遺産分割協議書・自動車損害賠償責任保険証（呈示のみ）	1両につき500円
貸金債権	相続通知など	債務者	金銭消費貸借の債権者名の変更または債務確認証をとる	なし
売掛金債権	相続通知など	債務者	債務（残高）確認証をとる	なし
裁判上の損害賠償請求権	訴訟受継の申立	裁判所	訴訟受継の申立書・戸籍全部事項証明書（相続人）	なし
特許権・実用新案権・意匠権・商標権	相続による移転登録申請	特許庁登録課	移転登録申請書・戸籍全部事項証明書（相続人）・除籍全部事項証明書（被相続人）	1件につき3,000円

※上記中の「戸籍全部事項証明書」は、従前の戸籍謄本に変わるものです（除籍も同じ）。

PART 5

相続税のしくみと税額の算定法

相続税のしくみをわかって早めの対策をしておきたい

◆財産相続は、財産を受け取っただけで一丁上がりとはいかない場合があります。ある額以上の価額の遺産を受け取った人には、相続税という税金がかかってくるのです。

◆はたして自分は相続税を払わなければならないのか。払うとして、その税金額はいくらくらいか。何とか安くする方法はないのか…。この章では、相続にまつわる最後の問題として、相続税の概要を解説します。

◆相続税・贈与税については相次いで大改正がありました。本稿は令和4年6月現在の現行法で解説しました。主な改正内容については224ページの表を参照してください。

相続税の算出法をわかって早めの対策が肝要

相続税の出し方・減らし方を知ろう

◆相続税の、基礎控除の額は平成 27 年の改正により、(3000 万円＋相続人の数× 600 万円)と従前より大幅に引き下げられました(その他にも控除があります)。この改正に伴い、相続税を支払わなければならない人は増加し、相続税の知識と事前の対策、申告時の対策が極めて重要となります。

●相続と贈与の手続きと税法のポイント

1 被相続人の死亡(失踪宣告を含む)

※遺産には、預貯金、動産、不動産、債権・債務などがあります。

2 相続財産の確定

※民法には、相続についての定めがあり、相続人・相続分が規定されています。

3 遺産の分割

※配偶者の税額軽減制度などがありますので、節税対策も検討しましょう。

4 相続税額の計算

※基礎控除は3000万円+相続人数×600万円で、この額以下の人は申告の必要はありません。相続税の申告は、相続開始後10か月以内に被相続人の住所地を管轄する税務署で行います。

5 相続税の申告・納付

※延納・物納を希望する人は税務署に申告します。

■相続税の申告のために必要な準備

相続税の申告のためには、相続人の確認、遺言の有無、遺産と債務の確認、遺産の評価、遺産の分割等の手続きが必要です（以下その概略）。

①相続人の確認・遺言書の有無の確認

被相続人と相続人の本籍地から戸籍・除籍謄本（全部事項証明書）を取り寄せ、相続人を確認します。遺言書があれば、原則的に家庭裁判所で検認を受けます。

②遺産と債務の確認

遺産と債務を調べてその目録や一覧表を作っておきます。葬式費用も遺産額から差し引くことができますので、支払済の領収書などで確認します。

③遺産の評価

相続税がかかる財産の評価法は相続税法と財産評価基本通達により定められ、一般に公表されています。それにより評価して下さい。

④遺産の分割

相続人全員で遺産の分割を協議して、分割協議が成立した場合には、遺産分割協議書を作成してください。分割協議の結果に基づき相続税の申告をします。

⑤申告と納税

相続税の申告と納税は、被相続人が死亡した日の翌日から10か月以内に行います。申告書の提出先、納税先はいずれも被相続人の住所地を所轄する税務署で、相続人の住所地ではありません。

●相続と贈与の手続きと税法のポイント

1　贈与をする人（贈与者）より贈与を受ける

※贈与の対象となるものには、現金、動産、不動産、債権があります。

↓

2　贈与財産の評価

※贈与財産の評価は、相続税の場合と同様の評価をします。

↓

3　贈与税額の計算

※贈与税の税率は、相続税の税率より高くなっています。基礎控除も110万円です。相続時精算課税制度、配偶者への贈与、子や孫への贈与には特例があります。

↓

4　贈与税の申告・納付

※贈与税の申告は、贈与を受けた翌年の2月1日から3月15日までに行います。

★平成25年度の税制改正で、相続税の基礎控除額等の改正が行われ平成27年1月1日より施行されています（226ページ参照）。

相続税

1

■相続税の課税対象

相続税のかかる財産とかからない財産

▼何に対して課税されるか知り課税価格の合計額を出す

■本稿は令和4年6月現在の税法により解説します。

1 相続税がかかる財産

■相続税の課税財産

相続税は原則として、個人が死亡した人の財産を相続や遺贈によって取得した財産にかかります。

① 本来の相続財産　被相続人が死亡時に有していた、現金、預貯金、有価証券、宝石、土地、家屋などのほか貸付金、特許権、著作権など金銭に見積もることができる経済的価値のあるすべてのものです。

② みなし相続財産　本来の相続や遺贈で取得した財産ではなくとも、経済的にみて相続や遺贈によって取得したものと同じ効果のある場合には、相続税の課税財産とみなされます（表1参照）。

③ 生前の贈与財産　相続や遺贈で財産をもらった人が、被相続人から死亡前3年以内に贈与で財産をもらっている場合には、原則としてその財産の贈与された時の価額を相続財産に加算します。

2 相続税の非課税財産

相続税は原則として、被相続人が死亡した時に持っていたすべての財

【表1】

<table>
<tr><td rowspan="5">相続税の課税財産</td><td rowspan="3">本来の相続財産</td><td rowspan="3">被相続人から相続又は遺贈で取得した財産で遺産分割の対象となる。</td><td>相続による取得財産</td></tr>
<tr><td>遺贈による取得財産</td></tr>
<tr><td>死因贈与による取得財産</td></tr>
<tr><td>みなし相続財産</td><td colspan="2">被相続人の財産ではないが、相続税の計算上は相続財産とみなして相続税の対象となる財産。生命保険金、損害保険金、(自動車事故死など)、死亡退職金のほか、著しく低い対価で財産を譲り受けたり、債務免除を受けたりした際の経済的利益など。</td></tr>
<tr><td>生前の相続財産</td><td colspan="2">相続又は遺贈により財産を取得した者が、相続の開始日から3年以内に、被相続人から贈与され取得した財産のこと。すでに被相続人は所有していないが、相続税の計算上は相続財産として、相続税の対象になる。(ただし、遺贈は除く)</td></tr>
</table>

産と相続や遺贈によってもらったとみなされる財産にかかります。しかし、相続税がかからない財産もあります（次ページ表2参照）。

◉生命保険金

死亡保険金の場合、契約者と被保険者が同一人で、受取人が相続人の場合には相続税が課せられます。

受取人が法定相続人の場合、1人あたり500万円の生命保険金控除〈非課税〉が認められます。契約者と受取人が同一人で被保険者が別人の場合には、所得税が課せられ、保険金を一時金として受け取れば一時所得、年金形式で受け取れば雑所得ということになっています。

ちなみに契約者・被保険者・受取人がそれぞれ別人の場合には、受取人に贈与税が課せられます。

◉死亡退職金

サラリーマンなどが在職中に死亡した場合に支払われる死亡退職金（死亡後3年以内）に対しては生命保険金と同様、法定相続人1人あたり500万円の非課税枠があります。死亡退職金に類似したものとして「弔慰金」がありますが、基本的には弔慰金に対しては、相続税等は課せられません。ただ余りに高額な場合には死亡退職金として相続税が課せられることがあります。

◉小規模宅地等の特例

これは非課税ではありませんが、一定の要件の下に、相続財産である宅地等について限度面積までの部分につき一定の割合で評価額の減額するというものです（213ページ参照）。

3 相続財産から控除できる債務

◉控除の範囲　相続税を計算するときは、被相続人が残した借入金などの債務を遺産額から差し引くことができます。この相続財産から差し引くことができる債務は、被相続人が死亡したときにある債務で確実と認められるものですが、被相続人の所得税などの税金で被相続人が死亡したときに確定していないものであっても、債務として遺産額から差し引くことができます。ただし、相続人などの責任に基づいて納付したり、徴収されることになった延滞税や加算税などは差し引けません。

◉主な項目　被相続人が生前に購入したお墓の未払代金など非課税財産に関する債務は、遺産額から差し引くことはできません。なお、葬式費用は債務ではありませんが、相続税の計算では差し引くことができます（次ページ表3参照）。

この債務や葬式費用を遺産額から差し引くことができる人は、その債務などを負担することになる相続人や包括受遺者です。包括受遺者とは遺言により遺産の全部又は何分のいくつというふうに遺産の全体に対する割合で財産を与えられた人です。

【表2】

◆相続税のかかる財産・かからない財産		
相続税がかかる財産	①土地	(1)田（耕作権および永小作権を含む） (2)畑（耕作権および永小作権を含む） (3)宅地（借地権を含む） (4)山林 (5)その他の土地
	②家屋	(1)家屋（借家権を含む） (2)構築物
	③事業用財産	(1)減価償却資産（機械・器具・農機具・果樹・農耕用牛馬・営業権・電話加入権・その他の減価償却資産） (2)商品、製品、半製品、原材料、農産物など (3)売掛金 (4)その他の財産
	④有価証券	(1)株式、出資金 (2)公社債、金融債 (3)信託受益証券
	⑤預貯金	(1)現金、小切手、為替など (2)銀行預金、郵便貯金など
	⑥家庭用財産	(1)家具、什器、備品など
	⑦その他の財産	(1)生命保険金・生命保険金に関する権利など (2)退職金・功労金など (3)定期金に関する権利 (4)会員権（ゴルフ会員権など） (5)立木 (6)自家用自動車、電話加入権 (7)貸付金、未収入金など (8)書画、骨董
相続税がかからないもの	①墓地、墓碑、仏壇、仏具、香典など ②宗教、慈善、学術、その他公益を目的とする事業を行う人で、一定の要件に該当する人が取得した財産であって、その公益を目的とする事業の用に供することが確実なもの ③心身障害者共済制度に基づく給付金の受給権 ④相続人が受け取った保険金で一定の額まで ⑤相続人が支給を受けた退職金で一定の額まで ⑥相続した財産を国や地方公共団体や特定公益法人（租税特別措置法施行令40条の3第1項）に寄付した場合、または特定公益法人の信託財産（租税特別措置法施行令40条の4第1項）に支出した場合などで一定の要件に該当するもの	

【表3】

	控除できるもの	控除できないもの
債務	・借入金 ・アパートの預り敷金 ・未払医療費 ・被相続人に係る未払いの所得税、住民税、固定資産税等	・墓地買入未払金 ・保証債務（主たる債務者が弁済不能のときのみ可） ・遺言執行費用 ・弁護士費用・土地の測量費 ・税理士費用
葬式費用	・通夜費用 ・本（密）葬費用 ・葬式前後に生じた出費で通常必要と認められるもの ・死体の捜索、運搬費用	・香典返戻費用 ・法会費用 ・遺体解剖費用

相続税 2

■相続税額の出し方

自分がいくら払うのか算出するまでの流れ

▼納付税額の出し方は回りくどいので間違いのないように！

◉相続税額の計算のしくみ

相続税の一般的な計算は、次ページに掲げた計算式の流れで行います。ただし、②の正味遺産額が③基礎控除額以下の場合は、申告は不要で以下の計算もいりません。

それぞれの相続人が実際に受け取った遺産の価額に所定の税率をかければ、各人の相続税額がすぐに出ると単純にはいきません。そうだと遺産分割のやり方次第で、相続税の総額が違ってきてしまうからです。

本当の計算は、ひどく回りくどいことをします。その相続について生じる相続税の全体額をまず確定しておいて、そこから個々人の負担する相続税額の計算に降りるのです。法定相続分に従って遺産を分けていなくても、分配したと仮定して税率を適用し、算出した各人の税額を合算して、その総額をベースに各人の現実の相続税額を割合的に出します。

◉各人の納付総額の計算

次ページの計算式⑧各人の相続税額から、各種の税額控除額（後述）を差し引いた残りの額が、各人の納付税額となります。

ただし、財産をもらった人が、被相続人の配偶者、父母、子供（子供が被相続人より先に死亡しているときは孫）以外の場合は、税額控除を差し引く前の相続税額にその20％相当額を加算し（その加算した後の相続税額が、その人の課税価格の70％相当額を超えるときは70％相当額を限度とする）、その後に税額控除額を差し引きます。

◆相続税の速算表

法定相続分に分けた額	税率	速算控除額
1,000万円以下	10%	――
1,000万円超〜3,000万円以下	15%	50万円
3,000万円超〜5,000万円以下	20%	200万円
5,000万円超〜1億円以下	30%	700万円
1億円超〜2億円以下	40%	1,700万円
2億円超〜3億円以下	45%	2,700万円
3億円超〜6億円以下	50%	4,200万円
6億円超〜	55%	7,200万円

※平成27年1月1日以降の相続に適用

◆相続税の計算例（相続人➡妻とこども2人：正味遺産総額➡2億円）

※法定相続分で相続した場合

1 遺産の総額	総遺産額（2億3,000万円）：正味遺産額／非課税財産1,800万円／債務・葬式費用1,200万円	
2 正味遺産額	課税価格の合計	2億3,000万円−1,800万円−1,200万円=2億円
3 基礎控除額	課税遺産総額／基礎控除額 4,800万円	3,000万円+（600万円×相続人3人）=4,800万円
4 課税遺産額	課税遺産額	2億円−4,800万円（基礎控除額）= 課税遺産額 1億5,200万円
5 法定相続分であん分	妻（$\frac{1}{2}$）／長男（$\frac{1}{4}$）／長女（$\frac{1}{4}$）	妻 ➡ 1億5,200万円×$\frac{1}{2}$=7,600万円 子（各自）➡ 1億5,200万円×$\frac{1}{2}$×$\frac{1}{2}$=3,800万円
6 相続税の総額の計算	妻／長男／長女	〈税率〉〈速算控除額〉 妻 ➡ 7,600万円×30%−700万円=1,580万円 子（各自）➡ 3,800万円×20%−200万円=560万円
7 相続税の総額	相続税の総額	妻の税額 1,580万円 ＋ 子の税額 560万円 × 2人 ＝ 相続税の税額 2,700万円
8 各人の相続税額	妻／長男／長女	妻 ➡ 2,700万円 × $\frac{1}{2}$ ＝ 1,350万円 子 ➡ 各2,700万円 × $\frac{5,000万円}{2億円}$ ＝675万円（2億円×1/2×1/2）
9 税額控除の計算	妻／長女	①妻 ➡ 1,350万円（相続額が1億6,000万円より少ないのでこの額が控除額） ②長女（18歳）➡ 10万円 ×2年（20−18）=20万円〈未成年者控除〉
10 納付すべき税額の計算	長男／長女 ※未成年者18歳	妻 ➡ 1,350万円−1,350万円（控除額）=0円 長男 ➡ 675万円 長女 675万円−20万円（未成年者控除）=655万円

※相続税の税率については前ページを参照してください。相続税の改正については226ページ参照。

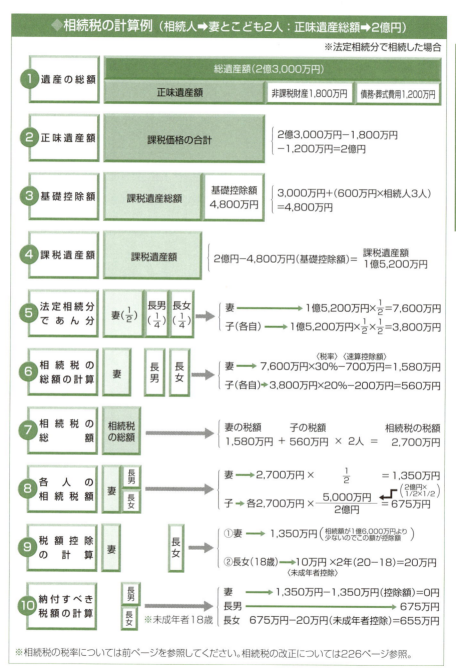

相続税 3

■相続税の額からの控除

控除で妻の相続税はこんなに安くなる!!

▼各種控除を理解してどんどん相続税を安くしていこう

配偶者の税額の軽減 ……税額控除……

◉配偶者税額軽減制度の概要

配偶者の税額軽減の制度とは、被相続人の配偶者が遺産分割や遺贈により実際にもらった正味の遺産額が、次の①②の金額のどちらか多い金額までは配偶者に相続税はかからないという制度です。

① 1億6000万円

② 配偶者の法定相続分相当額

つまり、妻が相続する遺産が1億6000万円までなら相続税はかからず、また、1億6000万円を超えても法定相続分以内であれば、相続税はかかりません。

この制度は、残された配偶者の生活の保障や遺産形成に貢献した内助の功などを配慮した規定で、配偶者が遺産の分割などで実際にもらった財産を基に計算されます。

したがって、相続税の申告期限までに配偶者に分割されていない財産は、税額軽減の対象になりません。

といっても、申告期限までに分割されなかった財産について、申告期限から3年以内に分割したときは、やはり税額軽減の対象になります。

なお、やむを得ない事情があり、税務署長の承認を受けた場合は、その事情がなくなった後4か月以内に分割されたときも、税額軽減の対象になります。

【具体例】

夫が死に、妻と子供が相続することになった。

純(正味)遺産総額=2億3000万円

A:1億6000万円

B:純(正味)遺産総額について妻の法定相続分

2億30000万円×0.5=1億15000万円

⇨Aの方が多い。

妻の相続額が1億6000万円以下なら、相続税はかからない。

配偶者の税額軽減を受けるための手続き

①　税額軽減の明細を記載した相続税の申告書に戸籍謄本（全部事項証明書）と遺言書の写しや遺産分割協議書の写しなど、配偶者のもらった財産がわかる書類を添えて提出します。遺産分割協議書の写しには印鑑証明も付けます。

②　相続税の申告後に行われた遺産分割に基づいて配偶者の税額軽減を受ける場合は、分割が成立した日の翌日から4か月以内に更正の請求という手続きをする必要があります。

その他の主な税額控除

◉未成年者控除

相続人の年齢が20歳未満（民法改正により、令和4年4月1日から成年年齢が20歳から18歳に引き下げられています）のときは、成人に達するまでの1年につき10万円が相続税額から控除されます。

◉障害者控除

相続人が障害者のときは、85歳に達するまで、1年につき10万円（特別障害者は20万円）が、相続税額から控除されます。

◉相次相続控除

被相続人が死亡前10年以内に、前の被相続人から相続した財産について相続税が課税になっている場合は、前に納めた相続税額のうち一定の金額が控除されます（下段表参照）。

◉贈与税額控除

相続の開始前3年以内に被相続人から贈与を受け、すでに贈与税を納めている場合、その納めた贈与税の額を、相続税額から差し引けます。

【相次相続控除額】

$$A \times \frac{C}{B-A} \times \frac{D}{C} \times \frac{10年-E}{10年}$$

＝相次相続控除額

A：第１次相続のとき、今回の被相続人が課せられた相続税額
B：第１次相続により今回の被相続人が取得した財産の価額
C：第２次相続により相続人や受遺者の全員が取得した財産の価額の合計額
D：第２次相続により申告者が取得した財産の価額
E：第１次相続のときから第２次相続のときまでの年数

相続税 4

■税額計算のベースとなる資産評価の方法

資産の評価には種別に決まったやり方がある

▼借地権・借家権つきや小規模宅地での軽減を押さえておこう

土地・家屋の評価

相続税や贈与税を計算するときに、相続や贈与などによって取得した土地や家屋がいくらになるか評価する必要があります。この評価については、財産評価基本通達に具体的な評価方法が定められています。

以下、主な相続財産の評価方法についてみてみます。

1 土地の評価

土地は、原則として宅地、田、畑、山林などの地目ごとに評価します。

土地の評価方法には、路線価方式と倍率方式があります。

① 宅地の評価

(イ) 路線価方式

路線価方式は、道路ごとに1㎡あたりの路線価が千円単位で定められており、それに土地の面積を掛けると評価額を出せます。

この場合、土地の位置や形状などに応じて評価額を調整することになっています。間口の狭い土地や角地・崖地などの場合には、それぞれの事情に応じて特別の計算をします。

(ロ) 倍率方式

倍率方式は、各市町村などが定めている固定資産税の評価額に、一定の倍率を掛けて評価額を出す方法です。路線価及び倍率は、地価の動向に基づき各国税局で毎年見直しをして、財産評価基準書により公開されています。

(ハ) 小規模宅地等の評価減額特例

現在の相続税制の中で、「配偶者の税額軽減の特例」と並んで最大の優遇措置は、この「小規模宅地等の減額の特例」です。これをどのように活用するかで相続税の負担が大きく変化してきます。

この特例は、相続・遺贈により取得した宅地等は、被相続人（亡くなった人）の所有していた宅地等のうち、一定の面積（215ページ表参照）の部分について、一定の要件に応じた割合の金額が評価額から減額され

◆項目別・相続財産の評価	
宅 地	・利用の単位となっている１区画の宅地ごとに、次の種類に応じて評価する。 **①市街地の宅地**⇨宅地の面する路線ごとにつけられた路線価（１㎡あたり価格）に面積をかけて評価する（路線価方式）。 **②路線価のない宅地**⇨固定資産税評価額に国税局長が一定の地域ごとに定める倍率をかけて評価する（倍率方式）。 **③相続開始前３年以内に取得された居住用以外の土地**⇨取得価額で評価する（借地権・家屋も同じ）。 ※路線価・倍率は税務署の窓口で教えてくれる。
家 屋	・１棟の家屋ごとに、その家屋の固定資産税評価額ににより評価する。 ・課税時期に建築中の家屋は、それまでに投下した費用の額を課税時期の価額に引き直した額の７割に相当する金額で評価する。
借地権	・その敷地を自らの宅地としたときの評価額に国税局長が定めた一定の借地権割合をかけて評価する。 ・具体的な割合は税務署に備えつけられている路線価図をみるとわかる。 ・借地権の割合は３割から９割まで７段階の幅がある。
借家権	・家屋の価額に国税局長が定めた一定の借家権割合をかけて評価する。 ・借家権の割合は、税務署の窓口でわかるが、ほとんどの地域は3割である。 ・ただし、借家権の取引慣行のない地域は評価しないことになっている。
農 地	・耕作の単位となっている１枚の農地ごとに次の種類に応じて評価する。 **①純農地・中間農地**⇨固定資産税評価額に一定の倍率をかけて評価する。 **②市街地農地**⇨宅地であるとした場合の価格から造成費として国税局長が定める金額を控除した金額で評価する。 **③市街周辺農地**⇨市街地農地の８割に相当する金額で評価することになっている。 **④生産緑地**⇨上記により評価した価額から、買取り申し出ができる日までの残存期間により10%〜35%を控除。
上場株式	・株式が上場されている証券取引所が公表する、被相続人が死亡した日の終値、又は相続開始日の月中、その前月中、その前々月中の終値の平均株価のうち、一番安い価額で評価する。
取引相場のない株式	・その株式の発行会社を大会社・中会社・小会社に区分して、類似業種比準方式、純資産価額方式、配当還元方式で評価する。 ・同族株主の取得した場合と非同族株主の取得した場合でも取扱いが異なるので、専門家に相談するのがよい。
公社債	・以下の区分によって評価する。 ①割引発行ものは発行価額と買った日から相続開始日までの期間の割引料の額との合計額。 ・上場されているなど公表された価額のあるもので、相続開始日の公表価額が上の額より少ない場合はその価額。 ②利付きのものは発行価額と前回の利子支払日の翌日から相続開始日までの期間の利子の額との合計額。
家庭用財 産	・原則として、評価しようとする物と同種、同規格のもので、同程度に損耗したものを買う場合の価額（調達価額）による。 ・上記の調達価額がわからないものは、相続開始時の小売価格から経過年数に応じた減価償却費相当額を控除した額でもよい。
預貯金	・預金の価額は、相続開始日現在の預金残高とその日までの経過利子の金額との合計額による。 ・定期預金以外の預貯金の経過利子は、計算したその金額が少ない場合に限り合計しなくてもよい。
書 画骨とう	・売買実例価額、精通者意見評価額などを参考に評価する。 ・販売業者が有するものは、たな卸商品の評価による。
貸付金	・元本と相続開始日までの経過利子との合計額による。 ・回収不能額があるときは、その金額を元本に含めない。
受取手形	①支払期限の到来しているもの、および課税時期から６か月以内に期日の到来するものは記載金額による。 ②上記以外のものは、課税時期に銀行などで割引した場合に回収できる金額とする。

※上記は一般的な評価方法で、この他に各種の特例がある。

るというものです（左表参照）。

◆小規模宅地等の限度面積と軽減率 (注)詳細は税務署に問い合わせて下さい

<table>
<tr><th colspan="3">相続開始の直前における宅地等の利用区分</th><th colspan="2">要件</th><th>限度面積</th><th>減額割合</th></tr>
<tr><td rowspan="5">被相続人等の事業の用に供されていた宅地等</td><td colspan="2">貸付事業以外の事業用の宅地等</td><td>①</td><td>特定事業用宅地等に該当する宅地等</td><td>400㎡</td><td>80%</td></tr>
<tr><td rowspan="4">貸付事業用の宅地等</td><td rowspan="2">一定の法人に貸し付けられ、その法人の事業（貸付事業を除きます。）用の宅地等</td><td>②</td><td>特定同族会社事業用宅地等に該当する宅地等</td><td>400㎡</td><td>80%</td></tr>
<tr><td>③</td><td>貸付事業用宅地等に該当する宅地等</td><td>200㎡</td><td>50%</td></tr>
<tr><td>一定の法人に貸し付けられ、その法人の貸付事業用の宅地等</td><td>④</td><td>貸付事業用宅地等に該当する宅地等</td><td>200㎡</td><td>50%</td></tr>
<tr><td>被相続人等の貸付事業用の宅地等</td><td>⑤</td><td>貸付事業用宅地等に該当する宅地等</td><td>200㎡</td><td>50%</td></tr>
<tr><td colspan="3">特定居住用宅地等に該当する宅地等</td><td>⑥</td><td>特定居住用宅地等に該当する宅地等</td><td>330㎡</td><td>80%</td></tr>
</table>

特例の適用を選択する宅地等が以下のいずれに該当するかに応じて、限度面積を判定します。

② 借地の評価

借りた土地に建物を建てて、地代を払って利用していると、借地権として評価します。

借地権の価額
＝土地の評価額×借地権割合

③ 定期借地権の評価

定期借地権は、原則として次の算式により評価します。

定期借地権の価額
＝土地の評価額×定期借地権割合＊
×定期借地権の逓減率
＊借地権設定当時の割合をいう

④ 貸地の評価

貸している土地は、原則として自用地の価額から借地権又は定期借地権の価額を差し引いて評価します。

⑤ 貸家建付地

建物を建てて賃貸している土地は、貸家建付地として評価します。

貸家建付地の価額
＝土地の評価額
×（1－借地権割合×借家権割合）

土地の評価額1億円、借地権割合が7割、借家権割合3割とすると、その借家建付地の価額は、1億円×（1－0.21）＝7900万円です。

⑥ 農地の評価

農地は、(1)純農地及び中間農地、(2)市街地農地、(3)市街地周辺農地の別に評価します。

⑦ その他の土地等の評価

山林、原野、雑種地、永小作権、耕作権、生産緑地などがあります。

2 建物の評価

建物の固定資産税評価額が、同時に相続税評価額となります。

アパートや貸家など、貸している建物については、借家権の割合を減額して計算されることになります。

相続税

5

■払いきれない場合の援助措置

相続税の延納・物納が認められる場合とは

▼高額の相続税が予想されるなら事前の準備が必要

1相続税の申告と納税

◉相続税の申告

相続税の申告と納税は、原則的に相続や遺贈で財産をもらった人の正味遺産額の合計額が基礎控除額を超える場合に必要です。基礎控除額の範囲内であれば、配偶者の税額軽減・小規模宅地の評価減等の特例の申請をしない場合以外、申告も納税も必要ありません。

相続税の申告は、相続の開始があったことを知った日の翌日から10か月以内に行います。申告の期限までに申告しなかった場合や、実際にもらった財産の額より少ない額で申告をした場合には、本来の税金以外に加算税がかかりますので注意してください。なお、相続税の申告書の提出先は死亡した人の住所地を所轄する税務署で、財産をもらった人の住所地ではありません。

◉相続税の納税

相続税の申告は、相続の開始があったことを知った日の翌日から10か月以内に行うことになっています。

納税は、税務署だけでなく金融機関や郵便局の窓口、コンビニでもできます。期限までに納めなかったときは、利息にあたる延滞税がかかりますので、注意して下さい。

2相続税の延納

相続税も金銭で一度に納めるのが原則ですが、特別な納税方法として延納と物納制度があります。延納は何年かに分けて納めるもの。物納は相続などでもらった財産そのもので納めるものです（次ページ図1参照）。

この延納とは、相続税は遺産をもらったことに対して一時に負担のかかる税の特殊性から、長期間にわたって年賦払いによる方法で納めるという制度で、延納した税額には利子税（利息）が課せられ、年1回、元金均等方式で支払うというものです。

【図1】相続税の納付

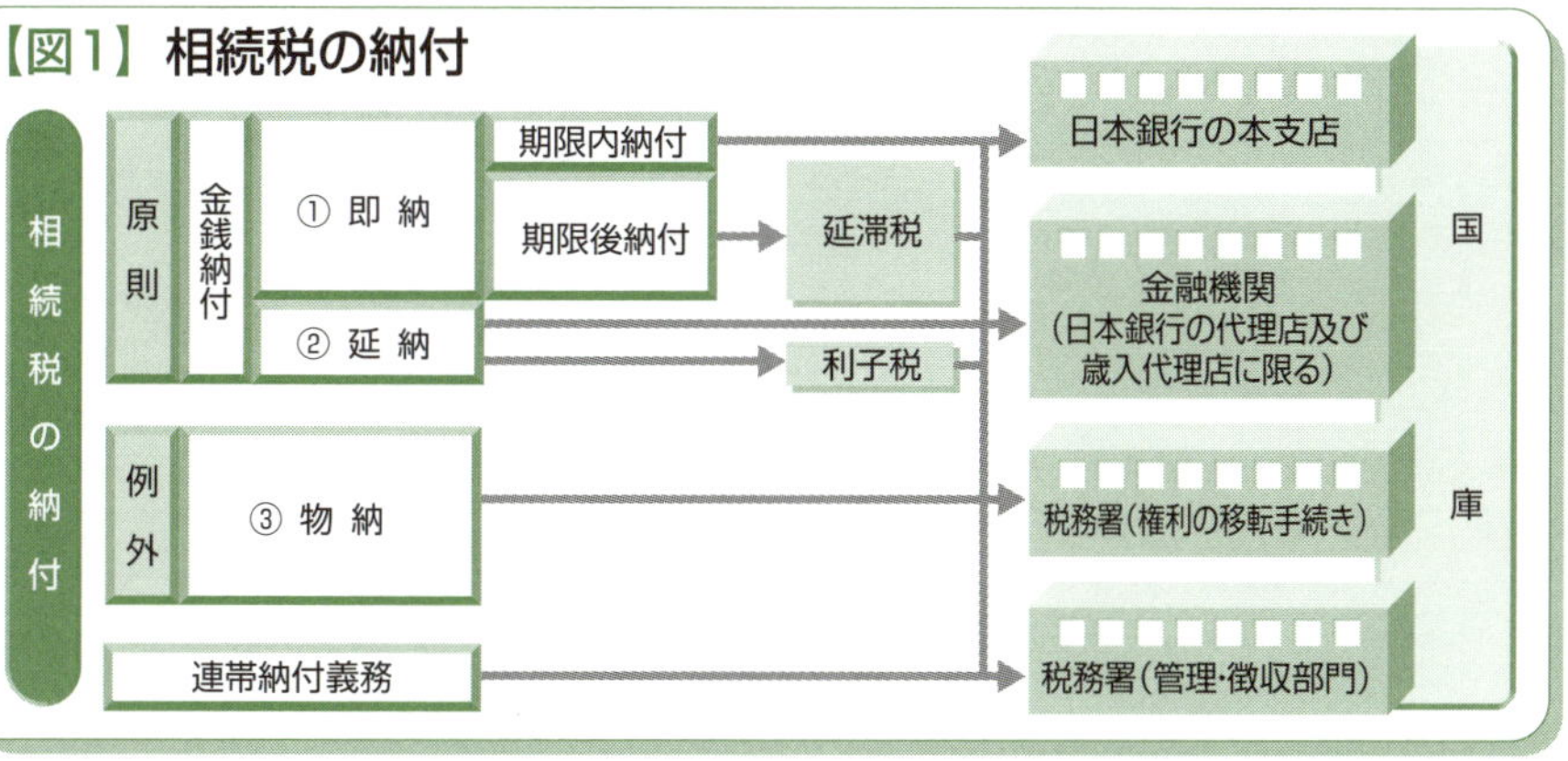

延納の主な要件は次のとおりです。

① 申告等で納付する金額が10万円を超えること

② 金銭で一度に納めることが難しい理由があること

③ 延納税額に見合う担保（国債や土地など）を提供すること（所轄の税務署長等が認めれば保証人も可）。

④ 延納しようとする相続税の納期限までに 延納しようとする税額など所定の記載をした延納申請書を税務署に提出すること。税務署は書類の内容を調査した後に適正であれば許可の通知をします。

3 相続税の物納

国税は金銭納付が原則ですが、相続税については、納期限内の納付のほか、延納によっても納付できない事由があると認められる場合には、相続財産そのものをもって納める物納という特別な制度があります。

◉物納の要件

① 延納によっても相続税を金銭で納めることに困難な事情があることが必要です。

この困難な事情があるかどうかは、たとえば、貸付金の返還や退職金の給付の確定等、納税者の近い将来における確実と認められる金銭収入をも考慮して判定します。なお、物納ができるのは金銭で納めることが困難な部分の額に限られています。

② 物納しようとする相続税の納期限までに、金銭で納付することを困難とする事情や物納に充てようとする財産など所定の事項を記載した物納申請書を所轄の税務署長に提出すると、申請が適正であれば許可の通知がなされます。一方、金銭納付が可能であると認められる場合や物納申請財産が不適当である場合には、税務署は、物納を却下する通知や物納財産の変更を求める通知をします。

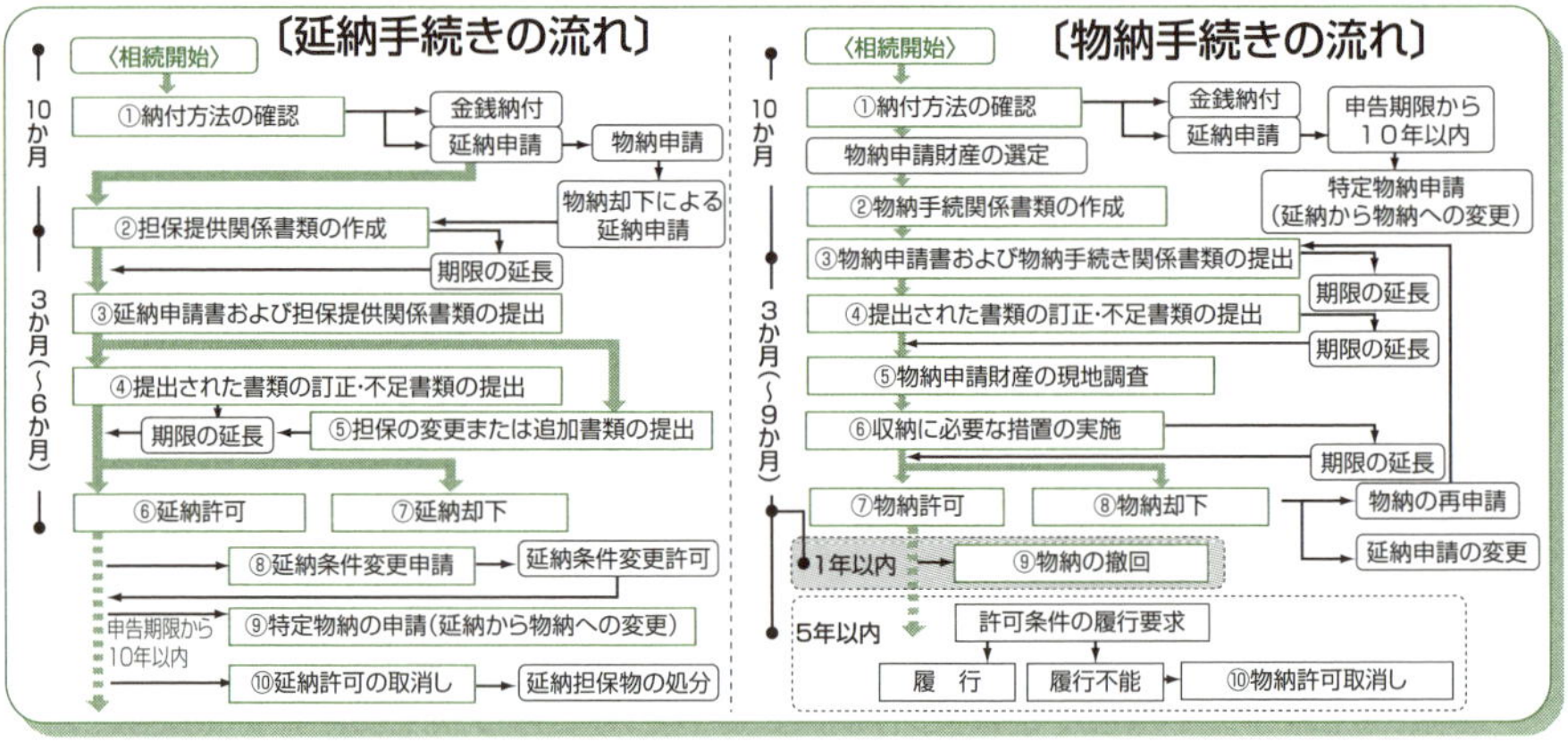

●物納できる財産

物納できる財産ですが、相続財産で日本国内にあることが必要です。この場合、次の3つの財産を優先して充てることになっています。①国債や地方債、不動産や船舶、②社債、株式、証券投資信託、貸付信託の受益証券、③動産。なお、特定登録美術品は前記の順位によることなく物納できます。

これらの財産で適当な価額のものがない場合には、社債や株式、証券投資信託などの受益証券で物納ができます。さらに、これらの財産で適当な価額のものがないときは動産も認められる場合があります。

なお、物納財産を国が収納するときの価額は、原則として相続税を計算したときの価額によります。

4 納税対策のポイント

相続税発生後、各人の相続する財産が確定した段階では、納付方法は限定されます。というのは、延納は一括納付が困難な場合に選択され、物納は延納でも納税が困難な場合に限られてくるからです。

また、一括納付や延納の場合は、相続した財産や相続人固有の財産の売却を検討する必要があり、特に一括納付のときは、自分の相続する財産が確定してから納付までの短い期間に自己の財産を現金化しなければならず、自己保有財産の売却のタイミングを失することもあります。

したがって、かなりの相続税が予想され、しかも延納もしくは物納に頼らざるを得ないのであれば、所定の要件を満たすように、将来相続が発生した場合の財産の分割方法を決定しておいたり、あらかじめ財産の一部を金融資産などに組み替えることで納税を容易にする方法を検討する必要があるでしょう。

相続税

6

■節税の知恵はこんなにある

相続税を減らすための贈与税の特例などの活用法

▼贈与と低評価シフトを上手に組み合わせて税額を減らしていく

■節税対策とは、相続税・贈与税だけではなく、所得税等をも含めた総合的な税負担をできる限り少なくすることです。一般的に「節税対策」と呼ばれている方法はいくつもありますが、「節税」は一般の「事業」と同じように考えるべきであり、単に「課税」逃れのために後述の行為をすることは好ましくありません。

節税対策には、①資産の絶対量を減らす、②低く評価される財産（不動産等）に資産をシフトする、③債務控除（非課税枠をも含めて）を利用するがありますが、ここではいくつかの対策をみていきます。

なお、贈与税には暦年課税と相続時精算課税とがあります。すべての特例の適用を受ける為には期限内申告は必須です。

資産の絶対量を減らす ⇩贈与の活用

1 配偶者へ居住用不動産・取得資金を贈与する

◉制度の概要

婚姻期間が20年以上の夫婦の間で、居住用不動産又は居住用不動産を取得するための金銭の贈与が行われた場合、基礎控除１１０万円のほかに最高２０００万円まで控除（配偶者控除）できるという特例です（超過部分の翌期への繰越は不可）。

◉特例を受けるための適用要件

① 夫婦の婚姻期間が20年を過ぎた後に贈与が行われたこと。

② 配偶者から贈与された財産が、自分が住むための居住用不動産であること又は居住用不動産を取得するための金銭であること。

③ 贈与を受けた年の翌年3月15日までに、贈与により取得した居住用不動産又は贈与を受けた金銭で取得した居住用不動産に、贈与を受けた者が現実に住んでおり、引き続き住む見込みであること。

※同配偶者間では一生に一度適用。

◉土地の贈与が効果的

贈与する場合には、通常、家屋よ

りも土地の方が得です。土地は値上がりしていく場合が多いからです。

2 住宅取得に資金を贈与する

この特例は、20歳以上（令和4年度から18歳以上に引下げ）の人が、直系尊属（両親・祖父母等）から住宅取得等（新築・取得・増改築など）のために金銭の贈与を受けると、一定額を通常の控除額に上乗せできるというものです。

この住宅取得資金贈与の特例は、暦年課税でも相続時精算課税でも利用できます（令和4年度の税制改正で2年間延長されています）。

非課税限度額は以下のとおり。

・令和4年1月～令和5年12月

省エネ等住宅…1000万円

一般住宅…500万円

ただし、受遺者には2000万円の所得制限等があります。

3 負担付きで贈与をする

税務上の負担付贈与とは、第三者に対して債務を支払うことを条件にした財産の贈与をいいます。個人から負担付贈与を受けた場合の課税は贈与財産の価額から負担額を控除した価額に課税されます。

贈与された財産が土地や借地権等の場合及び家屋・建築物等であるときの課税価格は、その贈与のときにおける通常の取引価額に相当する金額から負担することとなる債務額を控除した価額です。

また、財産が前記以外のものである場合は、その財産の相続税評価額から負担することとなった債務額を控除した価額となります。

4 孫に対して生前に贈与等をする

子供を飛び越して、孫に直接、贈与・相続させると、相続税は1回は免れることができます。

通常考えられるのは、①孫に生前贈与する、②孫を養子にして法定相続人にする（実子がいる場合は1人まで）、③遺贈・死因贈与により孫に承継させる、ことなどです。

ただし、「1親等の血族（両親と子供等）及び配偶者」以外の者が相続すると、相続税が2割加算されます。

5 教育資金を一括贈与する

概要は、受贈者（30歳未満）の教育資金に充てるために直系尊属（親や祖父など）が金銭により金融機関に信託等をした場合、最大1500万円（受贈者1人当たり）が非課税になるというものです（平成25年4月1日から令和5年3月31日まで）。詳細については税務署で確認してください。

相続時精算課税制度の活用

◉相続時精算課税制度とは

贈与税は、従来は暦年課税のみでしたが、生前贈与促進のため「相続時精算課税制度」が設けられました。

これは、贈与者（60歳以上）が子や孫（18歳以上）に生前贈与した場合に、受贈者がこの制度を選択すると、2500万円の特別控除があり、暦年課税より低い税率（一律20％）の贈与税が適用されます。ただし、後日、贈与者の死亡で相続が発生すると、相続財産と生前贈与を合わせた額に相続税が課税されます。贈与税として払った分は差し引けます。

暦年課税では1年につき110万円だった贈与税の非課税枠が、合計2500万円まで拡大し、限度額以内であれば、1回あたりの贈与金額や贈与回数などに制限はありません。この非課税枠を使えば、毎年110万円ずつ約20余年かけて贈与しなければならなかった財産を、一度に贈与することも可能です。

従来の暦年課税は払い終わった贈与税は、原則、相続時には関係ありませんでしたが、この制度は生前贈与で納めた贈与税額を、相続税額から差し引く（精算する）仕組みです。

〈贈与税額の計算〉

具体的には、2500万円（特別控除額）を超える生前贈与には、一律20％の税率で税額を計算します（贈与税の「前払い」）。

その後、親が死亡し相続が発生したときに、生前贈与分の財産を合算し、そこから基礎控除分を差し引いた課税遺産総額に所定の税率を乗じます。その上で、相続税の総額（および各人別の税額）から先に納付した贈与税額を差し引き計算します。

贈与財産の種類・金額・贈与回数の制限はありません。

〈適用対象者〉

適用対象者となるのは、①贈与者は60歳以上の者、②受贈者は、18歳（令和4年3月31日以前は20歳）以上の推定相続人（子）および孫です。年齢は、贈与を受けた年の1月1日の年齢です。

◉住宅取得資金の贈与に係る特例

前ページの2（「住宅取得に資金を贈与する」）で解説しましたが、18歳以上の子が親から自己の居住の用に供する一定の家屋を取得するための資金又は自己の居住の用に供する家屋の一定の増改築のための資金の贈与を受けた場合に限り、60歳未満の親からの贈与にも、相続時精算課税制度が適用されます。

つまり、「相続時精算課税制度」では2500万円までの贈与には課税されませんが、贈与する親の年齢は60歳以上に限定されます。住宅取得資金の贈与の特例を併用すれば、親の年齢制限はなく同特例が適用されます。詳細は税務署に確認を。

贈与をする場合の判断基準

◉相続と贈与の損益分岐点

どのくらい贈与をすればよいか、その判断基準は贈与税と相続税の税率を比較のうえ、判断します（下表を参照）。あなたのケースで具体的に計算してください。

◉上手な贈与のポイント

① ある程度まとまった財産を贈与するには、時価より評価額の低いもの（土地・建物）を贈与します。

② 小刻みに贈与する場合は、金融資産（預金・社債・株式等）から贈与します。

③ 将来、相続税評価額の上昇が見込めそうな財産（株式等）から贈与します。

④ 評価を下げてから贈与します（例えば、不動産の場合、更地より貸家建付地として評価額を下げてから贈与をおこなう等）。

◉贈与する場合の注意点

① 贈与を受けた人が贈与を受けた物を自由に出し入れできるように、通帳（保管場所にも注意が必要）・印鑑などについては、贈与を受けた者が自分で保管しておくことが必要です。

② 贈与された財産（受贈財産）は、受贈者（贈与を受けた人）が管理をすることが前提ですから、土地・建物であれば固定資産税、火災保険料の負担（賃貸物件であれば、不動産所得の申告）、株式であれば配当の確定申告などが必要となってきます。

③ 受贈者が幼児（特に中学生以下）の場合、「贈与を受けるという意思能力」があるのか問題になることがありますので、祖父母から孫が贈与を受ける場合など、通帳・印鑑などは両親が代わって保管・管理しておく必要があります。

◆贈与税と相続税の税率比較表

基礎控除後の贈与額（暦年課税の一般税率）	税率	基礎控除後の相続額
200万円以下	10%	1000万円以下
200万円超　300万円以下	15	1000万円超　3000万円以下
300万円超　400万円以下	20	3000万円超　5000万円以下
400万円超　600万円以下	30	5000万円超　1億円以下
600万円超　1000万円以下	40	1億円超　2億円以下
1000万円超　1500万円以下	45	2億円超　3億円以下
1500万円超　3000万円以下	50	3億円超　6億円以下
3000万円超	55	6億円超

＊贈与税の基礎控除額110万円　＊相続税の基礎控除額3000万円＋600万円×法定相続人数

低く評価される財産（不動産等）に資産をシフトする

基本的な考え方は、通常の時価と相続税評価額との差額を利用するということにつきます。たとえば、空き地などにアパートを建設すると以下のようなことが考えられます。

◉アパート建設のメリット

① 貸家建付地として土地評価額が軽減されます（更地の評価額から借家権の額を控除して評価）。

② 小規模宅地の減額の特例（213ページ参照）を活かせるため、400㎡（あるいは200㎡）までの部分につき貸家建付地の評価額の8割（または5割）減で土地が評価されます。これに伴い、固定資産税・土地計画税も安くなります。

なお、この特例は、土地の所有者と建物の所有者が異なる場合などでは認められないことがありますので、借入金や建物の所有者は土地所有者にしておく方がベターです。

③ また、建物の評価も、取得価額ではなく相続税評価額（固定資産税評価額）で評価されます。

④ 賃貸収入などから発生した収益を相続税の納税資金にも充てられます。

◉アパート建設のデメリット

① アパート経営自体が採算に見あうものかどうかが問題です。

② 相続発生までの期間が長いと、効果が薄れます。

③ 賃料収入は納税資金となる一方、相続財産を増やし、相続税額も増加させる可能性もあります。

各種控除（非課税枠をも含めて）を利用する

◉養子縁組（内孫や息子の嫁など）で非課税枠を拡大

養子縁組をすると、養子1人につき600万円の控除額が拡大し、相続分の減少に伴って超過累進税率の適用段階が下がるので相続税額が減少します。ただし、税法では養子の数を制限しています。養子の数は実子がいるときは1人、実子がいない場合には2人までとされています。

◉生命保険金への加入で非課税枠を拡大

生命保険金（退職手当金も）は、法定相続人1人につき500万円の非課税枠がありますので、相続発生前までに、納税資金確保の為にも、非課税枠の範囲内の金額で加入するのも一案です。

財産の種類			時価	相続税評価額
プラス	土地	自用地	※右記は、一応の目安です。	時価の80%程度
		貸家建付地		自用地評価額（相続税評価額）×80%程度
		貸地		自用地評価額（相続税評価額）×40%程度
		借地権		自用地評価額（相続税評価額）×60%程度
	建物	自宅		固定資産税評価額（未償却残高の60%程度）
		貸家		固定資産税評価額×70%程度
	生命保険金		保険金額	▲500万円×法定相続人の数（控除）
	死亡退職金		退職金支給額	
	ゴルフ会員権		相場	相場×70%程度
	預貯金		残高	
	上場株式		取引相場	
マイナス	借入金		残高	

①配偶者居住権の価額

居住建物の相続税評価額(注)	×	$\dfrac{\text{耐用年数}-\text{経過年数}-\text{存続年数}}{\text{耐用年数}-\text{経過年数}}$	×	存続年数に応じた法定利率による複利現価率	②

配偶者居住権の評価額① ＝ 居住建物の相続税評価額 －②

（注）居住建物の一部が賃貸の用に供されている場合または被相続人が相続開始の直前において居住建物をその配偶者と共有していた場合には、次の算式により計算した金額となります。

居住建物が賃貸の用に供されておらず、かつ、共用でないものとした場合の相続税評価額 × $\dfrac{\text{賃貸の用に供されている部分以外の部分の床面積}}{\text{居住建物の床面積}}$ × 被相続人が有していた持分割合

②居住建物の価額

居住建物の相続税評価額－配偶者居住権の価額(注)

（注）上記「配偶者居住権の価額」で求めた配偶者居住権の価額（①）です。

③敷地利用権の価額

居住建物の敷地の用に供される土地の相続税評価額(注)	×	存続年数に応じた法定利率による複利現価率	④

敷地利用権の評価額③ ＝ 居住建物の敷地の用に供される土地の相続税評価額 －④

（注）居住建物の一部が賃貸の用に供されている場合または被相続人が相続開始の直前において居住建物の敷地を他の者と共有し、もしくは居住建物をその配偶者と共有していた場合には、次の算式により計算した金額となります。

居住建物が賃貸の用に供されておらず、かつ土地が共有でないものとした場合の相続税評価額 × $\dfrac{\text{居住建物の賃貸の用に供されている部分以外の部分の床面積}}{\text{居住建物の床面積}}$ × 被相続人が有していた居住建物の敷地の持分割合と当該建物の持分割合のうちいずれか低い割合

④居住建物の敷地の用に供される土地の価額

居住建物の敷地の用に供される土地の相続税評価額 － 敷地利用権の価額(注)

（注）上記「敷地利用権の価額」で求めた敷地利用権の価額（③）です。

●配偶者居住権（の創設）

配偶者居住権の創設に伴い、相続税法も改正されました。配偶者居住権とは、被相続人が亡くなった場合でも、配偶者が引き続きその家に一定の期間、無償で住むことができる権利です。2020年４月１日以降に発生した相続から適用されます。

・趣旨

高齢化が進む中で、残された配偶者が住み慣れた住居で継続して生活できるようにするために創設された制度。

・メリット

配偶者の住む場所を失うリスクをクリアできるところがメリットですが、他方、不動産の譲渡・売却ができないといったデメリットがあります。特にデメリットに関しては年月が経過してから出てくる問題も多いので、先々の事を考えておく必要があります。

・要件

①亡くなった人の配偶者であること
②その配偶者が亡くなった人が所有していた建物に亡くなった時に居住していたこと
③遺産分割、遺贈、死因贈与、家庭裁判所の審判により取得したこと

配偶者居住権を設定する場合の自宅不動産の権利関係図

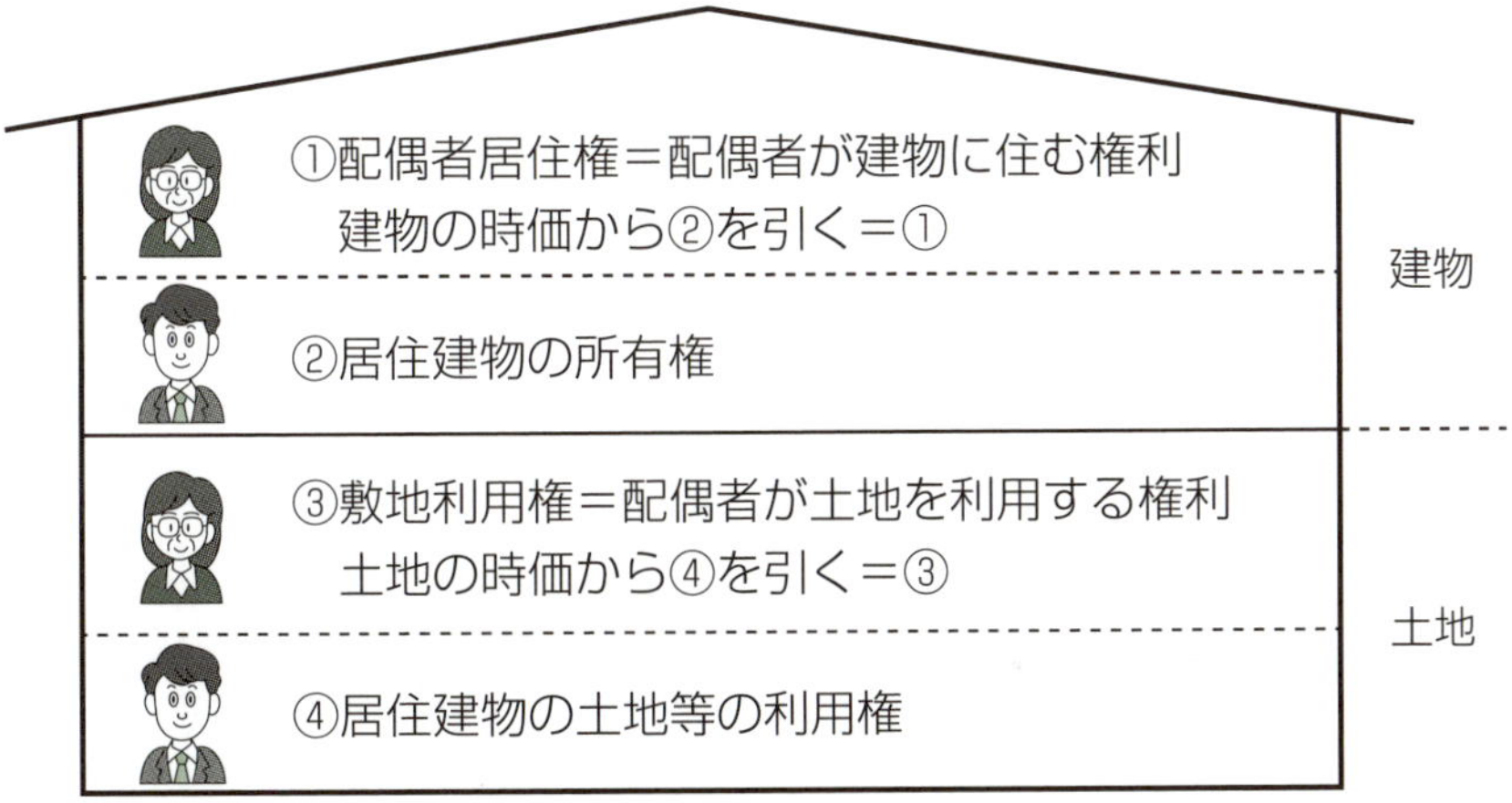

配偶者居住権の評価額＝①配偶者居住権＋③敷地利用権

①と③は配偶者が取得し、②と④は子などの配偶者以外の相続人が取得することになります。

◆相続税・贈与税の主な改正（平成27年～）
（令和４年度税制改正大綱による）

●基礎控除の改正（平成27年１月１日～）

改正前　5,000万円＋1,000万円×法定相続人の数

改正後　3,000万円＋６００万円×法定相続人の数

●相続税の税率構造の改正（平成27年１月１日～）

（相続税の速算表）　※　部分が改正

各取得分の金額	税率	控除額
1,000万円以下	10%	――
3,000万円以下	15%	50万円
5,000万円以下	20%	200万円
1億円以下	30%	700万円
2億円以下	40%	1,700万円
3億円以下	45%	2,700万円
6億円以下	50%	4,200万円
6億円超	55%	7,200万円

●小規模宅地等の相続税の課税価格の計算の特例の改正（平成27年１月１日～）

①特定居住用宅地に係る特例の対象面積の拡大

改正前　240㎡　⇒　改正後　330㎡

②特定居住用宅地等と特定事業用宅地等の併用適用が可能に

●未成年者控除・障害者控除の改正（平成27年１月１日～）

（未成年者控除）改正前　18歳までの１年につき６万円　⇒　改正後　10万円

（障害者控除）　改正前　70歳までの１年につき６万円（特別障害者は12万円）

改正後　85歳までの１年につき10万円（特別障害者は20万円）

●子・孫への住宅取得資金の非課税贈与（平成27年１月１日～令和５年12月31日）

受贈者の年齢要件を18歳以上に引き下げ、非課税とする限度額を①耐震、省エネまたはバリアフリーの住宅用家屋については最大1,000万円、②それ以外の住宅用家屋は最大500万円に引き下げた。なお適用期限を２年間延長した。また、相続時精算課税選択の特例も受けられる。

●子・孫への教育資金の非課税贈与（平成25年４月１日～令和５年３月31日）

信託等による金銭の一括贈与のうち、30歳までに学費などに実際に使った金額について最大1,500万円までは贈与税を非課税とする。

●暦年課税贈与の贈与税の税率構造の改正（平成27年１月１日～）

※現行税率は222ページ参照。

資料

相続トラブルの解決手続きと各種の相談所

上手に裁判所や相談所を活用しよう

1 調停・審判・訴訟の申立手続きと各種の書式
- 家庭裁判所への調停・審判の申立
- 各種の書式と書き方

2 各種の相談所と費用
- 相続問題の相談先
- 法律相談での注意点
- 全国の家庭裁判所・弁護士会の所在地・一覧
- 裁判所への申立手数料

1 調停・審判・訴訟の申立手続きと各種の書式

●家庭裁判所への調停・審判の申立て

調停は、相手の住所地または当事者が合意で定める家庭裁判所に申し立てます。申立てには、かなりの書類が必要です。事案にもよりますが、通常必要とされるものをあげてみます。

①　まず、申立書の提出が必要です。この用紙は家庭裁判所の受付にあり、無料でもらうことができます。インターネットの裁判所ＨＰからも取り寄せられます。

②　申立書には相続人・利害関係人目録（受遺者なども書く）、遺産目録をつけます。調停の申立書は、申立書１通と相手方の数の写しが必要です（写しは相手方に送達される）。

③　添付書類の重要なものとして、戸籍記録の全部事項証明書（謄本）・除籍全部事項証明書（謄本）があります。相続人を確認するため、古いものまで必要です。これを全部集めるには、かなりの知識が必要です。

④　相続財産については、不動産の登記事項証明書（謄本）なども必要となります。その他は、審判・調停の進行に応じて提出すればよいでしょう。

申立費用は、まず申立書に貼る収入印紙が必要で、審判事件（家事事件手続法別表第１）８００円、審判でも調停でもよい事件（同別表第２）１２００円、調停１２００円（いずれも一件につき）です。また、この他にも呼出しなどの実務連絡に必要な郵券（切手）の予納が必要で、さらに、鑑定や出張などの費用負担が必要となることもあります。これについては、家庭裁判所の受付窓口でお尋ねください。

弁護士に依頼すれば、その費用も必要。

●訴訟の申立て

訴訟事件の管轄は、民事訴訟法に規定がありますが、相続権に関する訴訟、遺留分や遺贈などに関する訴訟の管轄は、相続開始時における被相続人の普通裁判籍（住所地が原則）の地方裁判所となります。

提出する訴状は、正本１通、被告の数の副本です。この際、法律で決められた金額の印紙を裁判所用の正本に貼り、また、被告への送達用に必要な額の切手を納付します。

また、不動産がからむ相続事件の場合には、不動産の登記事項証明書（謄本）と、訴状に貼る印紙額の算定資料として固定資産評価証明書も提出しなければなりません。

訴状が受理されると、第１回目の口頭弁論期日が指定され、通常、原告の都合を聞いて、１～２か月くらい先に指定され、その期日の呼出状と訴状の副本が被告に送達されます。

口頭弁論期日では、当事者双方が準備書面という書面を提出して、さらに自分の主張や相手方の主張に対する反論を展開したり、証拠の文書等を書証として提出したり、調べてほしい証人等の尋問の申請を行います。

当事者双方とも主張も証拠も出し尽くしたという段階で、口頭弁論を終結して、判決の言渡しがなされ、判決の正本が当事者双方に送達されます。

なお、被告が原告の請求を争ってこなければ、審理は終結し、１か月後くらいには原告の請求通りの判決がなされます。

◆相続紛争と解決手続きの流れ

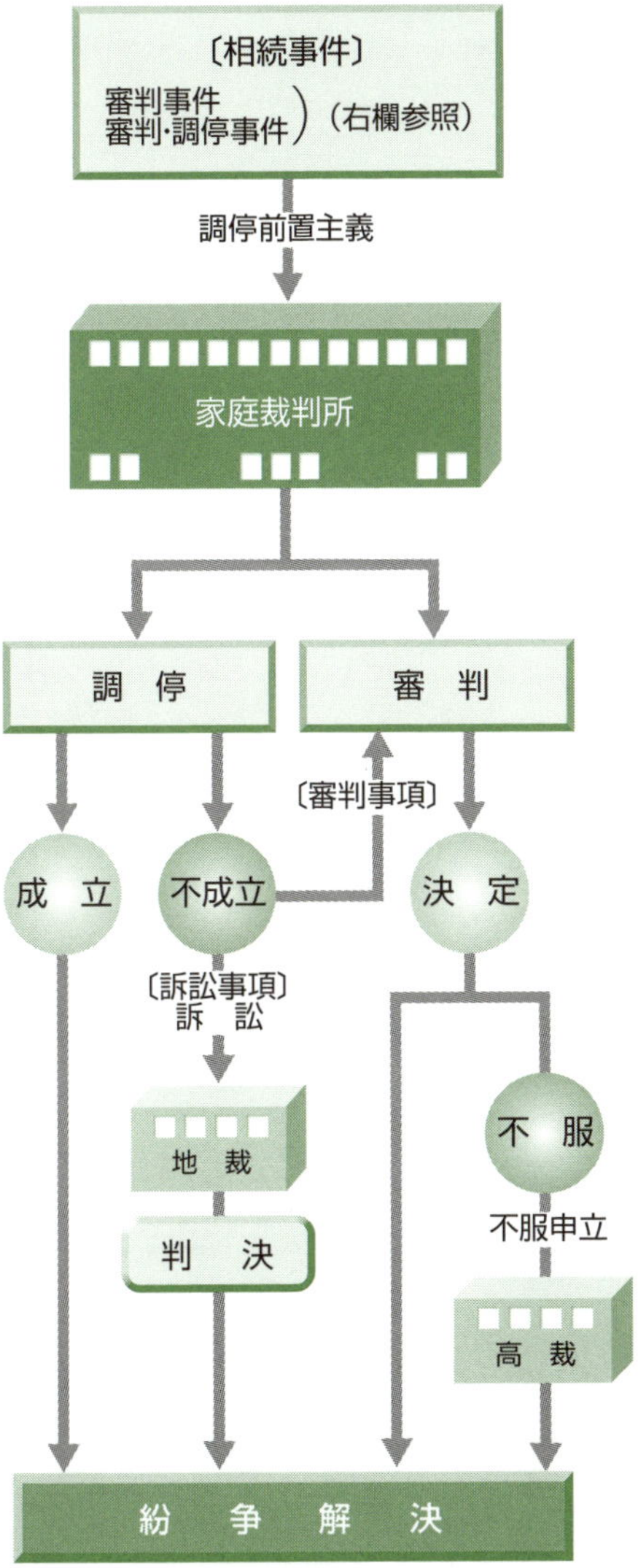

※申立てる際に、調停か審判かも含めて最寄りの家事事件手続相談室か受付窓口で聞いてください。

●家庭裁判所が扱う主な相続事件

〔家事事件手続法「別表第1」⇒審判だけで処理する事件〕

- 不在者の財産の管理に関する処分
- 推定相続人の廃除
- 推定相続人の廃除の審判の取消し
- 推定相続人の廃除の審判又はその取消しの審判の確定前の遺産の管理に関する処分
- 相続の承認又は放棄をすべき期間の伸長
- 相続財産の保存又は管理に関する処分
- 限定承認又は相続の放棄の取消しの申述の受理
- 限定承認の申述の受理
- 限定承認の場合における鑑定人の選任
- 限定承認を受理した場合における相続財産の管理人の選任
- 相続の放棄の申述の受理
- 相続人の不存在の場合における相続財産の管理に関する処分
- 特別縁故者に対する相続財産の分与
- 遺言の確認
- 遺言書の検認
- 遺言執行者の選任
- 遺言執行者の解任
- 遺言執行者の辞任についての許可
- 負担付遺贈に係る遺言の取消し
- 遺留分の放棄についての許可・など

〔家事事件手続法「別表第2」⇒審判・調停いずれでも処理できる事件〕

- 相続の場合における祭具等の所有権の承継者の指定
- 遺産の分割
- 遺産の分割の禁止
- 寄与分を定める処分

〔調停事件⇒調停申立てが必要な事件〕

【特殊調停⇒合意に相当する審判】

- 認知の無効および取り消し
- 親子関係の不存在確認事件・など

【一般調停】

- 遺産に関する紛争
- 遺留分侵害額請求・など

〔書式1〕相続放棄の申述書

受付印		相　続　放　棄　申　述　書
収入印紙　円		（この欄に収入印紙800円分を貼ってください。） 印紙 （貼った印紙に押印しないでください。）
予納郵便切手　円		

準口頭		関連事件番号　平成・令和　年（家　）第　号

○○ 家庭裁判所 御中 令和 ○ 年 ○ 月 ○ 日	申述人 〔未成年者などの場合は法定代理人〕 の記名押印	鈴木洋子　㊞

添付書類	（同じ書類は1通で足ります。審理のために必要な場合は，追加書類の提出をお願いすることがあります。） ☑ 戸籍（除籍・改製原戸籍）謄本（全部事項証明書）　合計 2 通 ☑ 被相続人の住民票除票又は戸籍附票 □

申述人					
	本籍（国籍）	東京 ㊥都 道 府 県　世田谷区経堂1丁目2番地			
	住所	〒○○○－○○○○　電話　○○（○○○○）○○○○ ○○県○○市○○町○丁目○番○号　（　方）			
	フリガナ 氏名	スズキ　ヨウコ 鈴木洋子	大正・（昭和）・平成 ○○年○月○日生（　歳）	職業	主婦
	被相続人との関係	※被相続人の………（1）子　2 孫　3 配偶者　4 直系尊属（父母・祖父母）　5 兄弟姉妹　6 おいめい　7 その他（　）			

※法定相続人等及び被相続人の記載欄は省略。

申述の趣旨
相続の放棄をする。

申述の理由		
※ 相続の開始を知った日…………平成・（令和）　○年　○月　○日 （1） 被相続人死亡の当日　3 先順位者の相続放棄を知った日 2 死亡の通知をうけた日　4 その他（　）		
放棄の理由	相続財産の概略	
※ 1 被相続人から生前に贈与を受けている。 2 生活が安定している。 3 遺産が少ない。 4 遺産を分散させたくない。 （5） 債務超過のため。 6 その他〔　〕	資産	農地……約　平方メートル　現金・預貯金………約 100 万円 山林……約　平方メートル　有価証券……約　万円 宅地……約　平方メートル 建物……約 20 平方メートル
	負債	……………………………約 2,000 万円

（注）　太枠の中だけ記入してください。　※の部分は，当てはまる番号を○で囲み，申述の理由欄の4，放棄の理由欄の6を選んだ場合には，（　）内に具体的に記入してください。

※以下は家庭裁判所の書式を基に作成しました。

1 相続放棄の申述書

① 相続の放棄は、本書式例のように被相続人の負債からの解放を目的とするほか、被相続人から生前多額の贈与を受けていたので遺産は他の相続人に相続させたいとの意図から放棄することも考えられます。

　相続の放棄は、「自分が相続の開始があったことを知ってから3か月以内」に被相続人の住所地または相続開始地の家庭裁判所に申述しなければなりません。

② 相続の放棄は、相続人の地位の放棄ですから、相続によって得た個々の財産の放棄とは違います。たとえば、いったん相続したうえでその財産を他の共同相続人に譲りたいときは、家庭裁判所に申し立てる必要もなく自由に処分できます。

③ 相続の放棄をすると、その相続に関しては、はじめから相続人でないものとみなされるので、たとえば第1順位の子全員が放棄すれば第2順位の直系尊属と配偶者とで再計算され、第1順位の子の1人が放棄したときは、配偶者の2分の1の相続分には変動がなく、他の第1順位の子だけで再計算します。

④ 申立費用として、印紙800円の貼付と郵券が必要です。

〔書式2〕限定承認の申述書

受付印	**家事審判申立書　事件名（相続の限定承認）**
収入印紙　円 予納郵便切手　円 予納収入印紙　円	（この欄に申立手数料として1件について800円分の収入印紙を貼ってください。） 印紙 （貼った印紙に押印しないでください。） （注意）登記手数料としての収入印紙を納付する場合は，登記手数料としての収入印紙は貼らずにそのまま提出してください。

準口頭		関連事件番号　平成・令和　年（家　）第　号

○○家庭裁判所 御中 令和　○　年　○　月　○　日	申立人 （又は法定代理人など） の記名押印	田　中　一　郎　㊞ 山　田　佳　子　㊞

添付書類 ※	（審理のために必要な場合は，追加書類の提出をお願いすることがあります。）

申述人	本籍 （国籍）	（戸籍の添付が必要とされていない申立ての場合は，記入する必要はありません。） 東京　都（道・府・県）　新宿区百人町３丁目３１５番地
	住所	〒○○○－○○○○　電話　○○（○○○○）○○○○ 新宿区百人町３丁目３１５番地　（　○○○○　方）
	連絡先	〒　－　電話　（　） （　方）
	フリガナ 氏名	タナカ　イチロウ 田　中　一　郎 大正・昭和・平成　○○年　○月　○日生（　○○　歳）
	職業	会社員

※申立人欄の山田佳子及び被相続欄の記載については省略。添付書類については裁判所で確認してください。

申　立　て　の　趣　旨
相続の限定承認をする。

申　立　て　の　理　由
1．申述人両名は、被相続人の子であり、相続人はこの申述人両名だけです。
2．被相続人は，令和○年○月○日に死亡して相続が開始し、申述人両名は死亡当日に相続の開始を知りました。
3．被相続人には別紙の遺産目録記載のとおり財産もありますが、相当の負債もあり、申述人両名は相続によって得た積極財産の限度で債務を弁済したいと思いますので，限定承認をすることを申述します。

※（別紙）相続人目録については省略。

2 限定承認の申述書

① 限定承認の申述は、相続の放棄と同じく、相続開始を知ったときから3か月以内に、被相続人の生前の住所地を管轄する家庭裁判所に申し出なければなりません。

② 限定承認は、共同相続人がいるときは全員が共同してのみすることができます。

③ これは一種の清算手続きです。限定承認者は限定承認をした後5日以内に、いっさいの相続債権者および受遺者に対して、一定期間内に債権の届出をすることを公示したり、また清算手続きについて報告義務があるなど面倒なことが多いので、現実には限定承認の例はごく少ないようです。

現実問題として、限定承認を要するような場合は、被相続人の生前に債権者は債権保全の措置をとっておくとか、被相続人としても生前に配偶者とか子供に積極財産を贈与するとかの処置をとっておくのが普通です。したがって限定承認をするのは、被相続人の急死とかの特殊な場合に限られるでしょう。

④ 申立費用として、印紙800円の貼付と郵券が必要です。

〔書式3〕遺言書検認の申立書

受付印	家事審判申立書　事件名（　遺言書の検認　）
収入印紙　円 予納郵便切手　円 予納収入印紙　円	（この欄に申立手数料として1件について800円分の収入印紙を貼ってください。） 印紙 （貼った印紙に押印しないでください。） （注意）登記手数料としての収入印紙を納付する場合は，登記手数料としての収入印紙は貼らずにそのまま提出してください。

準口頭		関連事件番号　平成・令和　　年（家　　）第　　　号

○○家庭裁判所 御中 令和　○　年　○　月　○　日	申立人 （又は法定代理人など） の記名押印	久　保　田　一　郎　㊞

添付書類 ※	（審理のために必要な場合は，追加書類の提出をお願いすることがあります。）

申立人	本籍 （国籍）	（戸籍の添付が必要とされていない申立ての場合は，記入する必要はありません。） 都　道 府　県		
	住所	〒○○○－○○○○ 東京都杉並区高円寺３丁目５番地	電話　○○（○○○○）○○○○ （　　　方）	
	連絡先	〒　　－	電話　（　　　） （　　　方）	
	フリガナ 氏名	クボタ　イチロウ 久　保　田　一　郎	大正 (昭和) 平成　○○年　○月　○日生 （　○○　歳）	
	職業	会社員		

※遺言者の本籍・氏名等の記載欄については省略。添付書類については裁判所で確認してください。

申　立　て　の　趣　旨
遺言者の自筆証書による遺言書の検認を求めます。

申　立　て　の　理　由
1．遺言者は，令和○年○月○日申立人の住所で死亡した。
2．被相続人は，自筆証書遺言を残していたので，遺言書（封印されている）の検認を求めます。なお，相続人は別紙の相続人目録記載のとおりです。

※（別紙）相続人目録については省略。

3 遺言書検認の申立書

① 遺言書を保管している者は、遺言者が死亡した後、すみやかにこれを家庭裁判所に提出し検認を受けなければなりません。

相続人が遺言書を発見した後も、同様の検認を受けなければなりません。

② 申立人（遺言書の保管者、または遺言書の発見をした相続人）は、相続開始地の家庭裁判所に対して申し立てます。

③ 家庭裁判所は遺言書の検認として、遺言書の形式、態様などの遺言の方式に関する一切の事情を調査し、遺言の執行前の遺言書の現状を確認し、後日の偽造、変造を予防し、保存を確実にするための検認調書を作成します。

④ 添付書類として、相続人・被相続人の戸籍謄本（全部事項証明書）各1通、遺言書1通、相続人利害関係人名簿1通が必要です。

⑤ 申立費用として、印紙800円と郵券が必要です。

〔書式4〕遺言執行者選任の申立書

受付印	家事審判申立書　事件名（遺言執行者選任）
収入印紙　円 予納郵便切手　円 予納収入印紙　円	（この欄に申立手数料として1件について800円分の収入印紙を貼ってください。） 印紙 （貼った印紙に押印しないでください。） （注意）登記手数料としての収入印紙を納付する場合は，登記手数料としての収入印紙は貼らずにそのまま提出してください。

準口頭		関連事件番号　平成・令和　年（家　）第　号

○○家庭裁判所 御中 令和○年○月○日	申立人 （又は法定代理人など） の記名押印	山田一子　㊞

添付書類 ※	（審理のために必要な場合は，追加書類の提出をお願いすることがあります。）

申立人	本籍 （国籍）	（戸籍の添付が必要とされていない申立ての場合は，記入する必要はありません。） 都道府県
	住所	〒○○○－○○○○　電話　○○（○○○○）○○○○ 東京都千代田区３丁目２番１号　（　方）
	連絡先	〒　－　電話　（　） （　方）
	フリガナ 氏名	ヤマダ　カズコ 山田一子　大正・昭和・平成　○○年○月○日生（○○歳）
	職業	飲食店経営

※遺言者の本籍・氏名等の記載欄については省略。添付書類については裁判所で確認してください。

申立ての趣旨
遺言者が令和○年○月○日にした遺言につき遺言執行者を選任する審判を求めます。

申立ての理由
1．申立人は，遺言者から別紙遺言書記載のとおり，遺言者所有の不動産の遺贈を受けた者です。
2．この遺言書は本年年○月○日御庁で検認をうけましたが，遺言執行者の指定がなく，そのため遺言執行者の選任を求めるためにこの申立てをいたします。なお，遺言執行者には弁護士である下記の者が適任と考えます。
住所　東京都中央区銀座１丁目１番１号
連絡先　東京都中央区銀座２丁目２番２号 田中法律事務所 電話番号○○－○○○○－○○○○
氏名　田中太郎

※（別紙）遺言書については省略。

4 遺言執行者選任の申立書

① 遺言を執行しなければならないのに、遺言者が遺言執行者を指定しないとき、指定はあったがその者が辞退したとき、遺言執行者が解任・死亡したとき、遺言執行者に破産や後見開始の手続などがされたときは、利害関係人は家庭裁判所に対して遺言の執行者の選任を申し立てなければなりません。このときの書式が上掲のものです。

② 申立人は、相続人、受遺者、相続財産に対する債権者などの利害関係人で、相続開始地の家庭裁判所に対して申し立てます。

③ 添付書類は、申立人・相続人の戸籍謄本（全部事項証明書）1通、遺言執行者最適任者の住民票1通が必要です。

④ 申立費用は、印紙800円と関係人に通知するための切手が必要です。

〔書式5〕遺産分割の調停の申立書

この申立書の写しは，法律の定めるところにより，申立ての内容を知らせるため，相手方に送付されます。

受付印	遺産分割　☑ 調停　□ 審判　申立書
収入印紙　円 予納郵便切手　円	（この欄に申立て１件あたり収入印紙１，２００円分を貼ってください。） 印紙 （貼った印紙に押印しないでください。）

○○ 家庭裁判所　御中 令和 ○ 年 ○ 月 ○ 日	申立人 （又は法定代理人など） の記名押印	山　田　二　郎　㊞

添付書類	（審理のために必要な場合は，追加書類の提出をお願いすることがあります。） ☑ 戸籍（除籍・改製原戸籍）謄本（全部事項証明書）合計 ○ 通 □ 住民票又は戸籍附票　合計　通　□ 不動産登記事項証明書　合計　通 ☑ 固定資産評価証明書　合計 ○ 通　☑ 預貯金通帳写し又は残高証明書　合計 ○ 通 □ 有価証券写し　合計　通　□	準口頭

当事者		別紙当事者目録記載のとおり	
被相続人	最後の住所	東京 ㊀都 道 府 県　中野区沼袋１丁目３２番地	
	フリガナ 氏名	ヤマダ　ジロウ 山　田　二　郎	平成 ㊀令和 ○ 年 ○ 月 ○ 日死亡

申立ての趣旨
□　被相続人の遺産の全部の分割の（☑ 調停 ／ □審判）を求める。
□　被相続人の遺産のうち，別紙遺産目録記載の次の遺産の分割の（□ 調停 ／ □ 審判）を求める。※1
【土地】　【建物】
【現金，預・貯金，株式等】

申立ての理由			
遺産の種類及び内容	別紙遺産目録記載のとおり		
特別受益 ※2	□ 有	□ 無	□ 不明
事前の遺産の一部分割 ※3	☑ 有	☑ 無	□ 不明
事前の預貯金債権の行使 ※4	□ 有	☑ 無	□ 不明
申立ての動機	☑ 分割の方法が決まらない。 □ 相続人の資格に争いがある。 □ 遺産の範囲に争いがある。 □ その他（　　）		

（注）太枠の中だけ記入してください。□の部分は該当するものにチェックしてください。

※別紙当事者目録，遺産目録については省略。

5 遺産分割の調停の申立書

① 遺産の分割について民法は、できるだけ当事者の話し合いによる解決を望んでいます。しかし、どうしても当事者間だけでは解決できない場合は、家庭裁判所に調停の申立てをすることができます。もっとも、最初から家庭裁判所に審判の申立てをすることもできるのですが、いちおうは調停に回すのが通常です。

なお、申立書は、申立書1通のほかに申立書の写しが相手方の人数分（相手方に送達される）必要です。

② 遺産の分割の申立てをしたものの、調停が長引いたりしている間に、遺産をたまたま占有している者が勝手に処分したりするおそれがあります。このようなときは裁判所に「審判前の保全処分」を申し立てることができます。

③ 遺産の種類及び内容については、別紙財産目録を作成します（書式は裁判所にあり）。遺産目録は完全なものにしたことはありませんが、調停の段階に入って新しい遺産が判明することもあり、また裁判所で調査してくれることもあります。

④ 申立費用は、印紙1200円と、呼出用として切手を予納させられるだけです。

〔書式6〕特別縁故者の相続財産分与申立書

受付印	家事審判申立書　事件名（特別縁故者に対する財産分与）
収入印紙　円 予納郵便切手　円 予納収入印紙　円	（この欄に申立手数料として1件について800円分の収入印紙を貼ってください。） 印紙 （貼った印紙に押印しないでください。） （注意）登記手数料としての収入印紙を納付する場合は，登記手数料としての収入印紙は貼らずにそのまま提出してください。

準口頭		関連事件番号　平成・令和　　年（家　　）第　　号

○○　家庭裁判所　御中 令和　○　年　○　月　○　日	申立人（又は法定代理人など）の記名押印	山本　不二子　㊞

添付書類 ※	（審理のために必要な場合は，追加書類の提出をお願いすることがあります。）

申立人	本籍（国籍）	（戸籍の添付が必要とされていない申立ての場合は，記入する必要はありません。） 都道府県	
	住所	〒○○○－○○○○　電話　○○（○○○○）○○○○ 東京都江戸川区○町2丁目25番12号　（　方）	
	連絡先	〒　－　電話　（　） （　方）	
	フリガナ 氏名	ヤマモト　フジコ 山本　不二子	大正／昭和／平成　○○年　○月　日生（　○○　歳）
	職業	主婦	

※被相続人についての住所・氏名等の記載欄は省略。添付書類については裁判所で確認してください。

申立ての趣旨
申立人に対し，被相続人の相続財産を分与するとの審判を求めます。

申立ての理由
1．申立人は，平成○○年○月○日から被相続人の内縁の妻として同棲してきました。亡くなる前の5年間は被相続人が病気のため，療養看護に努めました。
2．被相続人は，令和○年○月○日に死亡しましたが，相続人がなく，私の申立てにより，令和○年○月○日に家庭裁判所において相続財産管理人として小川隆一が選任され，同氏の申立てに基づき相続人捜索の公告をし，令和○年○月○日公告期間が満了しましたが，権利の申出はありませんでした。
3．被相続人には，別紙遺産目録のとおりの遺産があり，この遺産は申立人の協力・寄与によって得たものですが，被相続人の遺言はありませんでした。
4．そこで，相続債務精算後の残余財産は，被相続人と特別縁故関係にある申立人に分与されたくこの申立てをします。

※(別紙)遺産目録については省略。

6 特別縁故者の相続財産分与申立書

① 家庭裁判所から行った相続人捜索の公告期間内に相続人である権利を主張する者がない場合に、被相続人と特別縁故関係のあった者から申し立て請求します。

② 請求は、相続人捜索の公告期間（6か月以上）が満了した後、3か月以内に申し立てなければなりません。

③ 管轄は被相続人の住所地または相続開始地の家庭裁判所、実際には管理人を選任した家庭裁判所に申し立てるのが普通です。

④ 申立てがあったときは、家庭裁判所は遅滞なく管理人にその旨を通知し、さらに本件処分に関する審判に当たっては管理人の意見を聞くことになっています。

⑤ 分与の対象となる財産は、清算後になお残存している分与可能な相続財産の全部または一部です。

⑥ 申立費用は800円、他に官報公告費用および呼出用郵便切手が必要です。

※手続きが複雑ですので、家庭裁判所で相談してください。

〔書式7〕寄与分を定める調停（審判）申立書

この申立書の写しは、法律の定めるところにより、申立ての内容を知らせるため、相手方に送付されます。
※申立書の写しは相手方に送付されますので、あらかじめご了承ください。

受付印	家事　☑ 調停　□ 審判　申立書　事件名（　寄与分　）
	（この欄に申立て１件あたり収入印紙１，２００円分を貼ってください。） 印紙 （貼った印紙に押印しないでください。）
収入印紙　円 予納郵便切手　円	

○○家庭裁判所 御中 令和　○　年　○　月　○　日	申立人 （又は法定代理人など） の記名押印	川　田　正　太　郎　㊞

添付書類 ※	（審理のために必要な場合は，追加書類の提出をお願いすることがあります。）	準口頭

申立人	本籍 （国籍）	（戸籍の添付が必要とされていない申立ての場合は，記入する必要はありません。） 東京　㊌ 道 府 県　世田谷区羽根木１丁目７番１１号
	住所	〒 ○○○ － ○○○○ 東京都多摩市○町３丁目３番５号　（　　方）
	フリガナ 氏名	カワタ　ショウタロウ 川　田　正太郎　　大正 ㊐昭和 平成　○○年　○　月　日生　（　○○　歳）

※相手方の住所，氏名等の記載欄は省略。添付書類については裁判所で確認してください。

申立ての趣旨
申立人は，寄与分を定める調停を求める。

申立ての理由
１．申立人は、被相続人川田正太郎（令和○年○月○日死亡）の長男であり，相手方の佐藤貴子は長女，川田健一は二男です。被相続人は自動車修理工場を経営していました。
２．申立人は昭和○○年３月に高校を卒業すると同時に，被相続人の経営するも工場を手伝うことになり，平成○○年○月○日からは営業も担当するようになり，経営にも関与するようになりました。
３．その結果，取引先も広がり，売上も大きく伸ばすことができました。その間も被相続人と同居し，病気以後、療養看護にも努めてきました。
４．そこで、申立人は相手方に対して，遺産分割協議の際に労務の提供による財産の増加・維持および被相続人に対する療養看護の寄与分を主張しましたが、相手方が応じないために、本申立てをします。

※遺産目録については省略。

7 寄与分を定める調停（審判）申立書

① 寄与分について相続人間で協議が調わないときや協議をすることができないときは、寄与相続人から、申立人以外の全共同相続人を相手に寄与分を定める調停または審判の申立てができます。また、遺産分割調停で寄与分の主張もできます。

② 申立先は、相手方のうちの1人の住所地の家庭裁判所または当事者が合意で定める家庭裁判所です。ただし、遺産分割事件が係属している場合は、その事件が係属している裁判所に申し立てます。

なお、調停が不成立になった場合は審判手続きが開始されますが、遺産分割審判の申立てが必要です。

③ 調停の申立てをする場合、寄与分を定める処分調停事件として申し立てます。申立書1通およびその写しが相手方の人数分だけ必要です。写しは相手方に送付されます。

④ 申立ての趣旨には、寄与分の額または割合まで記載する必要はありません。申立ての理由には寄与の時期、方法、程度その他の実情を具体的に書き、遺産目録を添えます。

⑤ 申立費用は調停、審判ともに印紙で1200円。他に、呼出しのための郵便切手若干枚を予納します。

〔書式8〕法定相続情報証明制度を利用する場合の申出書

法定相続情報一覧図の保管及び交付の申出書

（補完年月日　令和　　年　　月　　日）

申出年月日	令和　　年　　月　　日	法定相続情報番号	-　　-
被相続人の表示	氏　　名 最後の住所 生年月日　　　年　　月　　日 死亡年月日　　　年　　月　　日		
申出人の表示	住所 氏名 連絡先　　－　　－ 被相続人との続柄　（　　　　）		
代理人の表示	住所（事務所） 氏名 連絡先　　－　　－ 申出人との関係　□法定代理人　□委任による代理人		
利用目的	□不動産登記　□預貯金の払戻し □その他（　　　　）		
必要な写しの通数・交付方法	通　（□窓口で受取　□郵送　） ※郵送の場合，送付先は申出人（又は代理人）の表示欄にある住所（事務所）となる。		
被相続人名義の不動産の有無	□有 □無	（有の場合，不動産所在事項又は不動産番号を以下に記載する。）	
申出先登記所の種別	□被相続人の本籍地　□被相続人の最後の住所地 □申出人の住所地　□被相続人名義の不動産の所在地		

上記被相続人の法定相続情報一覧図を別添のとおり提出し，上記通数の一覧図の写しの交付を申出します。交付を受けた一覧図の写しについては，相続手続においてのみ使用し，その他の用途には使用しません。

申出の日から３か月以内に一覧図の写し及び返却書類を受け取らない場合は，廃棄して差し支えありません。

（地方）法務局　　　　支局・出張所　　　　宛

8 法定相続情報一覧図の保管及び交付の申出書

登記所（法務局）が、亡くなった人の法定相続人が誰か「法定相続情報一覧図」により証明してくれるもので、手続きを一回するだけで、後はその一覧図が不動産登記申請の書類としてだけでなく、金融機関などに出す戸籍書類の代わりに使えます。

この制度を利用するには、相続人が「被相続人の本籍地や最後の住所地、同名義の不動産の所在地、相続人の住所地」のいずれかを管轄する登記所に、上書式（申出書）と、次の①②の書類を提出するだけです。

① 被相続人の出生から死亡までの戸籍謄本（全部事項証明書）、除籍謄本など戸籍書類（本籍地のある市区町村に請求し、集める）

② 法定相続情報一覧図（被相続人とその法定相続人全員を示した図。①の書類から作成）

登記官が、その内容に間違いないことを確認すると、「本書面は、提出された戸除籍謄本等の記載に基づくものである」との認証文付きの法定相続情報一覧図の写しが、相続人に交付されます。交付は相続手続きに必要な通数を発行してくれます。費用は無料です。

※問合せ・手続先は、各地の法務局。

解説は183ページ上欄参照。

2 各種の相談所と費用

◆相続の問題は身内のことですから、他人にはなかなか相談しにくい面もありますが、大金が絡むことでもあり、早めの相談をおすすめします。

●相続問題の相談先

■家庭裁判所の家事相談

相続のトラブルなど、家庭内の問題であって、当事者による話し合いで解決できないときは、家庭裁判所の家事事件手続相談を利用することをおすすめします。

家事事件手続相談では、調停に向けての手続などについて教えてくれます。ただし、個々の具体的なトラブルの内容について、判断を下すものではありません。

家庭裁判所の全国の所在地については、ホームページ等でご確認下さい。

■弁護士会の相談

各地の弁護士会では法律相談を行なっていて、相続や離婚といった事柄に関する相談のほか、法律全般の問題について相談にのってくれます。

弁護士会の法律相談は、原則として、有料（30分5500円）です。事前に電話で連絡をして、相談料や、相談に行く際に必要なことなどについて聞いておくとよいでしょう。

なお、弁護士会の所在地については、ホームページ等でご確認下さい。

■都道府県・市区町村民相談室

全国の都道府県や市区町村では、行政サービスとして、法律相談室（名称はそれぞれの自治体で異なる）を設けて、広く一般の法律相談に応じています。

相談室は、一般的には役所内にありますが、巡回相談を行っている自治体もあり、最寄りの自治体で確認してください。

弁護士などの法律の専門家が相談に応じ、相談料は無料です。

●法律相談での注意点

◆相談所の利用法

誰もが、法律トラブルが起きて法律相談をする場合には、自分にとっていい解決法を望むものです。しかし、トラブルとなれば、相手にもそれなりの言い分がある場合が多いようです。

相談者のなかには、自分に都合のよいことしか言わない人もいます。また、自分に不都合なことを言われると機嫌を悪くする人もいます。相談の当事者は、あくまで冷静に第三者の立場で相談を受けていますので、相談者も冷静に判断することです。

相談に行く場合の注意点としては、以下のようなことがあります

▼事前に相談したい内容については、まとめておくこと

相談時間が限られていますので、要領よく聞きたいことを相談することです。相談の内容を整理しておくことはもちろん、できれば、質問内容を簡潔にメモしておくことをおすすめします。

▼相談にはできれば資料を用意していく

話だけでは、問題の本質が相談される側には理解できない場合があります。そうした場合、資料を持参すれば、それは客観的な判断の材料となります。

●その他の注意点

飛込みで相談に行っても、予約でいっぱいのために、相談を受けられないことがあります。相談所に行く前に、電話で予約するとよいでしょう。なお、その際に費用・相談時間などについては確認しておきましょう。

『法テラス』の相談業務

◆司法制度改革の目玉

司法を利用しやすくすることを目的として、日本司法支援センター（愛称は『法テラス』）が全国の県庁所在地などの他、弁護士の少ない司法過疎地域にも事務所が設けられています。

◆法テラスの仕事の内容は

法テラスの行う主な仕事は、法的トラブルの解決に役立つ制度や相談機関を無料で紹介することです。相談の内容に応じて、弁護士会、司法書士会、自治体などへの橋渡しも行っています。

その他の業務としては、

・資力の乏しい人に裁判費用を援助する民事法律扶助

・犯罪被害者の援助（詳しい弁護士や専門機関の紹介）

・容疑者や被告に国選弁護人をつける体制の整備・弁護士がいない地域での法律サービスなどです。

法テラスの電話番号は、

0570—078374（オナヤミナシ）

資料　解決手続きと各種の相談所

◆各種の法律手続の情報源

・**最高裁判所ホームページ**

・**各地の裁判所ホームページ**

裁判所の案内・裁判手続き・判例情報など掲載

・**民事手続案内**
（民事調停・訴え提起前の和解・訴訟など）

▷最高裁および各地の裁判所のホームページ

▷裁判所の受付窓口、特に簡易裁判所では丁寧に教えてくれる

・**家事手続案内**（家事調停・審判など）

▷最高裁および各地の家庭裁判所のホームページ

▷各家庭裁判所の家事手続相談室、受付窓口

・**戸籍関連の証明書等**
（戸籍謄本〈全部事項証明書〉など）

▷市区町村役場（役場のホームページに掲載）

・**登記・供託インフォメーションサービス**
（法務省・各地の法務局・地方法務局）

※インターネットでも見ることができます

・**各地の国税局**（税金）
（例）電話相談センター（所轄の税務署に電話をすれば、自動音声で案内がなされます）

・**日本弁護士連合会ホームページ**
法律相談案内・当番弁護士制度・報酬など掲載

・**各地の弁護士会のホームページ**
法律相談案内・当番弁護士・法律扶助など掲載

※上記の他にも、情報提供先は多くあります。

◆裁判所への申立手数料（訴え・控訴・上告・調停等の貼用印紙額）

訴額	訴状・反訴状・独立当事者参加の申出書・共同訴訟参加の申出書		控訴状（請求について判断しなかった判決に対するものを除く）	上告状（請求について判断しなかった判決に対するものを除く）	支払命令申請書・異議申立により本訴になったときの追加額	和解から訴になったときの追加額	民事調停法による調停申立書	調停から本訴訟になったときの追加額
万円		円	円	円	円	円	円	円
10	10万円までごとに1000円	1,000	1,500	2,000	500	0	500	500
20		2,000	3,000	4,000	1,000	0	1,000	1,000
30		3,000	4,500	6,000	1,500	1,000	1,500	1,500
40		4,000	6,000	8,000	2,000	2,000	2,000	2,000
50		5,000	7,500	10,000	2,500	3,000	2,500	2,500
60		6,000	9,000	12,000	3,000	4,000	3,000	3,000
70		7,000	10,500	14,000	3,500	5,000	3,500	3,500
80		8,000	12,000	16,000	4,000	6,000	4,000	4,000
90		9,000	13,500	18,000	4,500	7,000	4,500	4,500
100		10,000	15,000	20,000	5,000	8,000	5,000	5,000
120	20万円までごとに1000円	11,000	16,500	22,000	5,500	9,000	5,500	5,500
140		12,000	18,000	24,000	6,000	10,000	6,000	6,000
160		13,000	19,500	26,000	6,500	11,000	6,500	6,500
180		14,000	21,000	28,000	7,000	12,000	7,000	7,000
200		15,000	22,500	30,000	7,500	13,000	7,500	7,500
220		16,000	24,000	32,000	8,000	14,000	8,000	8,000
240		17,000	25,500	34,000	8,500	15,000	8,500	8,500
260		18,000	27,000	36,000	9,000	16,000	9,000	9,000
280		19,000	28,500	38,000	9,500	17,000	9,500	9,500
300		20,000	30,000	40,000	10,000	18,000	10,000	10,000
320		21,000	31,500	42,000	10,500	19,000	10,500	10,500
340		22,000	33,000	44,000	11,000	20,000	11,000	11,000
360		23,000	34,500	46,000	11,500	21,000	11,500	11,500
380		24,000	36,000	48,000	12,000	22,000	12,000	12,000
400		25,000	37,500	50,000	12,500	23,000	12,500	12,500
420		26,000	39,000	52,000	13,000	24,000	13,000	13,000
440		27,000	40,500	54,000	13,500	25,000	13,500	13,500
460		28,000	42,000	56,000	14,000	26,000	14,000	14,000
480		29,000	43,500	58,000	14,500	27,000	14,500	14,500
500		30,000	45,000	60,000	15,000	28,000	15,000	15,000
550	50万円までごとに2000円	32,000	48,000	64,000	16,000	30,000	16,000	16,000
600		34,000	51,000	68,000	17,000	32,000	17,000	17,000
650		36,000	54,000	72,000	18,000	34,000	18,000	18,000
700		38,000	57,000	76,000	19,000	36,000	19,000	19,000
750		40,000	60,000	80,000	20,000	38,000	20,000	20,000
800		42,000	63,000	84,000	21,000	40,000	21,000	21,000
850		44,000	66,000	88,000	22,000	42,000	22,000	22,000
900		46,000	69,000	92,000	23,000	44,000	23,000	23,000
950		48,000	72,000	96,000	24,000	46,000	24,000	24,000
1,000		50,000	75,000	100,000	25,000	48,000	25,000	25,000
1,000万円超10億円までの部分 100万円までごとに		3,000	4,500	6,000	1,500	3,000	1,200	1,800
10億円超50億円までの部分 500万円までごとに		10,000	15,000	20,000	5,000	10,000	4,000	6,000
50億円超の部分 1,000万円までごとに		10,000	15,000	20,000	5,000	10,000	4,000	6,000

※財産上の請求でない請求および訴額の算定が極めて困難な訴えは、訴額は160万円とみなされます。

▶この他にも予納郵券（郵便切手）などが必要です。裁判所の窓口で確認してください。

■ 別編 ■

葬儀・相続関係の記録ノート

（亡くなった人の氏名）

【生年月日】 大正・昭和・平成　　年　　月　　日

【死 亡 日】 令和　　年　　月　　日

【死亡場所】 自　宅　（住所）
病　院　（　　　　　　　　　）

◆本編の収載項目・書式（NOTE）

1 死亡手続き 242 【NOTE ①】死亡届 243
2 葬儀手続き 244 【NOTE ②】会葬者名簿 245
3 相続手続き 246
3－1相続人を確定する 246 【NOTE ③】相続人名簿 247
3－2遺産の調査・確定・評価をする 248 【NOTE ④】遺産目録（土地）249
【NOTE ⑤】遺産目録（建物）249
【NOTE ⑥】遺産目録（現金等）249
3－3遺産分割協議をする 250 【NOTE ⑦】遺産分割協議書 251
3－4遺産の各相続人への移転 252 【NOTE ⑧】相続登記の申請書 253
4 年金・健康保険・税金の手続き 254
【NOTE⑨】年金請求書（国民年金・厚生年金保険遺族給付）255

♤本編は故人の葬儀から相続、年金·健康保険·税金まで、必要手続きと書式についてノートの作成形式で編集したものです。故人の葬儀・相続関係の記録として活用してください。

1 死亡手続き

◆死亡の確認から役所への死亡届・死体埋火葬許可の申請

■配偶者や父母などの親族が死亡した場合、通常、心臓が停止した段階で、病院であれば医師が死亡宣告をします。自宅で医師の往診もなければ警察に連絡すると警察医務官が来て死体の検案をします。問題があれば死体の解剖がなされることもあります。

後日、市区町村役場への死亡届が必要です。

死亡したときの手続き（連絡先含む）

①病院で死亡した場合

□担当医による死亡宣告
□死亡した人の遺体の搬送（葬儀社への連絡・依頼）
□死亡診断書の発行（死亡届書の右欄が死亡診断書となっている）
□死亡を知った日から7日以内に市区町村役場への死亡届の提出

②自宅で死亡した場合

□往診に来た担当医、あるいは警察の担当部署への連絡
□死亡診断書あるいは死体検案書
□後日、死亡診断書あるいは死体検案書の発行（死亡届書の右欄が死亡診断書・死体検案書となっている）
□後日、市区町村役場への死亡届の提出

③事件・事故で死亡した場合

□発見者による警察や消防署（救急車）への連絡
□死亡した人の身元確認（遺族に警察から連絡がある）
□事件や事故ですでに死亡の場合は死体検案書（解剖がなされる場合もある）。
搬送先の病院で死亡の場合は死亡診断書の発行
□市区町村役場への死亡届の提出

【用語解説】

▽死亡宣告…死亡宣告は医師が「何時何分死亡」というふうに声を出して宣告する。

▽死亡診断書…担当の医師が作成する。死亡した人の住所・生年月日、死亡時刻、死亡したところ、死亡原因などが記載されている。

▽死体検案書…死亡後、警察医が死体を検案して作成する。前記、死亡診断書と同様のことが記載されている。

▽葬儀社（屋）…葬儀に必要な用具（祭壇・棺桶など）の調達や葬儀業務を請け負うことを職業とする会社・業者。

通夜や葬儀を行ってくれるだけでなく、病院からの遺体の搬送や死亡届の役場への届出、火葬場の手配なども行ってくれる。電話帳やインターネットで調べることができるが、通常、病院でも葬儀社を教えてくれる。

▽死亡届……人が死亡した場合、届出義務者が死亡の事実を知った日から7日以内（国外での死亡は3か月以内）に届け出をする義務がある。

▽埋火葬許可証…火葬許可証は火葬場で焼骨するときに必要である。死亡届と一緒に火葬許可の申請書を出すと許可証を出してもらえる。火葬場の予約も必要である。

【NOTE①】死亡届　※右欄は死亡診断書（死体検案書）の欄です。

死　亡　届

令和 ○ 年 1 月 9 日 届出

東京都千代田区 長 殿

受理　令和　年　月　日 第　号			発送　令和　年　月　日			
送付　令和　年　月　日 第　号			長印			
書類調査	戸籍記載	記載調査	調査票	附票	住民票	通知

No.	項目	記入内容
(1)	（よみかた）	みんじ　いちろう
(2)	氏名	氏 民事　名 一郎　☑男　□女
(3)	生年月日	昭和 23 年 12 月 14 日（生まれてから30日以内に死亡したときは生まれた時刻も書いてください）□午前 □午後　時　分
(4)	死亡したとき	令和 2 年 1 月 9 日　☑午前 □午後　4 時 10 分
(5)	死亡したところ	東京都港区虎ノ門一丁目1　~~番地~~ 番 1 号
(6)	住所（住民登録をしているところ）	東京都千代田区霞が関一丁目1番1号 世帯主の氏名　民事 一郎
(7)	本籍（外国人のときは国籍だけを書いてください）	東京都千代田区丸の内一丁目1　~~番地~~ 番 筆頭者の氏名　民事 一郎
(8)(9)	死亡した人の夫または妻	☑いる（満 70 歳）　いない（□未婚　□死別　□離別）
(10)	死亡したときの世帯のおもな仕事と	□1. 農業だけまたは農業とその他の仕事を持っている世帯 □2. 自由業・商工業・サービス業等を個人で経営している世帯 ☑3. 企業・個人商店等（官公庁は除く）の常用勤労者世帯で勤め先の従業者数が1人から99人までの世帯（日々または1年未満の契約の雇用者は5） □4. 3にあてはまらない常用勤労者世帯及び会社団体の役員の世帯（日々または1年未満の契約の雇用者は5） □5. 1から4にあてはまらないその他の仕事をしている者のいる世帯 □6. 仕事をしている者のいない世帯
(11)	死亡した人の職業・産業	（国勢調査の年…　年…の4月1日から翌年3月31日までに死亡したときだけ書いてください） 職業　　産業
	その他	
	届出人	☑1. 同居の親族 □2. 同居していない親族 □3. 同居者 □4. 家主 □5. 地主 □6. 家屋管理人 □7. 土地管理人 □8. 公設所の長 □9. 後見人 □10. 保佐人 □11. 補助人 □12. 任意後見人 □13. 任意後見受任者 住所　東京都千代田区霞が関一丁目1番1号 本籍　東京都千代田区丸の内一丁目1　番地 番　筆頭者の氏名　民事 太郎 署名（※押印は任意）　民事 太郎　昭和51年 12月 28日生
	事件簿番号	

記入の注意

鉛筆や消えやすいインキで書かないでください。

死亡したことを知った日からかぞえて7日以内に出してください。

死亡者の本籍地でない役場に出すときは、2通出してください（役場が相当と認めたときは、1通で足りることもあります。）。2通の場合でも、死亡診断書は、原本1通と写し1通でさしつかえありません。

→「筆頭者の氏名」には、戸籍のはじめに記載されている人の氏名を書いてください。

→内縁のものはふくまれません。

□には、あてはまるものに☑のようにしるしをつけてください。

→死亡者について書いてください。

届け出られた事項は、人口動態調査（統計法に基づく基幹統計調査、厚生労働省所管）、がん登録等の推進に関する法律に基づく全国がん登録（厚生労働省所管）にも用いられます。

死亡診断書（死体検案書）

この死亡診断書（死体検案書）は、我が国の死因統計作成の資料としても用いられます。楷書で、できるだけ詳しく書いてください。

No.	項目	記入内容
	氏名	民事 一郎　①男 2女　生年月日　明治 ㊧昭和 大正 平成 令和　23年 12月 14日（生まれてから30日以内に死亡したときは生まれた時刻も書いてください）午前・午後　時　分
	死亡したとき	令和 2 年 1 月 9 日　㊧午前・午後 4 時 10 分
(12)(13)	死亡したところ及びその種別	死亡したところの種別　①病院 2診療所 3介護医療院・介護老人保健施設 4助産所 5老人ホーム 6自宅 7その他 死亡したところ　東京都港区虎ノ門一丁目1　~~番地~~ 番 1号 （死亡したところの種別1〜5）施設の名称　○○○病院　（　　）
(14)	死亡の原因	Ⅰ (ア) 直接死因　脳出血　発病（発症）又は受傷から死亡までの期間　10時間 Ⅰ (イ) (ア)の原因　動脈硬化症　4か月 Ⅰ (ウ) (イ)の原因 Ⅰ (エ) (ウ)の原因 Ⅱ 直接には死因に関係しないがⅠ欄の傷病経過に影響を及ぼした傷病名等 手術　1無 2有（部位及び主要所見）　手術年月日　令和・平成・昭和　年　月　日 解剖　1無 2有（主要所見）
(15)	死因の種類	1病死及び自然死 外因死　不慮の外因死｜2交通事故 3転倒・転落 4溺水 5煙、火災及び火焔による傷害 6窒息 7中毒 8その他｜ その他及び不詳の外因死（9自殺 10他殺 11その他及び不詳の外因） 12不詳の死
(16)	外因死の追加事項	傷害が発生したとき　令和・平成・昭和　年　月　日　午前・午後　時　分 傷害が発生したところの種別　1住居 2工場及び建築現場 3道路 4その他（　） 傷害が発生したところ　都道府県　市 区 郡 町村 手段及び状況
(17)	生後1年未満で病死した場合の追加事項	出生時体重　グラム　単胎・多胎の別　1単胎 2多胎（　子中第　子）　妊娠週数　満　週 妊娠・分娩時における母体の病態又は異状　1無 2有［　］3不詳 母の生年月日　昭和・平成・令和　年　月　日 前回までの妊娠の結果　出生児　人　死産児　胎（妊娠満22週以後に限る）
(18)	その他特に付言すべきことがら	
(19)	上記のとおり診断（検案）する	診断（検案）年月日　令和　年　月　日 本診断書（検案書）発行年月日　令和　年　月　日 （病院、診療所、介護医療院若しくは介護老人保健施設等の名称及び所在地又は医師の住所）東京都港区白金台1丁目3　~~番地~~ 番 6 号 （氏名）医師　法務 康

◆Ⅰ欄、Ⅱ欄ともに疾患の終末期の状態としての心不全、呼吸不全等は書かないでください

◆Ⅰ欄では、最も死亡に影響を与えた傷病名を医学的因果関係の順番で書いてください

◆Ⅰ欄の傷病名の記載は各欄一つにしてください

ただし、欄が不足する場合は(エ)欄に残りを医学的因果関係の順番で書いてください

◆年、月、日等の単位で書いてください　ただし、1日未満の場合は、時、分等の単位で書いてください（例：1年3ヵ月、5時間20分）

◆伝聞又は推定情報の場合でも書いてください

記入の注意

生年月日が不詳の場合は、推定年齢をカッコを付して書いてください。

夜の12時は「午前0時」、昼の12時は「午後0時」と書いてください。

「5老人ホーム」は、養護老人ホーム、特別養護老人ホーム、軽費老人ホーム及び有料老人ホームをいいます。

死亡したところの種別で「3介護医療院・介護老人保健施設」を選択した場合は、施設の名称に続けて、介護医療院、介護老人保健施設の別をカッコ内に書いてください。

傷病名等は、日本語で書いてください。Ⅰ欄では、各傷病について発病の型（例：急性）、病因（例：病原体名）、部位（例：胃噴門部がん）、性状（例：病理組織型）等もできるだけ書いてください。

妊娠中の死亡の場合は「妊娠満何週」、また、分娩中の死亡の場合は「妊娠満何週の分娩中」と書いてください。産後42日未満の死亡の場合は「妊娠満何週産後満何日」と書いてください。

Ⅰ欄及びⅡ欄に関係した手術について、術式又はその診断名と関連のある所見等を書いてください。紹介状や伝聞等による情報についてもカッコを付して書いてください。

「2交通事故」は、事故発生からの期間にかかわらず、その事故による死亡が該当します。「5煙、火災及び火焔による傷害」は、火災による一酸化炭素中毒、窒息等も含まれます。

「1住居」とは、住宅、庭等をいい、老人ホーム等の居住施設は含まれません。

傷害がどういう状況で起こったかを具体的に書いてください。

妊娠週数は、最終月経、基礎体温、超音波計測等により推定し、できるだけ正確に書いてください。

母子健康手帳等を参考に書いてください。

▷死体埋火葬許可申請書

㊍

照合	担任	係長	課長

死体埋火葬許可申請書

令和　年　月　日

（あて先）　区長

本籍　番地 番 号

住所　番地

死亡者との続柄　申請人

明 大 昭　年　月　日生

次のとおり申請します。

項目	記入欄
本籍	番 番地
住所	番 号 番地
死亡者氏名	明 昭 大 平　年　月　日生
性別	男　女
死因	「一類感染症等」　「その他」
死亡の年月日時	令和　年　月　日 午前 後　時　分
死亡の場所	川崎市　区　町　丁目　番 号 番地
埋葬又は火葬の場所	

〔死亡届〕

1．届出義務者は、原則として、①同居の親族、②その他の同居人、③家主・地主、家屋・土地の管理人、④公設所の長の順ですが、この順序でなくてもよく、同居の親族以外の者でもかまいません。

2．届出先は、死亡地、本籍地，住所地のいずれでもよく、死亡診断書（死体検案書）の添付が必要です。死亡届書の右欄が死亡診断書（死体検案書）の記載欄となっています。

〔死体埋火葬許可申請書〕

書式は各市町村によって異なります。この申請により、埋火葬許可証が交付されます。

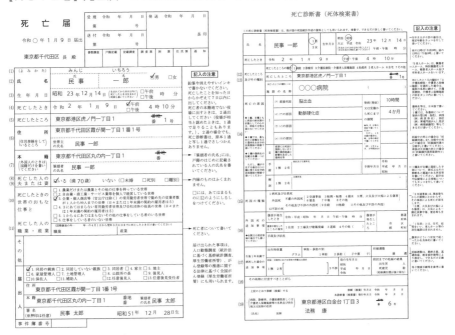

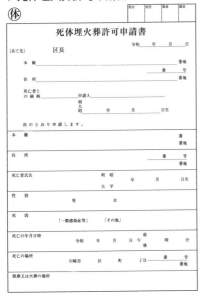

2 葬儀手続き

◆葬儀はやるやらないを含めその形式も自由です。葬儀社に頼む場合、必ず見積りを取ることです。

■葬儀については、火葬について許可が必要で、火葬しなければならないということを除けば、法律による規制はありません。遺言で葬儀についての指示がある場合がありますが、これには強制力はありません。葬儀を行うか、行わないかも自由です。散骨については条例で規制されている所があります。

葬儀は喪主が主催し、一切を取り仕切るとされています。葬儀費用の負担や香典の授受についても、原則として喪主の権限ですが、葬儀費用は亡くなった人の遺産から出す場合が多く、後でもめないように、相続人全員で話し合っておくことが重要です。もっとも、最近では配偶者や子全員が喪主となるケースが増えていますが…。

最近の葬儀はほとんどが葬儀社（屋）に頼んで行われます。遺体の搬送や死亡届の代行、斎場や火葬場の手配など、何かと便利です。ただし、葬儀費用はそれこそピンからキリまでありますので、事前にしっかり打ち合わせをして予算額を決め、その範囲でやるようにするとよいでしょう。また、葬儀後の葬儀社からの請求に対しては、必ずチェックをしてください。

① 葬儀の種類

□仏　式…寺院・葬儀所・自宅などで行われ、僧侶が読経をします。

□神　式…神社・葬儀所・自宅などで行われ、神官が葬儀を司ります。

□キリスト教式…教会で行われ、聖書朗読・神父あるいは牧師の説教があります。

□無宗教式…葬儀所などで宗教に関係なく行われ、形式も自由です。

□葬儀をしない…火葬は必要です。

② 葬儀に関する手続き

□葬儀社への依頼…今日、ほとんどの場合、葬儀社に頼んでいます。故人が生前に葬儀社の互助会に加入している場合もありますので確認が必要です。

□喪主の決定（最近は配偶者、子全員の連名も多い）

□葬儀社との打ち合わせ

□親戚などへの連絡

以下は仏教の葬儀の場合で、主なものです。

□斎場の決定

□祭壇や納棺の決定

□火葬場の予約・火葬許可証の入手（死亡届の際に申請・入手します）

□精進落としについての打ち合わせ・決定・手配

□住職への連絡・謝礼の用意（戒名料含む）

□出棺時の遺族側挨拶の用意

□会葬礼状・お礼の品の手配

以上の他にも、気になることがあれば、事前に葬儀社の人と打ち合わせをしましょう。葬儀費用は、必ず見積もりを出してもらうことです。

③ 葬儀費用の精算・支払

□請求書の確認（見積もりとの照合）

□問題なければ支払

④ 納骨・主だった人への会葬のお礼

□納骨…通常四十九日の法要後に納骨するケースが多いようですが、納骨しなければならないという法律上の決まりはありません。

【NOTE②】会葬者名簿　※会葬者記帳の名簿等から電話番号や香典額の入ったものを作成

関係	氏　　名	住　　所	電　　話	香典金額
親戚				
友人				
その他				

【記載の仕方】

会葬者名簿と香典料を整理します。上表のように親戚と故人の友人、その他と分類してあります。故人が仕事の現役中の場合、仕事（会社）関係欄を設けるとよいでしょう。

〔用語解説〕

▷葬儀社（屋）…242ページの下欄の解説参照。

▷斎場…葬儀を行う場所。火葬場には通常、斎場が併設されています。葬儀社に頼めば、手配してくれます。

▷喪主…喪主は葬儀の主催者です。葬儀に関する一切の権限を持ち責任を負います。今日では、配偶者と子の全員が喪主となるケースが多くなっています。

3 相続手続き

◆相続人の確定、遺産の調査・評価、遺産分割協議、各相続人の遺産の取得の手順です。

■相続手続きは、①相続人を確定し、②遺産を探して評価し、③遺産分割協議をし、④各相続人が遺産を取得する、手続きです。なお、相続知識に不安であれば、相続人を代表して誰かが、法律相談を受けるのもよいでしょう。

3-1 相続人を確定する

■思わぬ相続人がいる場合があります。それは、認知された子がいる場合や養子縁組をして、身内に内緒にしている場合です。相続においては、まず法定相続人を確定する必要があります。

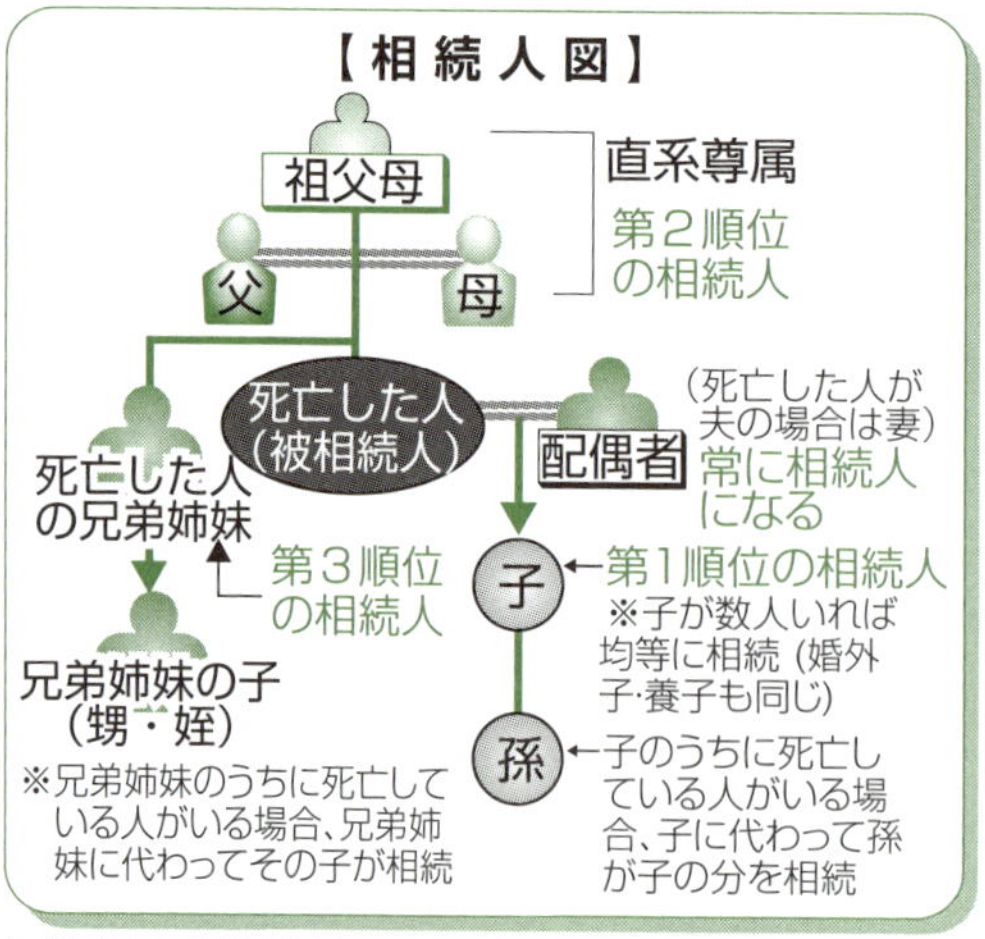

▶相続人と相続分は以下のとおり。（　）内は相続分

①配偶者と子（第１順位の相続人）がいる場合
〔相続人〕配偶者（２分の１）と子（２分の１）
※１．子が数人いれば均等に分ける。婚外子・養子も同等
※２．配偶者がいない場合、子が全遺産を相続
※３．子の誰かが死亡している場合、その分は孫が代襲相続

②子がなく配偶者と直系尊属（第２順位の相続人）がいる場合
〔相続人〕配偶者（３分の２）と直系尊属＜父母、父母もいなければ祖父母へ遡る＞（３分の１）
※１．父母共に健在であれば相続分の３分の１を等分で相続
※２．配偶者がいない場合、直系尊属が全遺産を相続

③子も直系尊属もなく配偶者と被相続人の兄弟姉妹がいる場合
〔相続人〕配偶者（４分の３）と兄弟姉妹（４分の１）
※１．兄弟姉妹が数人いれば同等に相続。ただし、半血兄弟姉妹の場合は父母を同一とする兄弟姉妹の2分の1の相続分
※２．兄弟姉妹の誰かが死亡している場合、その子（甥・姪）が相続
※３．配偶者がいない場合、兄弟姉妹が全遺産を相続

① 戸籍謄本などの取り寄せ

死亡した人（被相続人）の戸籍謄本などを取り寄せて相続人を確定します。戸籍には、認知された子や養子縁組の記載などがあるからです。

戸籍関連の書類には、戸籍謄本（戸籍全部事項証明書）、除籍謄本（被相続人の戸籍に誰もいなくなり除籍となっている場合）、改製原戸籍の謄本があり、死亡した人の出生から死亡までの連続した経歴がわかる書類が必要となります。通常、戸籍担当係の窓口で、必要な書類を教えてくれます。

② 窓口や郵送での手続き

□戸籍等交付申請書

この交付申請書は、死亡した人（被相続人）の本籍のある窓口に出します。その際、運転免許証、パスポート、健康保険証等の提示が求められます。

費用は有料で、戸籍謄本１通450円、除籍謄本１通750円、改製原戸籍の謄本１通750円などとなっています。数通請求する場合、かなりの費用になります。

【NOTE③】相続人名簿

※法律上、作成を義務付けられているものではありませんが、作成しておくと後日の遺産分割などで役に立ちます。

続柄	氏　名	住　所	電　話	備　考
配偶者				
子				

【記載の仕方】

続柄欄……死亡した人との関係を示すもので、配偶者、子については長男、二男 …、長女、二女 …、と記載しておくとよいでしょう。

氏名欄……戸籍全部事項証明書と同一の氏名を記載します。

備考欄……行方不明者や失踪者、代襲相続人の場合、その旨を記載しておくとよい。

〔戸籍全部事項証明書等の取り寄せについて〕

相続人を確定するためには、死亡した人の戸籍にどのような記載（配偶者や子〈養子や認知した子など〉）があるかを調べる必要があります。そのために死亡した人の現在の戸籍謄本（全部事項証明書）・除籍謄本だけでは足りず、出生から死亡までの連続した謄本等が必要となります。戸籍関係の記載は法改正や本籍地の移転などで新しいものが作られると、認知や離婚などの履歴は載らないからです。

▷戸籍謄本(全部事項証明書)…戸籍簿(記録データ)の全部を謄写(コピー)した書類です。相続手続きでは死亡した人の戸籍謄本だけでなく、相続人の戸籍謄本が必要な場合があります。

▷除籍謄本…戸籍簿の記載されている者がすべていなくなると、除籍簿として保存されます。死亡した人が戸籍筆頭者で抹消されても生きている他の人の記載があれば戸籍謄本の請求です。

▷改製原戸籍…コンピュータ化される前の戸籍簿を改製原戸籍といい、これも必要です。

〔「法定相続情報証明制度」の活用について〕

上記の戸籍関係の書類は相続人の確定だけでなく、死亡した人の不動産の相続登記や預貯金の解約・株式の相続でも必要となります。こうしたことから、平成29年５月29日より「法定相続情報証明」（法務局）が実施され、この証明書があれば、この証明書で手続きができます（183・237ページ参照）。

3-2 遺産の調査・確定・評価をする

■遺産に何があり、その遺産の評価額はいくらかを調べておかないと、次の手続きの遺産分割協議はできません。遺産を探し、評価するについては、相続人全員が協力するとしても、中心になる人を決めておくとよいでしょう。

① 遺産を探す

□土地…登記済証や登記識別情報が書類箱等に保管されている場合がほとんどです。また、不動産には固定資産税がかかりますので、納税通知書から探すこともできます。最終的には、不動産登記簿謄本（全部事項証明書）を取り寄せて確認します。

土地の地上権や賃借権等も財産です。

□建物…自宅・アパート・ビル・マンションなどがあります。建物にも固定資産税がかかりますので、それを基に調べるとよいでしょう。

貸している建物がある場合は、賃貸借契約書も探しておきましょう。

□現金…タンス預金などの場合は探すことに苦労する場合があります。死亡した人の遺品の整理でメモなどを丹念に調べることです。

□生命保険金…生命保険証書を探すとよいでしょう。保険会社から渡された約款なども入った書類があるはずです。見つからなければ、毎月一定額を振り込んでいたはずで、預金通帳等から探し、加入していた生命保険会社に確認しましょう。

□預貯金…預貯金は、死亡した人の貯金通帳や金融機関のカードから調べるとよいでしょう。定期預金等については、証書があるはずです。あると思える資料があれば、取引先で調べてもらえます。

□動産…古銭や郵便切手、貴金属類、書画・骨董品も遺産です。こうした趣味の品は、自慢のタネであり、遺族が知っていることが多いことでしょう。

□株式等…株主総会や配当金の通知、証券会社の通知がありますので、丹念に手紙類を調べれば分かります。

□その他…交通事故でなくなった場合の損害賠償や貸金なども財産です。これも丹念に調べれば手帳や日記、メモなどから発見できます。

なお、借金も負の遺産です。カードローンは、借入・返済明細が必ずあるはずです。他にも、知的財産権（印税や特許使用料など）もあります。

② 遺産の評価をする

遺産の評価は、原則として遺産分割時の評価となります。というのは、相続財産は被相続人の死亡時に相続人の全員の共同相続となり、その後、株などが暴落したとしても、共同相続人全員の責任でもあるからです。

□土地・建物の評価→118・151ページ参照

□預・貯金の評価→153ページ参照

□株式の評価→119・120・157ページ参照

□動産の評価（家具・什器・書画・骨董・自動車等）→119・156ページ参照

③ 遺産を共同相続人が取得する手続き

被相続人の預貯金は、葬儀等の支払ですぐに下ろす必要がある場合があります。銀行等に通知しなければキャッシュカード等による支払は停止されませんが、その使途等について、後は、相続人間で争いとなることがあります。

被相続人の死亡後は、相続人全員の共同相続となっていますので、代表者を立てて、手続きをして解約することができます（153ページ参照）。

【NOTE④】遺産目録（土地）

番号	住　所	地　番	地　目	面積（㎡）	備考（評価額等）
1					
2					
3					
4					
5					

【記載の仕方】

住所・地番・地目・面積欄……この欄の記載については、登記簿全部事項証明書の記載どおりとするのがよいでしょう。

評価額欄……遺産分割における評価額は時価が原則ですが、ここには固定資産税の評価額を記入しておくのもよいでしょう。ただし、その旨を注記しましょう。

※不動産登記全部事項証明書は管轄の登記所（法務局）で取り寄せることができます。

【NOTE⑤】遺産目録（建物）

番号	住　所	家屋番号	種　類	床面積（㎡）	備考（評価額等）
1					
2					
3					
4					
5					

【記載の仕方】

住所・家屋番号・種類・床面積欄……この欄の記載については、登記簿全部事項証明書の記載どおりでよいでしょう。

評価額欄……ここには固定資産税の評価額を記入しておくとよいでしょう。ただし、その旨を注記しましょう。

【NOTE⑥】遺産目録（現金、預・貯金、株式等）

番号	品　　名	単位円	数量（金額）	備考（評価額等）
1				
2				
3				
4				
5				

【記載の仕方】

品目欄……「○○銀行定期預金」「○○株式会社株式」などと記入します。

単位円欄……株式等の場合の単位あたりの円価額です。

数量……定期預金の場合はその金額を記入します。株式の場合は、その持株数を記入します。

備考（評価額等）……評価額は、現金はその価格、株式はとりあえず目録作成時点での株価でよいでしょう。

3-3 遺産分割協議をする

■遺産分割協議では、各遺産を誰が相続するかを決めます。法定相続分どおりでなくても、相続人全員の合意があれば思い通りに分割できます。また、一同に会する必要はなく、手紙などにより合意を得ることも可能です。話し合いがつかなければ、家庭裁判所に遺産分割の調停あるいは審判の申立てをすることになります。

特別受益分や寄与分なども考慮して、遺産を分けます。

① 遺言がある場合・ない場合

遺言があれば、原則として、遺言に従い分割となります（遺留分を侵害することはできない）。ただし、全員の合意で、遺言とは異なる相続をすることも可能です。理論上、一旦、遺言どおりに相続し、それを相続人全員の合意で分け直したと考えられるからです。また、遺言で、相続についての一切の権限を遺言執行者に任されている場合は、遺言執行者の分割に従うことになります。

② 遺産分割協議に参加する人

遺産分割協議には相続人の全員が参加することになります。相続人の中に行方不明者がいて、どうしても見つけ出すことができない場合は、家庭裁判所に財産管理人を選任してもらい、併せてその人が遺産分割協議に参加することを許可してもらいます。

相続放棄をした人は、分割協議に参加できません。また、各相続人の相続分は第三者に譲渡することができ、その場合、第三者も分割協議に参加することになりますが、他の相続人はその相続分を事前に買い戻せば、第三者が分割協議に参加することはありません。

③ 遺産分割協議の事項

遺産分割協議では、誰がどの遺産を相続するかを決めます。したがって、遺産分割協議に当たっては、遺産の範囲・評価、寄与分などが話し合われ、各相続人がどの遺産を相続するかを決めることになります。

④ 遺産分割協議書の作成

相続人全員の同意が得られたなら、遺産分割協議書を作成します。遺産分割協議書は、不動産の登記や金融機関での預貯金の解約など、相続人が手続きをする場合に必要となります。

【用語解説】

▽遺留分…遺産のうち、一定の相続人に必ず承継されるべきものとされる一定の割合のことです。遺留分の割合は直系尊属のみが相続人のときは遺産の3分の1、その他の相続人のときは2分の1です。兄弟姉妹が相続人のときは、兄弟姉妹には遺留分はありません。遺留分の侵害があると、侵害された者は、遺留分侵害額相当額の支払いを請求できます。

▽特別受益分…被相続人から、婚姻の支度金をもらった、生計の資本として生前贈与を受けた、遺贈を受けたなどの相続人がいる場合の受益額のことです。この特別受益分は、相続時の相続額に加算して総額を出し、相続分に応じて分割します。

▽寄与分…相続人の中に、相続財産の増加・維持に特別の寄与があった場合に、その寄与者が自分の相続分に加算して別途与えられる遺産の部分のことです。

寄与分をいくらにするかは、遺産分割協議で話し合って決めることとされ、決まらなければ家庭裁判所で決めてもらいます。

【NOTE⑦】遺産分割協議書＜記載例＞

遺産分割協議書

令和　年２月１日、○○市○○町○番地　山野太郎の死亡によって開始した相続の共同相続人である河野花子、山野一郎及び山野良子は、本日、その相続財産について、次のとおり遺産分割の協議を行った。

相続財産のうち、下記の不動産は、山野一郎（持分２分の１）及び山野良子（持分２分の１）が相続する。

この協議を証するため、本協議書を３通作成して、それぞれに署名、押印し、各自１通を保有するものとする

令和　年３月３１日

○○市○○町二丁目１２番地　　河　野　花　子　㊞
○○郡○○町○○３４番地　　山　野　一　郎　㊞
○○市○○町三丁目４５番６号　　山　野　良　子　㊞

記

不動産

所　　在　　○○市○○町一丁目
地　　番　　２３番
地　　目　　宅地
地　　積　　１２３・４５平方メートル

所　　在　　○○市○○町一丁目２３番地
家屋番号　　２３番
種　　類　　居宅
構　　造　　木造かわらぶき２階建
床 面 積　　１階　４３・００平方メートル
　　　　　　２階　２１・３４平方メートル

（注）この遺産分割協議書は、東京法務局のHPより作成したものです。本文167ページにも同書式がありますので参照してください。

【記載の仕方】

1．上書式は、記載例です。この記載例を参考にして、協議の結果に応じて作成してください。
2．手書きでも、パソコンで作成してもかまいません。
3．遺産分割協議書には、署名し、印鑑証明書と同じ印（実印）を押し、印鑑証明書を各１通添付します（３か月以内に作成されたものでなくてもよい）。不動産の相続登記などでは印鑑証明書が必要だからです。

3-4 遺産の各相続人への移転

■遺産分割協議が終われば、遺産分割協議で合意した被相続人の財産を各相続人に引き渡すことになります。通常、動産については引渡し、不動産については相続による不動産の移転登記を行います。

その他にも手続きを要するものが多々ありますが、まずは相手先に連絡することです。手続きが必要な場合、書類等が用意されています。

①不動産の移転

□不動産の登記申請書

自宅などの不動産の取得は、相続人全員の合意で成立しますが、第三者に対してその権利を主張するためには、不動産の移転登記が必要です。登記されて初めて、自分のものであると主張できる（対抗要件）からです。不動産登記の移転手続きは登記所（法務局）でします。（184ページ以下参照）

②預貯金の相続（払戻し・名義書き換え＝ゆうちょ銀行の場合）

□相続確認表兼貯金等支払停止依頼書（最寄りのゆうちょ銀行で入手）

□相続手続請求書（貯金事務センターから送られてくる。提出にあたっては、「必要書類一覧表」を見て用意したものを提出する。）

銀行等もほぼ同じ手続きです。

③生命保険金の相続

□生命保険金申請書（必要な書類を被相続人が加入している保険会社で確認し、事前に用意する）

④自動車の相続

□移転登録申請書（必要書類を陸運事務所で確認し、事前に用意する）

⑤特許権等の知的財産権の相続

□移転登録申請書（事前に特許庁登録課に相談し、必要書類を用意）

⑥株式の相続

□名義書換請求書（被相続人の取引証券会社、信託銀行等の口座管理会社に確認し、必要書類を事前に用意する）

⑦その他

・借地の場合は、名義変更の手続きをしますが、印鑑証明等を要求される場合があります。

・死亡により退職金の支払については、死亡退職金の支払請求ができます。もっとも、書式はなく、会社の退職金規定により支払われるケースが多いでしょう。

・貸金・売掛金の債権については、「相続通知」などを行います。

・裁判上の損害賠償請求権については、訴訟受継の申立てをします。

・家具・什器・書画骨董品などの動産については、引渡しがあればよく、手続きは不要です。

（注）必要書類は、相続人であることを証明する戸籍関係の書類です。遺産分割協議書や印鑑証明書が必要な場合もあります。

詳細についてはＰＡＲＴ４（181ページ以下）を参照ください。

〔祭祀財産について〕

お墓や仏壇などの祭祀財産は、相続財産とはされていません。祭祀財産は祭祀主宰者が受け継ぐものとされ、祭祀主宰者は、①被相続人（死亡した人）が指定、②慣習、③慣習が明らかでないときは家庭裁判所が決める、こととなっています。祭祀財産の承継者は役所などへの届出の必要もなく、正式に決めていることは少ないようです。

【NOTE⑧】相続登記の申請書（不動産の所有権移転）

登　記　申　請　書

<table>
<tr><td>登記の目的</td><td colspan="2">所有権移転</td></tr>
<tr><td>原　　因</td><td colspan="2">令和　年２月１日相続</td></tr>
<tr><td>相　続　人</td><td colspan="2">（被相続人　山　野　太　郎）</td></tr>
<tr><td></td><td colspan="2">○○郡○○町○○３４番地</td></tr>
<tr><td></td><td colspan="2">（住民票コード１２３４５６７８９０１）</td></tr>
<tr><td>（申請人）</td><td colspan="2">持分２分の１　　山　野　一　郎　㊞</td></tr>
<tr><td></td><td colspan="2">○○市○○町三丁目４５番６号</td></tr>
<tr><td>（申請人）</td><td colspan="2">持分２分の１　　山　野　良　子　㊞</td></tr>
<tr><td></td><td colspan="2">連絡先の電話番号００－００００－００００</td></tr>
<tr><td colspan="3">添付情報</td></tr>
<tr><td colspan="3">登記原因証明情報　住所証明情報</td></tr>
<tr><td colspan="3">□登記識別情報の通知を希望しません。</td></tr>
<tr><td colspan="3">令和　年３月３１日申請　○○　法　務　局（又は地方法務局・出張所）</td></tr>
<tr><td colspan="3">課税価格　金２，０００万円</td></tr>
<tr><td colspan="3">登録免許税　金８万円</td></tr>
<tr><td colspan="3">不動産の表示</td></tr>
<tr><td></td><td>不動産番号</td><td>１２３４５６７８９０１２３</td></tr>
<tr><td></td><td>所　　在</td><td>○○市○○町一丁目</td></tr>
<tr><td></td><td>地　　番</td><td>２３番</td></tr>
<tr><td></td><td>地　　目</td><td>宅　地</td></tr>
<tr><td></td><td>地　　積</td><td>１２３・４５平方メートル</td></tr>
<tr><td></td><td>不動産番号</td><td>０９８７６５４３２１０１２</td></tr>
<tr><td></td><td>所　　在</td><td>○○市○○町一丁目２３番地</td></tr>
<tr><td></td><td>家屋番号</td><td>２３番</td></tr>
<tr><td></td><td>種　　類</td><td>居　宅</td></tr>
<tr><td></td><td>構　　造</td><td>木造かわらぶき２階建</td></tr>
<tr><td></td><td>床　面　積</td><td>１階　４３・００平方メートル</td></tr>
<tr><td></td><td></td><td>２階　２１・３４平方メートル</td></tr>
</table>

（注）この登記申請書は、東京法務局のHPより作成したものです。この記載例は、相続人である妻と子２人で遺産分割協議をし、相続財産中の不動産を子２人が相続した場合のものです。

【記載上の注意】

1．遺言書による登記もできますが、自筆証書遺言は家庭裁判所の検認が必要です。

2．原因欄の日にちは、被相続人が死亡した日（戸籍上の死亡日）を記載します。

3．住民票コード（住民基本台帳法第７条第13号に規定されているもの）を記載した場合、添付情報として住所証明情報（住民票の写し）の提出を省略できます。

4．印は認印でもかまいません。

5．登記原因証明情報として、遺産分割協議書及び被相続人（死亡した方）の出生から死亡までの経過の記載が分かる戸籍全部事項証明書（戸籍謄本）、除籍全部事項証明書（除籍謄本）等を添付します。また、遺産分割協議の当事者である相続人全員の戸籍全部（一部）事項証明書（戸籍謄抄本）も添付が必要です。

6．その他、相続関係図、委任状（他の人に登記の申請を頼むとき）が必要です。

4 年金・健康保険・税金の手続き

◆遺産相続以外の手続きも多くあります。

■年金・健康保険などの社会保険は遺産ではありませんが、一定の場合、遺族は死亡したことを届け出る必要があります。また、一定以上の遺産がある場合には、相続税の申告・納付が必要です。

4-1 社会保険関係の手続き

■社会保険には、年金や健康保険などがあります。こうした社会保険を実施している所に死亡を知らせることは急がれます。

　また、死亡に伴い、給付金が支給されることもあります。

① 年金関係の手続き

　年金は相続財産ではありませんが、死亡した人の遺族がしなければならない手続きの一つです。大まかに分けると、死亡に関する死亡届出（年金が止まる）、配偶者等への遺族年金受給の申請とに分かれます。

▼年金一般

□年金受給者死亡届（通知）

□未支給【年金・保険給付】請求書

▼死亡した人が国民年金の場合

□遺族基礎年金

□寡婦年金

□死亡一時金

▼死亡した人が厚生年金（会社員や公務員など）の場合

□遺族厚生年金（共済組合の年金加入者含む）

② 健康保険・介護保険関係の手続き

□治療第や介護費用の精算

□高額療養費の返還

□葬儀費用の受給

4-2 税金関係の手続き

■税金関係の手続きとしては、死亡に伴う本人の確定申告と相続人の相続税の申告とがあります。

　死亡した人の確定申告では、税金が還付されることもあります。また、退職金には、勤続年数に応じて、①20年以下の人の場合は、40万円×勤続年数（80万円に満たない場合は80万円）、②勤続年数が20年超の場合は、800万円＋70万円×（勤続年数−20年）の控除があります。

　相続税については、基礎控除が3000万円×600万円×法定相続人の数あり、この金額に満たない遺産であれば課税はなく、申告も不要です。ただし、贈与で相続時精算課税制度を利用している人や配偶者税額軽減制度、小規模宅地等の評価減額特例を利用する人は申告が必要です。

　遺産が基礎控除額を超えると予想される場合、税金の専門家である税理士に相談するのがよいでしょう。

　なお、相続税については、PART5（203ページ以下）で解説してあります。

□死亡までの収入による**確定申告**

□現役の人で死亡により退職となる場合は、**退職金所得（一定額以上の額等の場合）の申告・納税**

□**相続税の申告・納税**（相続額が一定以上の場合で、相続の開始を知ったときの翌日から10か月以内）

【NOTE⑨】年金請求書（国民年金・厚生年金保険遺族給付）

届書コード 7 3 1　届書

年金コード 1 4

年金請求書(国民年金・厚生年金保険遺族給付)

〔遺族基礎年金・特例遺族年金・遺族厚生年金〕

様式第105号

○□のなかに必要事項を記入してください。(◆印欄には、なにも記入しないでください)
○黒インクのボールペンで記入してください。鉛筆や、摩擦に伴う温度変化等により消色するインクを用いたペンまたはボールペンは、使用しないでください。
○フリガナはカタカナで記入してください。
○請求者自ら署名する場合は、請求者の押印は不要です。

二次元コード

❾ 実施機関等　受付年月日

基礎年金番号が交付されていない方は、❶、❸の「基礎年金番号」欄は記入の必要はありません。

死亡した方	❶基礎年金番号		
	❷生　年　月　日	明・大・昭・平　年　月　日	
	氏名	(フリガナ) (氏)　(名)	性別 1. 男 2. 女
請求者	❸基礎年金番号		
	❹生　年　月　日	明・大・昭・平　年　月　日	
	⓳氏名	(フリガナ) (氏)　(名)	⓴続　柄 ◆　性別 1. 男 2. 女
	㉑住所の郵便番号	㉒住所 (フリガナ)　市区町村	
	＊電話番号1 (　)－(　)－(　)	＊電話番号2 (　)－(　)－(　)	

❺記録不要制度 (厚年)(船員)(国年)(国共)(地共)(私学)　送信　❻作成原因 01 02

❼進達番号　❽別紙区分　❿船　戦　加　⓫重無

⓬未保　⓭支保　⓮受給権者数　⓯長期　⓰基加　⓱沖縄　⓲旧令

社会保険労務士の提出代行者

＊日中に連絡が取れる電話番号(携帯も可)をご記入ください。
＊予備の電話番号(携帯も可)があればご記入ください。

※ 請求者が2名以上のときは、そのうちの1人についてこの請求書にご記入ください。
その他の方については、「年金請求書(国民年金・厚生年金保険遺族給付)(別紙)」(様式第106号)に記入し、この年金請求書に添えてください。

年金受取機関 1. 金融機関(ゆうちょ銀行を除く) 2. ゆうちょ銀行(郵便局)	(フリガナ) 口座名義人 氏名	(氏)　(名)

年金送金先	㉓金融機関	㉔金融機関コード ◆　㉖支店コード ◆　(フリガナ) 銀行 金庫 信組 農協 信連 信漁連 漁協　(フリガナ) 本店 支店 出張所 本所 支所　㉗預金種別 1. 普通 2. 当座　㉘口座番号(左詰めで記入)
	㉓ゆうちょ銀行	㉘貯金通帳の口座番号　記号(左詰めで記入) －　番号(右詰めで記入)　金融機関またはゆうちょ銀行の証明※ 貯蓄預金口座または貯蓄貯金口座への振込みはできません。請求者の氏名フリガナと口座名義人氏名フリガナが同じであることを確認してください。　印

㉕支払局コード ◆ 0 1 0 1 6 0

※通帳等の写し(金融機関名、支店名、口座名義人氏名フリガナ、口座番号の面)を添付する場合、証明は不要です。

(注)遺族給付の年金請求書は12ページ分あります。上書式は、1ページ目のものです。遺族年金に限らず、とりあえず、窓口に連絡することです。そうすれば、手続きについて教えてくれます。

◆連絡先　遺族年金(厚生年金・国民年金)→日本年金機構・市区町村役場の国民年金課
国民健康保険・介護保険→市区町村役場
相続税（国税）→国税庁
不動産登記→登記所（法務局）
相続トラブル→家庭裁判所の家事事件手続相談・弁護士会の法律相談センター・自治体の無料法律相談

●監修・執筆代表者紹介

石原　豊昭（いしはら・とよあき）　昭和３年、山口県に生まれる。中央大学卒業。元弁護士（東京弁護士会所属）。相続問題に造詣が深く、多くの難事件も処理している。日本および世界の相続制度は研究テーマの一つ。著書に『財産相続トラブル解決なんでも事典』「みんなが安心 遺書の正しい書き方・活かし方」『遺産分割と紛争解決法』『訴訟は本人で出来る（共著）』（以上、自由国民社）など多数。平成 27 年逝去。

▷第８版から監修

國部　徹（くにべ　とおる）昭和 35 年生。東京大学法学部卒業。平成４年弁護士登録、平成 10 年國部法律事務所開設。

一般民事・家事事件をはじめ、労働事件や倒産事件、刑事事件など日常の出来事全般、また主に中小企業向けの法務を扱う。著書に『労働法のしくみ』『労働審判・示談・あっせん・調停・訴訟の手続きがわかる』（共著）「戸籍のことならこの１冊』（共著）<いずれも自由国民社>などがある。

●執筆者紹介

飯野　たから（いいの・たから）　昭和27年、山梨県生まれ。慶応義塾大学法学部卒業。フリーライター。著書に『男の離婚読本（共著）』『戸籍のことならこの１冊（共著）』『非正規六法』（以上、自由国民社）などがある。

内海　徹（うつみ・とおる）　昭和 16 年、宮崎県生まれ。早稲田大学法学部卒業。法律ジャーナリスト。著書に『債権回収のことならこの１冊（共著）』『「遺言」の書き方と文例集（共著）』『（以上、自由国民社）等がある。

真田　親義（さなだ・ちかよし）　昭和 24 年、熊本県生まれ。熊本大学法学部卒業。（有）生活と法律研究所所長。著書に『自己破産借金完全整理なんでも事典（共著）』『交通事故の示談交渉手続マニュアル』『示談・調停・和解による解決事典（共著）』などがある。令和３年逝去。

矢島　和義（やじま・かずよし）　昭和 26 年生まれ。鹿児島県出身。税理士（東京税理士会所属）。著書に『有限会社経理事務』（西東社）などがある。

和田　恵千子（わだ・えつこ）　島根県出身。税理士（東京税理士会所属）。

相続と遺言のことならこの１冊

2007年１月31日　初版第１刷発行
2022年10月26日　第９版第１刷発行

監 修 者　石原 豊昭・國部 徹
執 筆 者　飯野たから／内海 徹／真田親義／矢島和義／和田恵千子
発 行 人　石井　悟
本文 DTP　有限会社中央制作社
印 刷 所　横山印刷株式会社
製 本 所　新風製本株式会社
発 行 所　株式会社自由国民社

〒171 -0033 東京都豊島区高田３丁目 10 番 11 号
販売部　TEL 03-6233-0781　　編集部　TEL 03-6233-0786
URL https://www.jiyu.co.jp/